# 清代秘密會黨史研究

莊吉發著

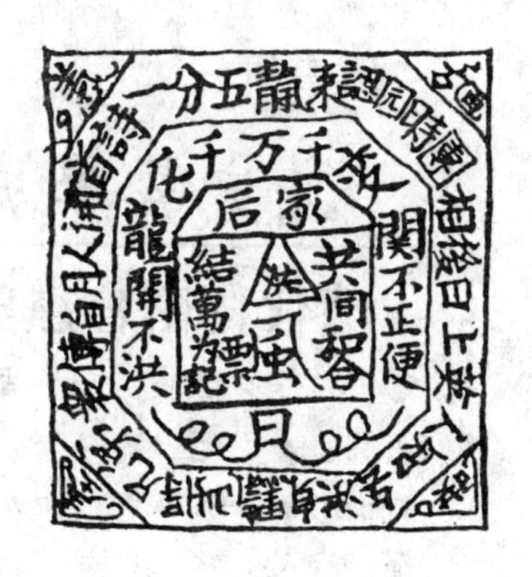

文史哲學集成
文史哲出版社印行

國立中央圖書館出版品預行編目資料

清代祕密會黨史研究 / 莊吉發著. -- 初版. --
臺北市 : 文史哲, 民83
面 ; 公分. -- (文史哲學集成 ; 333)
參考書目:面
ISBN 957-547-913-0(平裝)

1. 祕密會社 - 中國 - 清 (1644-1912)

546.992 83011037

文史哲學集成 ③③③

清代秘密會黨史研究

著作：莊吉發
出版者：文史哲出版社
登記證字號：行政院新聞局局版臺業字五三三七號
發行人：彭正雄
發行所：文史哲出版社
印刷者：文史哲出版社
臺北市羅斯福路一段七十二巷四號
郵撥〇五一二八八一二 彭正雄帳戶
電話：(〇二)三五一一〇二八

實價新台幣四八〇元

中華民國八十三年十二月初版


ISBN 957-547-913-0

# 清代秘密會黨史研究

## 目　錄

# 第一章 緒 論

清代秘密社會，因其生態環境、組織形態、思想信仰及社會功能，彼此不同，各有其特殊條件，爲了研究上的方便，將秘密社會劃分爲民間秘密宗教和秘密會黨兩個範疇，是有其必要的。宗教是一種歷史現象，有其自身產生和發展的客觀規律，在人類文化史上，宗教信仰佔了相當重要的地位。各種形式的宗教信仰，主要是在適應個人及社會的需要。人類在求生存的過程中，經常遭遇到各種困難和挫折，當人類的知識或經驗不能控制處境及機遇的時候，就出現了宗教信仰。

傳統中國社會的宗教信仰，包羅萬象，有自然崇拜，有圖騰崇拜，有祖先崇拜，多神崇拜就是中國傳統宗教信仰的一大特色。除了佛教、道教等正統宗教以外，還有源遠流長、枝榦互生的民間秘密宗教。所謂民間秘密宗教，就是起源於下層社會以巫術爲主體的原始信仰，並雜揉儒釋道的教義思想而產生的多元性教派，教派林立，名目繁多。民間秘密宗教雖然是建立在小傳統的一種社會制度，但也具備正統宗教的本質，其組織、儀式、戒律等方面，亦與正統宗教密切相關。民間秘密宗教與正統宗教之間，並沒有隔着不可跨越的鴻溝，世界上著名的宗教，在初起時，無一不在社會底層滋生發展，然後逐漸浮現起來，成爲正統宗教。民間秘密宗教藉教義信仰，師徒輾轉傳授，以建立縱向的統屬關係。各教派的共同宗旨，主要在勸人燒香誦經，導人行善，求生淨土，其思想觀念，與佛教的教義最相切近。各教派多傳授坐功運氣，爲村民療治時疾，其修眞養性的方式，與道教頗相近似。各教派也舉辦許多宗教福利措施，養生送死各種儀式，多由各教首主持，民間秘密宗教在地方上扮演了重要的角色，具有生存、整合與認知的功能。但因朝廷制訂律例，取締正統宗教以外的“邪教”，各教派的組織及活動，都是不合法的，只能在社會底層秘密發展，更增加了其神秘色彩。

秘密會黨是由下層社會的異姓結拜團體發展而來的多元性秘密組織，會黨林立，名目繁多。各會黨的倡立，主要是承繼歷代民間金蘭結義的傳統，也是建立在小傳統的一種社會制度。其成員模擬家族血緣制的兄弟關係，彼此以兄弟相稱，並藉盟誓規章互相約束，以維持橫向的散漫關係。中外史家對這種異姓結拜組織，或稱爲秘密會社，或稱爲秘密幫會，或稱爲秘密結社，或稱爲秘密會黨，甚至籠統地稱爲天地會，頗不一致。王爾敏撰〈秘密宗教與秘密會社之生態環境及社會功能〉一文指出研究中國秘密社會史，必須分別秘密宗教與秘密會社兩個範疇，各求獨立鑽研與探討。文中認爲「秘密社會爲大共名，即總稱，包括秘密宗教與秘密會社兩大範圍，而秘密會社與總稱之秘密社會用字相差甚微，易致混亂，但爲循其沿用名稱，亦無從更改。」（註一）誠如所言，秘密會社與秘密社會，其區分實欠明晰，差異不大，易致混亂，使用秘密會社一詞，並不能突顯異姓結拜的特殊性質，秘密會社亦非最早沿用的名稱。劉聯珂著《幫會三百年革命史》一書敍述洪門、天地會、三合會、清門、理門的傳說，原書認爲「洪門就是人們所謂幫會的一種」，「人們所說的幫會，係指“清”、“洪”、“理”三教而言，夷考其實，最初祇有“洪門”，“清”與“理”皆是由“洪”蛻化而出的。」（註二）書中旣將“教”與“會”混爲一談，又將“幫”與“會”合而爲一。誠然，幫會一詞，沿用已久。其實，“幫”與“會”的性質，並不相同，是兩種不同性質的組織。這裡的“會”是指秘密會黨，“幫”則指地緣性結合的各種行業組織，例如浙商紹興幫、寧波幫的成功，就是將社會性的組合有效地應用於商業上的結果（註三）。“幫”可作量詞解，含有“夥”或“群”的意思，似由船幫而得名。在中國沿海的海盜社會裡，就有鳳尾幫、水澳幫等名稱。青幫、紅幫則是以信仰羅祖教的漕運糧船水手爲主體的秘密組織，都是由糧船幫而得名。各幫水手因籍貫不同，地域觀念較濃厚。老水手與新水手之間，也存在着矛盾，彼此往往因利害衝突而引發激烈的械鬥，其宗教色彩雖較淡薄，而其械鬥性質，又跡近秘密會黨，遂被誤解爲由會黨衍化而來的秘密組織。其實，青幫或紅幫都不是由天地會分化出來的秘密組織，也不是哥老會的旁支，而是由民間秘密宗教衍化而來的幫派，幫派與會黨不能混爲一談。清代中葉以降，由於漕運積弊日深，青幫、紅幫的勢力日益興盛，凡投充水手者，如欲立足於糧船，必須加入青幫、紅幫，或其他幫派。青幫或紅幫的成員，十分複雜，包括短縴、游幫、鹽梟，或走私販毒的不法商人等，動輒聚衆械鬥，滋生事端，目無法紀，形成嚴重的社會問題（註四）。“幫”與“會”的性質，既然不同，因此，將“幫”與”會”混爲一談，確實不妥。

秘密結社一詞，確實久爲中外史家所習用，但是結社的範圍，包括民間秘密宗教與秘密會黨。日本學者所稱秘密結社，相當於秘密社會的總稱，例如宮原民平著《支那の秘密結社》一書所討論的範圍就包括白蓮會、天理教、三合會、哥老會等，“教”與“會”統稱爲秘密結社（註五）。黃玉齋撰〈洪門天地會發源於台灣〉一文認爲洪門天地會誕生於三百多年前，是一個反清復明的“秘密結社”（註六）。結社一詞，含義甚廣，使用“結社”

字樣時，易與文人集會結社相提並論。明末天啓年間，太倉人張溥等，初結應社。崇禎年間，又集合南北文社中人於吳縣，繼東林講學，稱爲複社，以取興復絕學之義。此外，也有文人互相唱和的各種詩社，例如台灣早期的東吟社、鍾毓詩社、潛園吟社、崇正詩社、竹梅吟社、斐亭吟社、荔譜吟社、浪吟詩社、牡丹詩社等（註七），都是文人結社。探討秘密會黨問題時，若使用“秘密結社”字樣，既易與文人結社相提並論，又常與民間秘密宗教混爲一談，以致對異姓結拜組織的性質及作用，產生誤解。因此，就研究盛行於中國南方的秘密會黨而言，使用“秘密結社”字樣，其不妥當，實已顯而易見。

清代官方文書中，常見“結會樹黨”字樣，例如乾隆二十九年（一七六四）十月，福建巡撫定長繕摺具奏時已指出閩省各屬向有“結會樹黨”之惡習（註八）。同年十一月，刑部議覆定長奏摺後，增訂律例，將取締結會樹黨專條，寫入大清律例內，其增訂條例內就有“結會樹黨”字樣（註九）。以年次結拜弟兄，結會樹黨，創立會名，所以稱爲會黨。由下層社會的異姓結拜團體發展而來的秘密組織，使用秘密會黨一詞，確實較爲妥當，一方面符合歷史事實，一方面也能充分突顯民間異姓結拜組織的特殊性質。會黨一詞，在清代末葉，更是普遍使用。孫中山倡導革命之初，國內風氣未開，所以先從結合會黨入手，使會黨志士在國民革命史上扮演了重要的角色。光緒二十六年（一九〇〇），庚子惠州之役發難以後，會黨字樣，多見於當時的報章雜誌。是年九月二十一日，《清議報》刊載惠州軍務云：「念二日，馬軍門部下武弁區某親帶介字營勇欲往平潭防堵，詎被會黨聞知，即就蔗林埋伏鎗手。未幾，介勇經臨，會黨從林中發鎗攻擊，介勇傷斃甚衆，驚惶逃走。」（註一〇）同年十月初一日，《清議報》

轉載香港西字報所刊〈廣東歸善縣來札〉一函，文中有「某等並非團匪，乃大政治家、大會黨耳，即所謂義興會、天地會、三合會也」等語（註一一），義興會、天地會、三合會等都是民衆耳熟能詳的大會黨。宣統元年（一九〇九）十二月十九日，四川職員王朝鉞具稟時，亦使用“會黨”字樣，其原稟稱「四川會黨之風甲於天下，而拉搕搶刦之匪即出於會黨之中。」（註一二）宣統二年（一九一〇），陶成章著《浙案紀略》一書對“黨會”作了簡單的說明，他說：「所謂黨，即指革命黨也；所謂會，即指諸會黨也。」（註一三）由此可知，會黨一詞，沿用已久，爲求符合史實，同時突顯異姓結拜組織的本質，使用秘密會黨字樣，確實較爲恰當。但因清初以來，朝廷已制訂律例，查禁異姓結拜。乾隆年間以降，又屢次修訂取締會黨條例，所以各會黨的倡立，都與朝廷律例相牴觸，各會黨的組織及其活動，都是不合法的，只能在社會底層秘密發展。

歷史記載，最主要的是人物事蹟，歷史學就是以人物作爲主要的研究對象。在《史記》一百三十卷中，本紀、世家、列傳共佔一百一十二卷，年表、書合計僅佔十八卷，可以說《史記》是以紀、傳爲本體，而以八書爲總論，十年表爲附錄，亦即以人物爲中心。從許多個別歷史人物的記載，確實可以顯露出當時的社會概況或社會特徵。人類社會包含許多成員，歷史學既以人物作爲研究對象，其注意力就不能僅集中在上層社會的少數菁英身上，而無視於下層社會的廣大群衆。近年以來，中外史家對中國歷史的研究方向，已經逐漸由統治階層的王公大臣或士紳、知識分子轉移到下層社會的市井小民或販夫走卒。秘密會黨的基本成員，就是離鄉背井，浪跡江湖的市井小民或販夫走卒。由於研究方向的轉移，使傳統中國歷史的研究領域，確實比以前更加擴大了。

秘密會黨的活動過程，是起於社會底層的群衆運動，滿清末造，由於知識分子和秘密會黨的結合，終於促成近代中國政治、社會結構的巨大變遷。曾經在群衆運動舞台上扮演過活躍角色的秘密會黨，雖然已經成了既往的歷史陳迹，然而由於有關秘密會黨的起源、發展、性質、活動過程及社會作用等問題，衆說紛紜，迄未得到一致的結論，所以秘密會黨史至今仍然吸引許多史學工作者的濃厚興趣。

早在光緒三十四年（一九〇八）十月，光復會的會員陶成章在緬甸仰光爲《光華日報》主筆時，已撰有《洪門歷史篇》，並刊載於《光華日報》。宣統二年（一九一〇）正月，《中興日報》曾轉載該文，具名爲志革，這是陶成章在仰光時的別名。光緒三十四年（一九〇八）十二月，陶成章由仰光至檳榔嶼，偕陳威濤游歷英荷各屬。當陶成章在南洋荷屬佛里洞島時，曾以〈教會源流考〉爲題作演說，該講題係就〈洪門歷史篇〉加以增補，也改正了頗多的疏漏。陶成章著《浙案紀略》，初在仰光《光華日報》陸續刊載。宣統二年（一九一〇），增補匯訂，將中卷列傳及附錄〈教會源流考〉在日本排印出版，民國五年（一九一六）七月，魏蘭校補重印。此外，日本東西同文會成員平山周所著《中國秘密社會史》，荷屬東印度公司中文通事施列格（Gustave Schlegel）著《天地會研究》等書，都是早期關於秘密會黨史的論著。

涉及秘密會黨問題的史料，大致可以分爲兩大類：一類爲會黨內部流傳的各種文獻，自十九世紀中葉以後，陸續發現刊佈；一類是政府文書，即所謂歷史檔案。秘密會黨內部流傳的各種文獻，經過百數十年的口口相傳及輾轉傳抄，這些文獻所述結會緣起，或詳或略，有關人物、地點、時間，亦互有牴牾，又因往往帶有濃厚的神秘色彩，甚至摻雜了不少神話傳說，所以使用秘密會黨內部文獻，有一定的局限和缺陷。以往學者因歷史檔案尚未公佈，只能根據秘密會黨輾轉傳抄的內部文獻或傳說故事，使用影射索隱的方法，牽合史事，而且始終囿於單純起源年代及倡會人物的考證，忽視社會經濟背景，所得結論，並不一致，也一直未能得到較有說服力的解釋。利用神話傳說推論天地會起源的途徑，已經走到盡頭，山窮水盡了，必須另闢蹊徑，始能峯廻路轉，從另一個角度提出新的解釋。譬如宋明理學的爭論，性即理和心即理的主張，單從理論上的爭辯，始終得不出結論，論學必須取證於經典，追問到最後，一定要回到原始經典中去尋找立論的根據。因此，利用歷史檔案，找尋立論的根據，是不可忽視的工作。

歷史檔案是一種直接史料，其可信度較高，一個誠實的歷史工作者，應當儘量利用可信度較高的直接史料，同時抱着有幾分證據說幾分話，有七分證據不能說八分話的態度，使記載的歷史儘可能接近客觀的事實，以便對歷史事件的素描或速寫，更能顯露出眞實的輪廓。歷史研究和歷史檔案，必須互相結合，研究清代歷史，必須依據清代檔案，離開了清代檔案，就無從研究清代歷史。有清一代，檔案浩瀚，近數十年來，由於清代檔案的不斷發現與積極整理，使清代歷史的研究，逐漸走上新的途徑，研究領域也擴大了。韋慶遠撰〈利用明清檔案進行歷史研究的體會〉一文中已指出史學工作者和檔案工作者，都應儘可能學好用好理論，但絕不是說就可以亂貼理論標簽，可以肆意對檔案文件所反映的大量事實取其所需，妄加曲解，作爲自己某種結論框架的塡充物，所謂“以論帶史”、“以論代史”，或改換包裝，稱之爲“史論結合”等，是無視客觀的歷史存在。明清檔案是研究明清史最主要的史料，因爲它是原始的，是當時官府及社會活動情況的紀錄，所以反映具體事實的內容極多，而經過加工和概括的很少。因其原始，故見其可貴；但亦因其原始，使用時就需要付出更大的努力，需要更扎實的功力。檔案中許多記載反映的都是零散的個別的事例，需要做大量的綜合的工作（註一四）。有清一代，秘密會黨的活動，相當頻繁，地方大吏查辦秘密會黨案件的文書，仍多保存，台北國立故宮博物院、北京中國第一歷史檔案館現藏清代檔案中，含有非常豐富的秘密會黨案件文書，值得利用。

民國十四年（一九二五）十月十日，北平故宮博物院正式成立，下設古物、圖書兩館，在圖書館下又分設圖書、文獻兩部，文獻部的辦公地點是在故宮東華門內北側的南三所。文獻部設立後，即開始積極整理清宮各處檔案。十六年（一九二七）十一月，改文獻部爲掌故部。十八年（一九二九）二月，改掌故部爲文獻館。九一八事變後，華北局勢動盪不安，文物南遷，分批運滬，再遷南京分院。七七事變發生後，文物疏散後方，分存川黔等地。對日抗戰勝利後，後方文物運返南京。三十八年（一九四九），遷台文物，暫存台中。五十四年（一九六五），台北士林外雙溪新廈落成，遷台文物，由台中移存新廈，行政院公佈臨時組織規程，明定設立國立故宮博物院，爲紀念孫中山百歲誕辰，又稱中山博物院。國立故宮博物院典藏清代檔案，按其來源，亦即按照清代原來存放的地點，大致可以分爲《宮中檔》、《軍機處檔》、《內閣部院檔》、《史館檔》等四大類，此外還有各種雜檔，將近四十萬件。

南遷文物中未及遷台者，仍存放南京分院，一九五〇年至一九五八年，始分批運回北京故宮。一九五一年五月，北京故宮博物院文獻館改爲檔案館，將原藏冊寶、冠服、樂器、清錢等項文物移交故宮保管部。一九五五年十二月，故宮檔案館由檔案局接管，改名爲第一歷史檔案館。一九五八年，又改稱明清檔案館，一九五九年，併入中央檔案館，改名爲明清檔案部。一九六九年，中央檔案館調整體制，又將明清檔案部劃歸北京故宮博物院，原遷入中央檔案館的部分檔案又遷回故宮。一九七五年，故宮西華門內新建庫房落成，明清檔案全部遷入新庫。一九八〇年，明清檔案部從北京故宮博物院劃出，正式成立中國第一歷史檔案館。北京中國第一歷史檔案館典藏明清檔案，共分七十四個全宗，計約一千餘萬件。其中明代檔案，總共約三千六百餘件，大部分是明末天啓、崇禎兩朝兵部的檔案，對研究明末政治、軍事及民變等問題，具有較高的史料價值。除明末檔案外，其餘都是清代檔案，主要是內閣、軍機處、內務府、宗人府等機構，以及宮中各處檔案。

北京中國第一歷史檔案館和台北國立故宮博物院現藏清代檔案，數量龐大，品類繁多。其中《宮中檔》主要爲清代歷朝君主親手御批的硃批滿漢文奏摺，原存宮中懋勤殿等處。《軍機處檔·月摺包》，主要爲《宮中檔》硃批奏摺錄副存查的抄件，其未奉硃批的廷臣奏摺，則以原摺歸檔，因其按月分包儲存，故稱《月摺包》，原存軍機處。《月摺檔》是一種簿冊，其已奉硃批或未奉硃批的臣工奏摺，逐日抄錄，按月分裝成冊，原存東華門內國史館。《外紀簿》也是抄錄摺奏事件的重要檔冊，因其所記者爲外省臣工即外任大員的奏摺，故稱爲《外紀簿》，原存內閣漢票籤處。《宮中檔》硃批奏摺、《軍機處檔·月摺包》奏摺錄副、《月摺檔》及《外紀簿》奏摺抄件，存查文書中除少數部院廷臣的摺件外，主要爲來自各省督撫將軍藩臬提鎮等外任文武大員的奏摺及供詞等附件的原件或錄副抄件，含有極爲豐富的地方史料，包括政治、軍事、社會、經濟、文化及民情風俗等方面。此外，軍機處及內閣的《上諭檔》，錄有各要犯供詞及廷臣議覆奏稿。

至於中央研究院歷史語言研究所現藏內閣大庫明清檔案，也含有相當豐富的地方史料。由於檔案資料的整理及公佈，對秘密會黨的研究，提供了既豐富而可信度又高的直接史料。發掘檔案，充分利用原始資料，講求研究方法，就是從事秘密會黨史研究的基本態度。

歷史研究有其前後相承性，史學家必須重視以往同行的研究成果。無視前人的研究成果，一切從頭開始，不僅是智慧與力量無謂的浪費，而且也是漠視歸納與綜合方法的運用。綜合前人的研究成果，可以作新研究的起點。史學家以前人的研究成果作基礎，濟以博覽，始能推陳出新。積極開展秘密會黨問題的研究，深入分析各會黨的性質及其作用，從而進一步闡明中國近代史的發展趨勢，無疑是史學工作者一項迫切而又重大的任務。據約略統計，自一九一二年至一九八三年止，海峽兩岸學者，共發表關於秘密會黨問題研究的論文計八百餘篇，出版專書資料約七十種（註一五），其中不乏學術價值頗高的論著。秦寶琦著《清前期天地會研究》一書已指出七十年代末到八十年代，海峽兩岸的學術界，均掀起了研究天地會源流的高潮。一個十分有利的條件是，海峽兩岸所保存的清代檔案相繼開放，學者們得以利用檔案史料來探討這一問題，而不必像以往學者那樣，僅僅據會內傳說進行影射推求（註一六）。誠然，近數十年來，中外學者對清代秘密會黨史的研究，有一個逐步深化的過程，一方面是由於研究方向的轉變，群眾運動的問題，受到學者的重視，而投入大量的人力及較多的時間；一方面則因海峽兩岸積極整理檔案，公佈直接史料，提供豐富的原始資料，使研究成果更加豐碩。海峽兩岸學者從事秘密會黨史的研究，無論在資料的利用，方法的運用，理論的建立，都有突破性的進步，確實已引起中外學術界的重視。

清代秘密會黨是社會經濟變遷的產物。清代前期，秘密會黨盛行的地區，主要是在我國南方人口密集已開發區域聚族而居的核心地區及地曠人稀開發中區域地緣意識較濃厚的移墾社會。利用現存檔案資料，探討清代前期閩粵地區宗族社會的衝突及異姓結拜風氣的盛行，可以說明秘密會黨的起源。康熙末年以降，閩粵地區的人口壓迫問題日趨嚴重，土地與人口的分配，嚴重失調，於是引起人口流動的頻繁發生，分析閩粵地區人口流動的原因及流動的方向，可以說明人口流動與秘密會黨的發展有密切的關係。秘密會黨的傳佈，可以從人口流動的現象，提出較合理的解釋。清代秘密會黨是多元性的異姓結拜組織，會黨林立，名目繁多，並非創自一人，起於一時，有的是獨自創生的，有的是衍生轉化的，彼此各不相統屬。文化人類學派解釋人類文化的起源也主張文化複源說，深信人類文化依着自然法則演進，不必一定發源於一地，或創自一人。排比各會黨出現的時間、地點，分析其成員的職業，比較結會地點及會員原籍，探討清代後期秘密會黨的宗旨、性質及其作用的轉變，可以使我們對清代各種會黨產生的社會背景及生態環境將有概括性的認識。史學家常用溯源的方法探索重大的歷史事件，但是這種方法並不適用於清代秘密會黨的研究。因此，發掘檔案，掌握直接史料，結合區域史研究成果，分析社會經濟背景，就是重建秘密會黨信史的主要途徑。

【註釋】

註　一：王爾敏撰〈秘密宗教與秘密會社之生態環境及社會功能〉，《中央研究院近代史研究所集刊》，第十期（台北，中央研究院近代史研究所，民國七十年七月），頁三五。

註　二：劉聯珂著《幫會三百年革命史》（台北，文海出版社，民國六十八年四月），〈我對于幫會史的感想〉，頁首。按原書於民國三十年由澳門留園出版社出版。

註　三：李國祁著《中國現代化的區域研究：閩浙台地區，一八六〇～一九一六》（台北，中央研究院近代史研究所，民國七十一年五月），頁三八六。

註　四：莊吉發撰〈清代紅幫源流考〉，《漢學研究》，第一卷，第一期（台北，漢學研究中心，民國七十二年六月），頁一〇七。

註　五：宮原民平著《支那の秘密結社》（日本，東洋研究會，大正十三年四月），東洋講座，第四輯，頁二至八一。

註　六：黃玉齋撰〈洪門天地會發源於台灣〉，《台灣文獻》，第二十一卷，第四期（台灣，台灣文獻會，民國五十九年十二月），頁一七。

註　七：周宗賢著《台灣民間結社的本質與機能》（台北，河洛圖書出版社，民國六十七年二月），頁六七。

註　八：《宮中檔乾隆朝奏摺》，第二十二輯（台北，國立故宮博物院，民國五十二年一月），頁八〇四，乾隆二十九年十月初八日，福建巡撫定長奏摺。

註　九：《欽定大清會典事例》（台北，中文書局，民國五十二年一月），卷七七九，頁一四。

註一〇：《清議報》（台北，成文出版社，民國五十六年五月），第六十三冊，頁七，光緒二十六年九月二十一日，惠州軍務。

註一一：《清議報》，第六十四冊，頁七，光緒二十六年十月初一日，惠州略紀。

註一二：《辛亥革命前十年間民變檔案史料》（北京，中華書局，一九八五年二月），下冊，頁七九二。

註一三：湯志鈞編《陶成章集》（北京，中華書局，一九八六年一月），

註一三：湯志鈞編《陶成章集》（北京，中華書局，一九八六年一月），頁三三二。

註一四：韋慶遠撰〈利用明清檔案進行歷史研究的體會〉，《明清史辨析》（北京，中國社會科學出版社，一九八九年七月），頁五一二。

註一五：魏建猷主編《中國會黨史論著匯要》（天津，南開大學，一九八五年十二月），前言，頁一。

註一六：秦寶琦著《清前期天地會研究》（北京，中國人民大學出版社，一九八八年七月），頁五九。

# 第二章　異姓結拜與秘密會黨的起源

## 第一節　火燒少林寺傳說與天地會起源的商榷

有清一代，秘密會黨名目繁多，天地會是其中一個重要的秘密會黨，早爲世人所矚目。自十九世紀初葉以來，陸續發現了各種天地會文件，除各種圖像外，其文字部分，依照其性質，可以分爲結會緣起、誓詞、祝文、口白、歌訣、詩句、對聯、隱語、雜錄等項，因經輾轉傳抄，既多訛脫，又有異文。專就天地會的結會緣起而言，或詳或略，神話成分居多。各文所述人物、時間、地點，亦互有牴牾，史學界探討天地會起源問題時，也因此存在著極大的歧見，異說紛紜，莫衷一是。

嘉慶十六年（一八一一），廣西巡撫成林查辦東蘭州天地會成員姚大羔糾夥拜會一案，除審明定擬具奏外，又將所搜獲的三角木戳，紅布三塊，會簿一本，於同年五月初七日咨送軍機處。會簿中敘述天地會結會緣起云：

> 崇禎十二年，李自成造反被奪江山後，走出西宮娘娘李神妃。起至伏華山，懷胎後走至雲南高溪廟，生下小主，蒙上天庇佑，又蒙萬家恩養。十六年六月初六日，開封府天水沖出有劉伯溫碑記。康熙年間，有西魯番作亂。康熙主挂起榜文，誰人征得西魯番者，封得萬代公候。甘肅省有一位〔座〕少林寺，內有總兵官，挂起先鋒，受了帥印。印是鐵鑄的，重二斤十三兩。印寫囸山二字爲記。少林寺

> 人等就領先鋒，就去征西魯番。不用一兵將，只得寺內一百二十八人，就與西魯番交戰對壘。西魯番敗走，死者不計其數。少林寺人等打得勝鼓回朝。康熙主賞，寺內不受官職，仍歸少林寺誦經、説法、修道。後來奸臣一時興兵追趕，慘極。一十八人，走越四年，走至海石連天，長沙漢口。海水面上浮起一個白石香爐，重有五十二斤。香爐底有“興明絕清”四字。衆人就取一百〔白〕錠香爐，當天盟誓。正〔止〕剩師徒六人，師尊萬提起，法號士曰雲龍，與兄弟再集一百零七人。有一位小子，亦來起義，共湊成一百零八人 甲寅年七月廿五日丑時聚集，當天結義，指洪爲姓，插〔歃〕血拜盟，結爲洪家。衆兄弟拜萬師傅〔傅〕爲大哥。至九月初九日，雲龍擇日與清兵交戰。雲龍陣上死去，少〔小〕軍報知五位兄弟，保駕小主。兄弟得知，即日出軍，與清對壘交戰。清兵敗走，後來兄弟將萬大哥尸首收回，向東燒化。萬大哥云〔魂〕上九霄而去，尸首葬在高溪廟三層樓腳下，糞箕湖子山午向。五位兄弟回來，不見小主，不知下落，身無依靠（註一）。

會簿中所述少林寺僧征西魯及其被陷害內容，情節簡單粗糙。文中的師尊萬提起，就是乾隆年間倡立天地會的洪二和尚萬提喜，廣東客家語“起”、“喜”同音。乾隆四十四年（一七七九），萬提喜病故，卒年六十九歲。從清初至乾隆年間，並無西魯其名，亦無西魯入侵的歷史事件。會簿中所謂少林寺僧征西魯的故事，是由後人模仿史書記載與民間傳說，以洪二和尚萬提喜爲藍本，結合僧兵退敵，而虛構拼湊的神話。民間相傳當唐太宗爲秦王時，王世充僭號，署曰轘州，乘其地險，以立烽戍，擁兵洛邑，將圖焚宮，少林寺僧志操，曇宗等率衆以拒僞師，上表以明大順，執世充侄仁則以歸唐朝。唐太宗嘉其義烈，頻降璽書宣慰，當時寺僧立功者，十有三人，惟曇宗授大將軍，其餘不欲授官，賜地四十頃。唐太宗賜少林寺主教碑後來仍保存在寺內，少林寺十三和尚救秦王李世民的故事，也保存在寺內白衣殿壁畫之上（註二）。在羅祖教中也流傳著類似的傳說內容。據《津門考源》記載，明代嘉靖年間（一五二二至一五六六），土魯番入侵，羅祖率領弟子前往征討，打敗土魯番。羅祖等回京後，因遭奸臣嚴嵩誣陷，羅祖被囚於天牢（註三）。姚大羔所藏會簿中少林寺僧征西魯後遭受陷害的傳說，與羅祖遭受嚴嵩誣陷的內容更爲接近。

天地會的會簿，稱爲秘書，是傳會的工具，嘉慶中葉以來，輾轉傳抄，經官方多次查獲秘書咨送軍機處銷燬。嘉慶十七年（一八一二）九月間，福建武平縣人劉奎養，與謝幗勳會遇閒談。謝幗勳因素知添弟會秘訣，邀允劉奎養入會，拜謝幗勳爲師。謝幗勳傳授暗號，並給與秘書一本。嘉慶十八年（一八一三）二月間，劉奎養邀允朱鳳光入會，照傳暗號，又將秘書給朱鳳光照抄一本。嘉慶十九年（一八一四）四月間，朱鳳光攜帶秘書到浙江，投寓童隆興飯店，擺攤測字，被遂昌縣兵役連書拏獲，解往省城訊供，並咨提劉奎養到浙江歸案質訊。據劉奎養供稱：

> 此書實係謝幗勳給與，當時曾向查問。據謝幗勳云，係康熙年間洪二和尚即萬提喜舊事，相沿抄錄，實不知何人編造，伊粗識數字，不諳文義，書內所敘情節及對聯、詩句俱不能講解。因謝幗勳告知有此秘書可以傳徒得錢，故求謝幗勳照抄一本，嗣轉糾朱鳳光爲徒，將書給抄後，即因查拏緊急，將書燒燬，並未再有傳抄之人，委無謀爲不軌情事（註四）。

秘書也將洪二和尚萬提喜事蹟上溯至康熙年間，但因有此秘書或會簿就可以傳徒得錢，所以編造秘書或會簿，只是把它作爲傳會工具。浙江巡撫顏檢查閱秘書內容，據稱書內首敘夢兆，並敘萬提喜得夢緣由，因即編成此書。顏檢指出「此書語句，亦多鄙俚妄誕，莫能理解，似係從前不法棍徒妄造邪言，藉此煽惑人心，以爲糾衆歛錢之計。」（註五）

雲貴地區，與廣西、湖南毗連，秘密會黨頗爲活躍。貴州平越直隸州湄潭縣人楊正才，載縣冊名作"楊茂志"。嘉慶十六年（一八一一），楊正才到雲南寶寧縣琅瑙所屬坡門地方訓蒙。廣西南寧府隆安縣人黃鳳朝，寄居雲南寶寧縣屬麻賴地方，相距坡門約四里。嘉慶十七年（一八一二）三月初四日夜間，黃鳳朝等聚集七十六人造台拜會。嘉慶二十一年（一八一六）四月十七日，會內小頭目吳紹益的母親生辰，邀請楊正才前往吃酒，衆人勸楊正才入會，楊正才未應允，決定入京告發。同年十月初六日，楊正才因見貴州遵義府人謝二在黃鳳朝家做工，用錢四千八百文買囑謝二偷出會中的秘密文件即秘書一本，原書共有八十餘頁，楊正才攜至學堂抄寫未完，被會內成員徐萬壽看見，把原書扯去數編，頭尾尚完整。徐萬壽揚言要告知會首黃鳳朝，把楊正才捉去溺死。楊正才聽聞後，即於十月初十日夜間攜帶秘書返回湄潭，於十二月十一日到家。次年四月間，楊正才撰寫呈詞，因乏盤費，而將家中水田典當銀十二兩，楊正才帶銀六兩二錢起程入京，剩下五兩八錢留交其妻養家。同年七月初二日，湖南辰州府屬沅陵縣差役在清浪地方盤獲楊正才，並搜出呈詞二紙、秘書一本（註六）。在具告京狀呈詞內敘述黃鳳朝結拜天地會，會中相傳明朝後裔玄孫朱大洪，身長一丈，腰大若干，有帝王之位，欲扶立爲君，以會中十大頭目爲臣。楊正才抄錄的秘書，標爲"天地起列根本，扶朱家天下"。其內容如下：

起祖長房姓蔡，名興，字德忠，他是福建漳州府漳浦縣人氏，鎮守東營，用是青色旗洪字號。二房祖姓方，名榮，字大洪，他是福建延平府南平縣人氏，鎮守南營，用是黃旗洛字號。三房祖姓吳，名全，字天成，他是福建福州府古田縣人氏，鎮守帶領二位將軍，鎮守西北二營，一個姓蔡，名威，字定國，爲左將軍；一個姓方，名勇，字鎮國，爲右將軍。中營軍師官姓張，名開，字引進，保護中營行軍令。二位先鋒，一個姓楊，名興，字定乾；一個姓林，名雄，字安坤，用赤色旗海字號，二人四門立營四哨不居東西南北前後尋走訪查行事。至是三房祖帶領將軍先鋒把守。前後營四房祖鎮守，姓吳，名旺，字德帝，問他甚麼色旗，甚麼字號？答：他用是謀字號，白色旗。問中營何人鎮守？答曰：中營是五房祖鎮守，是姓李，名相，字色開。問他用甚麼色旗，甚麼字號？答曰：他用是黑色旗添字號旗令。

始祖姓洪，名信，字啓勝，別名姓洪，名順天，他是福建汀州府連城縣人氏。長房祖姓蔡名興，字德忠，他是福建漳州府漳浦縣人氏，在福建、江西二省起義。二房（祖）姓方，名榮，字大洪，是福建延平府南平縣人氏，在廣東、廣西二省起義。三房祖姓吳，名全，字天成，他是福建福州府古田縣人氏，他在陝西、甘肅二省起義。四房祖姓吳，名旺，字德帝，他是福建汀州府連城縣人氏，在湖南、湖北二省起義。五房祖姓李，名相，字色開，他是福建漳州府都陽縣人氏，在雲貴、四川三省起義（中略）。凡有搭台之時，所安聖牌五張，上面找扎四門，東門用對聯云：絕清興明乾坤在，翻天復地日月明。南門有幅對聯詩云：

南天飄下木立斗世，玉闕誰許八八之秋。中營有對聯一幅云：五祖傳下詩一首，存記當初拜洪旗。西門有幅對聯云：不用妙法除清主，天地會中扶宋王。北門有幅對聯云（以下殘缺）（註七）。

楊正才將天地會秘書標寫“逆書”字樣，書中所述天地會五房祖內容，較廣西東蘭州天地會成員姚大羔所藏會簿的記載更爲詳細，爲了便於比較，先將姚大羔藏本所載五祖姓名、旗號如下：

長房吳天成，在浙江，旗號鴻江；二房洪大歲，在福建，旗號洪洪；三房李色地，在廣東，旗號浾汨；四房桃必達，在雲南、四川，旗號泊旗；五房林永招，在廣東，旗號滌溙。此十八人眾兄弟在紅花內，乃是趙文良爲長，吳成貴在山東爲大〔太〕守，名爲五虎大將（註八）。

姚大羔所藏會簿，於嘉慶十六年（一八一一）被查獲，其中關於天地會五房的記載頗簡略。楊正才於嘉慶二十一年（一八一六）在雲南寶寧縣所抄錄的逆書，前後相隔五年，雲南東界廣西，時空相近，其秘書所述同一事，內容詳略卻頗有出入。會簿中長房吳天成，與逆書三房祖姓名相同；三房李色地，與五房李色開相近，其餘出入頗大，旗號及方位也不同，可以說明在嘉慶年間天地會成員杜撰的五祖名姓及其虛構故事已因傳說或傳抄而有很大的歧異，道光以來，又經過不斷的增刪及修改。十九世紀中葉以來，天地會文件又陸續發現，並經刊佈。荷蘭人施列格（Gustave Schlegel），曾任荷屬東印度公司中文通事，同治二年（一八六三），蘇門答臘巴東埠警察破獲華僑會黨組織，起出天地會誓詞、會章、暗號、隱語等資料多種，交由施列格研究。他參考米因博士（Dr. Milne）著《三合會》及其他文獻以英文撰寫成《天地會研究》（Thian Ti Hwui, The Hung League, or

Heaven-Earth League: A Secret Society With the Chinese in China and India），同治五年（一八六六）出版於吧城。民國二十八年（一九三九）四月，薛澄清將原著譯成中文，翌年，由上海商務印書館出版。譯本第一編詳述〈天地會的政治史〉，文中將西魯大將軍彭龍天率領二十萬兵卒攻陷西涼的時間，繫於康熙甲午年（一七一四）。福州府鼓嶺少林寺住寺方丈達宗爲了救民水火，「保持皇朝」，於是率領寺中一百二十八名和尙，平定西魯，功成不居，返回少林寺後，照舊靜修。雍正十一年（一七三三），有鄧勝者，被派至福州府充任法官，他想奪取少林寺中御賜玉環及印章，而密奏少林寺和尙煽惑民心，圖謀不軌。鄧勝奏准帶兵夜焚少林寺，劫餘五僧由佛祖及朱光、朱開二神保佑逃走。這五個和尙就是蔡德忠、方大洪、馬超興、胡德帝、李色開，他們到達福建省雲霄縣的高溪住定下來。後來吳天成、李色智、洪太歲、姚必達和林永超五個騎師聞知和尙受屈，都來幫忙。未久，兵部尙書、兼翰林院學士陳近南也來歸附。雍正十二年，歲次甲寅（一七三四）三月二十一日巳時，衆人歃血瀝酒，結拜天地會（註九）。文中所述故事，純屬虛構，彭龍天、鄧勝、陳近南等人物，俱屬杜撰，不能反映天地會的歷史。

光緒二十二年（一八九六），日本東西同文會的會員平山周加入興中會。同年二月，日本外務省派遣平山周、宮崎滔天等人來華考察秘密社會及革命黨的活動。平山周與哥老會首領畢永年等人過從甚密，蒐集了不少秘密會黨的內部文件，後來撰成《中國秘密社會史》一書，民國元年（一九一二）五月，由上海商務印書館出版，書中保存了不少天地會文獻。原書第二章〈天地會〉，首敘天地會起因的傳說。文中謂少林寺座落於福州府浦田縣九連山中，西魯寇邊年分，並列康熙、乾隆二說。偕一百二十八僧應募的，是少林寺諸徒中的鄭君達，征服西魯後，僧軍歸少林寺，獨鄭君達留就總兵職。構陷寺僧的，是廷臣陳文耀、張近秋二人。寺僧馬儀福，武藝居第七，因引誘鄭君達之妻郭秀英及其妹鄭玉蘭，被衆僧逐出寺外，馬儀福就成了火燒少林寺的嚮導。差遣朱開、朱光二天使引十八僧逃遁的是始創少林寺的達摩尊神。途經黃泉村，十三僧戰死，所存五人姓名分別爲蔡德忠、方大洪、馬超興、胡德帝、李式開，即所謂前五祖，前來護救的吳天成、洪太歲、姚必達、李式地、林永超五人，即所謂後五祖。陳近南爲創會之人，因高溪廟狹隘，領僧衆移居紅花亭。甲寅年七月二十五日，在紅花亭舉行洪家大會後，募集兵馬，進擊清軍，敗陣，退至萬雲山，萬雲寺院長萬雲龍就是達宗，被尊爲大哥，痛擊清軍，九月九日陣亡，陳近南尊其爲達宗神（註一〇）。

民國二十一年（一九三二），蕭一山赴歐考察文化史跡，於旅英期間，在倫敦大英博物館內發現晚清廣東人手抄天地會文件多種，都是英國波爾夫人（Mrs. Ball）在香港、廣州等地所購得者。蕭一山從事抄錄，因加編次，歸類汰繁，附加說明，於是成《近代秘密社會史料》六卷，民國二十四年（一九三五），由國立北平研究院排印出版。書中《西魯敘事》與《西魯序》，都是敘述西魯犯境的故事，但詳略不同，故事中的人物，頗有出入。大致而言，施列格著《天地會研究》所引故事較接近《西魯敘事》；平山周著《中國秘密社會史》所引故事則較接近《西魯序》，《西魯序》與《西魯敘事》就是清代後期流傳較廣的兩本天地會秘書。

廣西是太平軍發難的地區，秘密會黨極爲活躍。民國二十二年（一九三三），貴縣修志局局長躬訪邑中遺老，徵求天地會文獻，終於發現抄本一帙。次年，經羅爾綱整理刊佈，載於《國立北平圖書館館刊》，第八卷，第四號，題爲〈貴縣修志局發現的天地會文件〉。民國二十五年（一九三六）冬，羅漢將其家守先閣舊藏天地會文件發表於《廣州學報》，第一卷，第一期。其文件來源，據羅漢本人自誌云：「余家守先閣藏鉢本天地會文件一冊，蓋爲表兄鄧錫朋所蒐遂者。（註一一）其後，羅爾綱又彙集〈貴縣修志局發現的天地會文件〉、〈守先閣本天地會文件〉、〈陶成章教會源流考〉三種資料，以及編者所撰〈水滸傳與天地會〉、〈論近代秘密社會史料的本子〉等文而成《天地會文獻錄》一書，於民國三十二年（一九四三）七月，由上海正中書局出版。貴縣修志局本與廣東守先閣本的內容都包括始祖萬雲龍與五祖遇合結盟的傳說，就是各本內容的共同要素。至於各項重要情節的年代，貴縣修志局本又較守先閣本尤早。貴縣修志局本〈反清復明根苗第一〉詳細敘述天地會結盟拜會的故事，其原文如下：

> 大清康熙年間，甲寅年，三月二十五日，洪家結拜之期，眾兄弟知悉：情因康熙時，西魯番造反，朝內點起御林軍兵數萬，不能征服，屢屢損兵折將，無人敢敵。以後皇上出下榜文，不論軍民人等，僧家女將，山林豪傑，有能者到來扯榜，征服西魯，即封萬户侯，賞黃金萬兩。粘有日久，無人敢扯。後來少林寺眾僧聞知，前來扯榜。軍士看見，帶至玉田縣知縣，至京都朝見皇上。龍顏大悅，帝開金口，問眾僧人要多少兵馬？僧奏曰：「不用一兵一卒，即要杜龍解糧，蘇洪爲先鋒，兩事足矣。」此二人是起創少林施主，故此將恩報恩。帝即問眾大師何日祭旂興師。僧奏曰：「即日。」帝即取酒賜僧人三杯，歡聲而去。僧人一百零八人，個個英雄無特，方征服西魯，得勝回朝。龍顏大悅，敕封眾僧萬户侯，賜黃金萬兩。僧奏道：「我

等出家人，不願爲官，黃金要來何用？即望我主賜一堂袈裟足矣。何必過賞，不過爲朝廷出力。」帝見奏，過意不去；又見衆僧十分見卻，即賜袈裟一堂，衣錦回寺。衆僧謝恩，回轉少林不題。衆僧一百零八人，内中有一名馬二福，乃少林寺第七條好漢，使鐵棍一條，重三十六斤，故此名叫亞七。因他回寺之時，他不細心，將少林寺寶燈打爛，——誰知此燈乃佛門中第一寶燈，今年正月十五夜添油，點到來年正月十五夜方可添油——衆人見他打爛寶燈，大怒，趕他出去。他懷不忿，直入京都，叩見左右丞相陳文耀、鄭德勝二人面前哭哭啼啼奏曰：「我不願棄了這一座明主江山，少林寺衆僧蓄意謀反，上年征魯，通番賣國，作爲内應。我見主上仁慈，不忍坐視。」説得二相信實。細想上年征番時，見此人亦在内。況聖上御林軍共調外省兵馬數萬，不能取勝，他一百零八人不傷一卒，全勝而回。今日馬二福所奏必實。二相待至五更，帶馬二福面奏。這昏皇不問虛實，不念前功，問：「衆卿有何高見，能滅少林？倘被他走出，定有後患。」二相出班奏曰：「依臣愚見，賞賜御酒爲名，順帶御林軍數萬，暗帶硫磺引火之物，視其飲醉睡著，團團圍著，焚之，方無後患。」蘇洪、杜龍初戰削職，因蘇洪有一妹，天資國色，亞七一心追尋二人。二人聞知，自盡而死，留下桃木劍，將亞七萬剮千刀，七月二十五夜三更時候，少林寺被火盡焚，可惜有功之人，一概不知。驚動佛祖下凡，化成火坑一座，救出一十八人。師徒走至下嶺尾，滅清村，又被清兵追來，那時手無寸鐵，被他殺死一十三人，只剩五人。走至龍虎山，五虎大將會成張敬紹、楊文左、林大洪帶了數百羅漢兵下山擋著清兵。

五人走至岳神廟，望一望，前有大江攔住，後有追兵，驚動岳神朱光、朱開二聖，化成銅鐵橋，五人隨橋而過。來至惠州府云霄家洪珠寺太歲廟方無清兵來追。此時五祖無計可施，欲想投水自盡，五人來至白沙灣口，忽然海面浮起舊麻石三塊，石面有一隻白碇香爐，三腳二耳，重五十二斤十三兩，底有"反清復明"，中心有"洪英"二字。五人抬起，當時對天盟誓，插草爲香。後來五人，走至長林寺借宿，僧長萬雲龍（號慈光，字達宗公）盤問五人情由。五人告訴前情。後來拜萬雲龍爲大哥，在高溪起義。因明朝崇禎帝失位，於後有忠臣蘇洪元帶出西宮娘娘李新燕出外省，產下太子朱洪英，改名天祐。高溪廟起義之時，有仙人將太子霎時出現。查問根由，原來係太子朱洪英。後五祖拜他爲盟主，拜陳近南先生爲軍師，蘇洪元爲先鋒，五子爲五虎大將。清兵聞知，前來征剿。高溪寺萬雲龍大哥帶支人馬丁山腳下大戰，失機而亡。五祖帶支人馬退人白苟垌。團團圍住，太子絕糧而死。後來清兵退去，五祖尋著萬雲龍屍首，用火燒化，帶在身邊，走去烏龍崗安葬，坐東南，向西北，壬申分針，碑高一尺九寸三分，葬一寸深，碑上有十六字，共成四十八點，每字有三點爲例。安葬之後，五祖在白苟垌萬雲龍大哥碑前哭得半死，大罵昏君害得少林寺好苦。即時扯爛衣裳，咬破五人手指，共合血一堆，寫成朵五本，每人各執一本，隨至各省招集忠心義氣，暗藏三點革命，誓滅清朝，扶回大明江山，共享榮華，同樂太平天下，是以爲引（註一二）。

貴縣修志局局長龔雨庭所發現的天地會文件，是用一種很厚的毛邊紙抄寫的原抄本，其內容雖然簡樸，但對照東蘭州姚大羔藏本後，可知貴縣修志局本頗多增飾，杜撰了更多的人物，虛構了更細膩的情節。

天地會是清代歷史上一個重要的秘密會黨，其起源問題，長期以來，受到史學界的重視。西魯犯境，僧兵退敵，清帝火燒少林寺，劫餘五僧結拜天地會的故事，就是學者討論天起會起源問題時所引用的主要資料。但因天地會文件所述結會緣起，或詳或略，傳說內容出入頗大，有關人物、地點、時間，亦互有牴牾，所以推論所得結果，並不一致。連橫著《台灣通史》一書謂「延平郡王入台之後，深慮部曲之忘宗國也，自倡天地會而爲之首，其義以光復爲歸。延平既沒，會章猶存。數傳之後，遍及南北，且橫渡大陸，浸淫於禹域人心，今之閩粵尤昌大焉。」（註一三）鄭成功是驅逐荷蘭殖民主義者的反清復明英雄，鄭成功在台灣倡立天地會的說法，長期以來，對史學研究有極大的影響。陶成章撰〈教會源流考〉一文亦謂「何謂洪門？因明太祖年號洪武，故取以爲名。指天爲父，指地爲母，故又名天地會，始倡者爲鄭成功，繼述而修整之者，則陳近南也。」（註一四）引文中的陳近南，就是天地會文件中虛構的軍師。溫雄飛著《南洋華僑通史》引述天地會流傳的神話故事後指出《西魯敘事》是「以神話故事之體裁方式，描寫當時鄭氏之歷史」，而認爲天地會就是起源於台灣，正式成立於康熙十三年（一六七四），爲輔佐鄭成功的陳永華所創立，後世所稱天地會的大哥萬雲龍，就是鄭成功，香主陳近南軍師，就是陳永華之自託（註一五）。黃玉齋撰〈洪門天地會發源於台灣〉一文認爲天地會，「根據現有文獻來看，鄭成功在日即已組成。」又說：「實則朱一貴也是以結天地會起兵的。官書所記載，而小說野史所紀，如彭公案、施公案的江湖黑語，都和天地會的隱語相同，可見天地會在康熙年間就已成立了。」

（註一六）學者甚至根據《漢留全史》一書所述鄭成功於順治十八年（一六六一）在台灣開金台山，陳近南奉命往四川雅州，於康熙九年（一六七〇）開精忠山的故事（註一七），結合福建平和縣人嚴煙供詞中「天地會起於川省，年已久遠」的話，以斷定天地會「起源於清初鄭成功的經營福建台灣，再由福建台灣而轉入廣東、四川。」（註一八）

蕭一山撰〈天地會起源考〉一文在大體上支持溫雄飛的推論，贊成天地會是陳永華和鄭氏舊部組織的說法。但他不同意將洪門傳說的故事及人物都依附到鄭氏一系身上，張念一即一念和尚的事蹟與天地會的傳說相近。一念和尚是大嵐山的首領，扶朱三太子起義而被捕，此與萬雲龍爲大普庵的和滿長老聞火燒少林寺而有仗義之心，衆人遂拜爲大哥，出與清兵交戰失馬陣亡的事蹟相髣。《西魯序》上說五僧五將祭旗興兵，經過浙江省遇見萬雲龍，恰與一念和尚的根據地相合。因此，天地會與張念一之役，應有相當的淵源。天地會的故事是拼湊而成的，鄭君達的冤死是影射鄭芝龍的，萬雲龍的起事是影射張念一的，少林寺被焚燬是影射某俠僧的，三種故事是三個時期發生的，最後發生的一個故事，後來居上，變成了洪門傳說的中心。而且當康熙十三年（一六七四）的時候，鄭氏尙據有台灣，志士遺民未必願意放棄目前復仇的機會，而從事秘密結社。蕭一山指出天地會起源於康熙十三年的說法是顯然的錯誤，而另據天地會文件證明天地會成立於雍正十二年（一七三四）甲寅七月二十五日（註一九）。蕭一山著《清代通史》指出俄國在清代稱爲羅刹，"魯"、"羅"同音，羅刹在極西，故稱西魯。天地會文件中所述少林寺僧人征西魯之事，是影射俄國於康熙年間入侵黑龍江，建義侯林興珠率福建降人五百名編組藤牌兵，隨彭春征討雅克薩，有功不賞，餘衆一百二十八人於薊縣法華寺出家。後又調征準噶爾，因怨望不服指揮，爲清廷派人毒斃，只十八人逃脫，沿途死傷十三人，僅餘五人，在衡陽遇救，乃奔台灣，成立天地會（註二〇）。衛聚賢著《中國幫會青紅漢留》也認爲天地會五祖的影射對象是康熙三十五年（一六九六）參與彭春征剿準噶爾的福建藤牌兵劫餘分子（註二一）。翁同文撰〈康熙初葉“以萬爲姓”集團餘黨建立天地會〉一文也是使用影射推論的方法，他對天地會的結會緣起及創立時間，提出了看法，其主要論點如下：

> 當康熙十三年吳三桂舉兵之後，席捲七省，反清復明陣營遠達中原，“以萬爲姓”集團成員如萬五達宗與萬二郭義都已出現反清，尚有降清的萬七蔡祿與其他人下落不明，故此頗疑該年是否尚有其他有關事故發生。因清實錄編年紀事，最易考索，遂取康熙實錄翻檢，初不料一索即得其解。蓋康熙實錄十三年甲寅四月戊午日下一條記載，當時河南總兵蔡祿率部謀叛響應吳三桂，事洩以後，與部下暨家屬等若干人，皆爲清軍圍捕遇難。按當時舉國騷動，這種事原本尋常，但我們既知蔡祿在降清之前原是“以萬爲姓”集團的萬七，且萬五達宗當即天地會始祖長林寺僧，就立刻領悟下列諸點。所謂少林寺僧兵退敵立功，清帝負義遣兵放火焚寺，乃影射蔡祿率部降清，又與其部下在河南（少林寺所在之地）被殺。所謂少林寺焚餘五僧逃出與長林寺僧遇合結盟，當指蔡祿部下有殘餘分子脫逃回閩與萬五重聚。五僧雖未必就是從未出現的“以萬爲姓”集團成員如萬三、萬四、萬六等人，也屬該集團範圍，故此可說少林寺五僧與長林寺僧達宗，兩方都是“以萬爲姓”集團的人，天地會即由彼等建立。只因諱言降清而又被殺，

> 故此以少林寺僧兵故事影射，不如長林寺僧達宗之爲實錄罷了。由於“以萬爲姓”集團於崇禎年間結盟，當彼等於康熙十三年甲寅建立天地會時，年事已高，又是歷經滄桑的殘餘分子，故此如說該會是該集團餘黨所建，比較尤其切合（註二二）。

影射索隱的方法，過去曾被人用來從事《紅樓夢》的研究，但因其方法不妥，已經受到大多數學者的批評，使用影射索隱的方法研究歷史，穿鑿附會，捕風捉影，憑主觀臆測，尤其不妥。張菼撰〈天地會的創立年代與五祖之爲台灣人〉一文對天地會成立於康熙十三年（一六七四）的傳說提出了質疑，原文指出「如果事在康熙十三年，有明朝的正朔可用，爲何不稱“永曆甲寅”呢？這是有背事理的。或許有人說當時不知有永曆年號；當然，一班普通人如果不是涉獵南明史的，確實不易知道有永曆年號，但用永曆年號從政的陳永華如果不知道永曆年號，那不是天大的笑話嗎？」（註二三）天地會文件是內部秘書，既標舉反清復明口號，卻又冠以康熙年號，眞是匪夷所思。滿洲入關後，明朝遺老及知識分子領導漢族抗清，企圖恢復明室。當清軍大舉南下，南京福王政權傾覆後，清廷爲了防範漢人的反抗運動，實施慘殺政策，江南、閩浙抗清最烈，清軍屠戮最慘，傳說中的“揚州十日”、“嘉定三屠”等即當時的浩劫，其悲慘事蹟，家喻戶曉，然而各種抄本的天地會內部文件，竟隻字未提。天地會既以反清復明爲共同宗旨，何以竟捨棄爲先民家族復仇的意志，反而假借神話故事爲少林寺僧衆或陳近南、鄭君達等虛構人物復仇？顯然不合情理。當此種族意識高昂，漢人赴湯蹈火以抵抗滿清統治之際，少林寺僧衆竟主動爲異族効力，退敵立功，接受賞賜，確實與歷史背景不合。清初順治年間，朝廷厲行薙髮令，相傳有「留頭不留髮，留髮不留頭」之謠，有志之士爲保衛衣冠髮式，紛紛削髮出家，遁入空門，河南少林寺當不至於數典忘祖，毫無民族觀念。蔡祿降而復叛，反覆無常。蔡祿被殺後，其部下是否由河南逃回福建？是否與達宗遇合？是否建立天地會？俱未詳考，缺乏說服力。歷代以來，我國到底有幾座少林寺？清帝燒了那一座少林寺？究竟是誰燒了河南嵩山少林寺？自南北朝以來，嵩山少林寺號稱天下第一古刹，天下功夫出少林。傳說甘肅少林寺、福建少林寺、河北少林寺，都是嵩山少林寺的分支。到了明代，嵩山少林寺傾圮已久，有清一代，實無焚燒少林寺之舉，檢查現存檔案，康熙十三年（一六七四）被火焚燒的是創建於南齊的江蘇常州府屬荊溪縣的善權寺禪林祖塔，起因於地方上的恩怨，與反清復明無涉（註二四）。王士俊在河東總督任內曾奏聞嵩山少林寺歲久失修，派人相度確估，重加修建，並繪圖呈覽。雍正十三年（一七三五）閏四月初五日，清世宗據奏後諭令軍機大臣寄信王士俊，略謂：

> 朕覽圖內有門頭二十五房，距寺較遠，零星散處，俱不在此寺之內。向來直省房頭僧人類多不守清規，妄行生事，爲釋門敗種。今少林寺既行脩建，成一叢林，即不應令此等房頭散處寺外，難於稽查管束，應將所有房屋俱拆造於寺牆之外左右兩旁，作爲寮房。其如何改造之處，著王士俊酌量辦理，至工竣後應令何人住持，候朕諭旨，從京中派人前往，欽此（註二五）。

同年閏四月十八日，河東總督王士俊接奉寄信諭旨後，將少林寺改造情形，繕摺覆奏，其原摺略謂：

> 少林寺門頭二十五房，查其僧眾雖散居寺外，論其支派，皆同屬寺中。緣歷來住持退院之後，各於門外另築小庵，以爲養靜憩息之所，統計二十八代，各傳二十八房，今僅

二十五房者，其三已不傳也。嗣後門頭日盛，方丈席虛，常住少供養之田，禪房多坍塌之處，而門頭又各以拳勇相傳，技擊爲業，遂與寺內竟相間隔，是實因寺內殿圮僧散，不能貫攝至此。皇上因直省房頭類多不守清規，特念少林散處寺外之僧難於稽查管束，睿慮周詳，委係修建叢林第一切要急務。臣查此項門頭房屋，原與寺相毗連，繪圖之中，雖覺距寺較遠，其實總依寺界之內。臣遵奉諭旨，細度形勢，再於東西兩邊增築繚牆一帶，將此二十五房零星住居之屋，悉圈在內，或改其方向，或易其門垣，使俱緊貼寺牆，作爲兩旁僧寮，皆從大門出入，規模彌覺嚴整，呼吸倍覺周通矣。又此項門頭向習拳勇技擊，今其法已不傳，現今一百七十餘眾，非復以前獷悍積習（註二六）。

歷代以來，少林寺高僧遵守清規，受戒茹素，安靜拜佛，並未涉足江湖，妄行生事，其傳習少林拳，以技擊爲業的是少林寺牆外的門頭，統計二十八代，各傳二十八房，至雍正年間，其中三房已失傳，僅剩二十五房，共有僧衆一百七十餘人，不習拳勇技擊，少林拳法久已失傳，由此可知少林寺並未被焚燒，寺僧亦未遇害。火燒少林寺是後人虛構的故事，用它作爲研究天地會起源的根據，是值得商榷的。秦寶琦撰〈天地會檔案史料概述〉一文已指出少林寺僧征西魯的故事，大約是從乾隆末年至嘉慶年間開始逐步形成，後世所見天地會文件，大多爲咸豐、同治（一八五一至一八七四）以來的抄本，經過不斷增刪及修改（註二七）。秦寶琦著《清前期天地會研究》一書進一步指出萬五達宗是否就是西魯傳說中的達宗？尚待考證。在《西魯序》中，對達宗其人有著明確的介紹，達宗與《台灣外紀》中所述萬五道宗，並非一人。可見，根據《台灣外紀》和盧若騰《贈達宗上人》詩序證明天地會爲蔡祿餘黨和萬五達宗所創立的說法，亦不足採信（註二八）。

蔡祿餘黨等人創立天地會的說法，固然不可信。至於天地會起於康熙十三年（一六七四），起會地點在台灣，萬雲龍影射鄭成功，陳近南即陳永華的說法。也是神話中的神話，並無史實根據（註二九）。鄭成功創立天地會一說的流傳，與民國初年以來會黨首領的宣傳不無關係。民國建立後，"反清復明"的口號，在政治上已失去意義，洪門中人以反清目的已經達到而逐漸渙散，各會黨首領爲了擴展勢力，提高自己在政治上的地位，希望藉鄭成功的威望來振興組織，於是竭力宣傳鄭成功創立天地會的說法。台灣是鄭成功反清復明的根據地，台灣史學界受到政治反攻的宣傳的影響，幾乎衆口鑠金地主張鄭成功在台灣創立天地會的說法，鄭成功成了天地會的始祖。誠然，鄭成功是一位有遠見的政治家與軍事家，在有關鄭成功本人的大量滿漢文檔案中，從未發現他在抗清過程中曾創立天地會來擴大軍隊的任何史料，關於鄭成功在台灣於自己控制的軍隊之外，還另創一個以"反清復明"爲宗旨的天地會的說法，顯然與鄭成功本人實際情況並不相符。秦寶琦撰〈鄭成功創立天地會質疑〉一文指出鄭成功作爲一個中華民族傑出的歷史人物與民族英雄，以他卓越的歷史功勛，理所當然地受到了我國人民的崇敬，因而史學界也很容易地接受了鄭成功創立天地會的說法。但是通過對歷史事實的分析，否定鄭成功創立天地會的說法，還歷史以本來面目，絲毫不會損害鄭成功作爲民族英雄的光輝形象（註三〇）。其實，天地會文件，除了敘述少林寺僧人征西魯的故事外，還記載天地會、添弟會、三合會等會黨的傳會暗號、隱語、詩句、問答、對聯等內容，各會黨的弟兄，凡持有會簿或秘書抄本者，便可自行立會。由於會簿或秘書的輾轉傳抄，其內容也逐漸豐富，天地會關於結會緣起的傳說便發生了很大變化。因此，天地會的傳說，只是一種傳會的工具，並非天地會創立的歷史紀錄（註三一）。秦寶琦著《清前期天地會研究》一書已指出按照西魯傳說的內容爲藍本，尋找一件歷史上與之相似或相近的事例，說明傳說中某人某事，便是影射了歷史上的某人某事，人爲地在二者之間建立起一種並不存在的“聯繫”，這種影射推求的研究方法，至少是不科學的（註三二）。索隱派最大的弱點，就是捨棄豐富的直接史料不用，而徒事影射推論的臆測，僅僅根據神話傳說內容就推論出天地會的創立時間、地點及人物，穿鑿附會，忽略了「有幾分證據說幾分話，有七分證據不能說八分話」的客觀態度，以致對當時的社會經濟並未作進一步的研究分析，而始終囿於單純起源年代、地點的考證，一直無從得到較有說服力的解釋。

## 第二節　閩粵地區的異姓結拜與秘密會黨的起源

社會學所想要了解的問題，主要包括人類結合的性質和目的，各種結合的發生、發展及變遷的狀況，其目的就是想解釋有關人類結合的種種事實（註三三）。人群的結合，有各種不同的方式，其中以血緣結合的人群，稱爲宗族，以地緣結合的人群，稱爲鄰里鄉黨。宗族制度是以血緣關係爲紐帶的傳統地域性組織，奠基在小生產的閉塞的自然經濟之上（註三四）。宗族在維護狹隘的小集團利益的前提下，可以長久保持族內的團結而不至於渙散。在宗族社會裡多有宗族法，宗族法是國家法律的補充，可以說是國家權力在宗族內的延伸。因爲宗族法承擔了對宗族內部各種社會關係，包括財產關係、婚姻關係、繼承關係、家庭關係，以及絕大多數刑事法律關係的法律調整的主要任務，在很多方面起到了國家法律難以起到的作用（註三五）。

閩粵地區是宗族制度較發達的宗族社會，宋代以來，閩粵地區的血族宗法制已日益成長，以血緣爲紐帶的宗族社會，已經普遍存在，聚族而居，宗族由於長久以來定居於一地，其宗族的血緣社會，與村落的地緣社會，彼此一致，既爲宗族，又是鄉黨，宗族制度遂成爲閩粵地區最引人矚目的制度之一。魏安國撰〈清代珠江三角洲的宗族、賦稅和土地占有〉一文指出，「宗族被視爲所謂的團體壟斷者，它爲其成員的利益尋求對本地資源的支配權。這種努力經常導致其地域性支配權的建立。強大的世系可以建立支配圈，把附近的弱小宗支置於他們的保護之下。這些世系的勢力在本族內聚力和周圍地域內依附宗支內聚力不斷增強的過程中得以發展和確認。」（註三六）宗族共同體既以宗法血緣關係爲聯結紐帶，確實具有較強的凝聚力。但宗族制度在具有內聚性的同時，也具有排他性，二者在程度上成正比例發展。隨著宗族共同體自身力量的增長，其內聚力與排外力也同步提高，而宗族共同體的排外性，不僅表現在對外姓民人、外姓宗族，以及其他外部共同體的排斥，在某些方面也表現爲對國家政權，對整個社會的排斥（註三七）。

閩粵地區的宗族社會，強調血緣關係，聚族以自保，具有強大的內聚力，尤其在戰爭動亂的時期，宗族組織確實產生了團結禦敵的作用。朱勇著《清代宗族法研究》一書指出，受尙文風氣的影響，同時也作爲促進尙文風氣存續與發展的條件，江浙皖地區的宗族共同體也表示出尙文風格。江浙皖地區的宗族要求族人接受儒家思想，同時要求他們尊崇禮教，恪守禮的儀式，正說明尙文與尙禮的統一性。與江浙皖尙文風氣相對應，閩粵地區則民風尙武，各宗族的宗族法受到尙武風氣的影響，也促進了尙武風氣的進一步流行。閩粵地區的宗族社會，亦設族產，但多用於修寨築堡，打造兵器，甚至明文規定，以族產支持宗族械鬥。一些宗族法還設有“共禦外侮”條文，要求全體族人同仇敵愾，共拒外姓，本族與外姓發生爭鬥時，族人必須齊心協力，勇敢上前者給賞，躲避退縮者受罰（註三八）。

聚族而居的宗族社會，除了族田外，還有他們的祖祠。以祠堂族長爲代表的宗法勢力，隨著宗族經濟的成長而與日俱增，族田不斷增加，族長對宗族內部的控制，愈來愈強化，族田在閉塞的農村經濟中所佔比例的大小，充分反映了宗族勢力的強弱。廣東巡撫王檢在〈請除嘗租之錮弊以禁刁風〉一摺，對族田用於支持宗族械鬥的情形，敘述頗詳。其原奏略謂：

> 廣東人民，率多聚族而居，每族皆建宗祠，隨祠置有祭田，名爲嘗租。大户之田，多至數千畝，小户亦有數百畝不等。遞年租穀，按支輪收，除祭祀、完糧之外，又復變價生息，日積月累，竟至數百千萬。凡係大族之人，資財豐厚，無不倚強凌弱，恃眾暴寡。如遇勢均力敵之户，恐其不能取勝，則聚族於宗祠之內，糾約出鬥，先行定議。凡族中鬥傷之人，厚給嘗租，以供藥餌；因傷身故，令其木主入祠，分給嘗田，以養妻孥；如傷斃他姓，有肯頂兇認抵者，亦照因傷之人入祠給田。因而亡命奸徒，視此械鬥之風，以爲牟利之具，遇有雀角，各攘臂爭先，連斃多命，迨經拏訊，而兩造頂兇，各有其人，承審之員，據供問擬正法，正犯反至漏網，奸徒愈無顧忌，種種刁惡，皆由於嘗租之爲厲（註三九）。

嘗租或嘗田就是宗族公產，械鬥軍需費用，俱出自宗族公產。當雙方械鬥將展開時，各宗族必先聚集於宗祠設誓拈鬮，拈得之人，給與安家銀兩，預備頂兇，其參加械鬥的丁衆恃有頂兇，便恣意殺戮。兩家械鬥，既有殺傷，則有對抵之法，即以此家之命，與彼家抵算，當兩家對抵人命，抵算不足數時，乃議官休或私休。所謂官休，即計其無對抵之命控之於官以候驗訊；所謂私休，即出銀若干，付給死者之家，雙方和解，永不控官，地方官雖有訪聞，亦以無事爲福，聽其消弭。監察御史郭柏蔭條陳福建泉、漳習俗時，曾指出泉、漳各姓將有械鬥之舉時，必先刷榜豎旗，地方官不之禁，慕友、書吏、兵役因有械鬥，即有人命，有人命，即有官司，所以聞有械鬥之信，無不撫掌快心，惟恐其鬥之不成，惟恐其鬥之不速。械鬥之起，其釁甚微，當其控訴時，在官有司視爲泛常，漠不加意，書差人等又復需索訟規，以爲按捺。官不爲治，民乃自治，官不爲拘，民乃自拘，此即械鬥之所由起（註四〇）。民人自治，就是自力救濟的表現。福建巡撫汪志伊於〈敬陳治化漳泉風俗〉一摺中亦云：

> 查閩省械鬥之風，漳泉尤甚，緣民俗獷悍，生齒日繁，仇怨甚深。且聚族而居，大者千餘户，小者亦百數十户，大户欺凌小户，小户忿不能平，亦即糾合親黨，抵敵大户，每遇雀角微嫌，動輒鳴鑼號召，千百成群，列械互鬥，其兇橫若此。且各立宗祠，元旦拜祖後，即作鬮書，寫多名，以爲毆斃抵償之名次，拈得者頗以爲榮，族人代爲立後，並設位於祠，其愚若此。間有稍知禮法，退避不前者，即懷恨逞兇，毀其器而焚其房，挾以必從之勢，其脅良從暴又若此。是以彼此報復，乘機擄掠，仇殺相尋，將兩造被殺人數，互算互抵，有餘則以拈鬮之姓名，依次認抵，到案茹刑，總不翻供，其甘心自殘又如此（註四一）。

泉州和漳州的宗族械鬥，仇殺相尋，彼此報復，形成極爲嚴重的社會問題，丁杰於〈止鬥論〉中指出，「鬥之風，創於閩，延於粵，盛於潮。」（註四二）姑不論閩粵地區的宗族械鬥是各自出現，獨自發展，或橫向聯繫，然而閩粵地區的宗族械鬥有其歷史背景，則是事實。福建巡撫毛文銓具摺指出，「福建一省，民風土俗，大率喜爭鬥，好奢靡，此千百年以來之習染，牢不能破者也。」（註四三）清代雍正年間，廣東碣石鎮總兵蘇明良具摺指出，「臣生長閩省，每見風俗頹靡，而泉、漳二府尤爲特甚。棍徒暴虐，奸宄傾邪，以鬥狠爲樂事，以詞訟爲生涯，貴凌賤，富欺貧，巨姓則荼毒小姓。巨姓與巨姓相持，則爭強不服，甚至操戈對敵，而搆訟連年，目無王章，似此暴横，誠國法之所不容，風俗之最驕悍者也。」（註四四）爲整飭吏治民生，以厚風俗，以正人心，蘇明良奏請倣照浙江事例，於福建添設觀風整俗使一員，巡行郡邑，賞善懲惡，使知儆惕，痛改前非。福建觀風整俗使劉師恕到任後曾奏聞泉、漳民俗云：「同安縣之角尾地方，與漳州府屬龍溪縣之石碼地方，壤地相接，均有一種惡習，自正月初一日起至十五日，無論老少，各懷碎石，聚集一處，相擊角勝，以傷人爲吉利。」（註四五）爭強鬥勝，表現於年俗方面，習爲固然，俗成難變。閩粵地區的宗族械鬥風氣，就是當地世代相傳的遺習。明代嘉靖年間（一五二二至一五六六），閩粵等地，海盜猖獗，沿海居民因防海盜，每戶置有刀鎗器械，自行防守，尙勇尙氣，更助長了宗族械鬥風氣的盛行。廣東按察使石柱具摺時亦稱：「粵民非逼處海濱，即長居山谷，鹵莽之性未化，剽悍之心猶存。從前因盜風未熄，凡屋畔田旁，結成草寮，住宿守望，並多貯器械，以爲抵禦之需。嗣即持之互鬥，兩人一言不合，輒至嗔爭，而其族親各相袒護，群趨寮內，分取刀鎗馬叉，互鬥不休，殺人亡身，均不顧惜，無論肩挑負販，牧豎農夫，相沿不改，即名列膠庠，身居闤闠者，亦漸染而弗覺。」（註四六）詔安縣隸福建漳州府，《問俗錄》記載詔安地方的習尚云：

> 四都之民，築土爲堡，雉堞四門如城制，聚族於斯，其中器械俱備。二都無城，廣置圍樓，牆高數仞，直上數層，四面留空，可以望遠，合族比櫛而居，由一門出入，門堅如鐵石，器械畢具。一夫疾呼，持械蜂擁。彼眾我寡，則急入閉門，乞求別村，集弱爲強。其始由倭寇爲害，民間自製籐牌、短刀、尖銳、竹串自固。後沿海不靖，聽民禦侮，官不爲禁，至今遂成械鬥張本矣（註四七）。

宗族是血緣爲紐帶的社會組織，由於空間上的族居，所以宗族內部的成員很容易結合，一呼即應。閩粵地區，沿海不靖，惟當地的宗族械鬥，由來已久，並不始於倭寇滋擾。各宗族的城堡及武器，在宗族械鬥過程中確實起了不小的作用。姚瑩在福建平和縣知縣任內亦曾指出，「平和地界閩廣，從古爲盜賊之藪，自王文成平寇亂，而始建邑。其地溪嶺深阻，椮篔叢密，無三里之平遠，巖壑蔽虧，彼此阻礙。民皆依山阻水，家自爲堡，人自爲兵，聚族分疆，世相仇奪。故強凌弱，衆暴寡，風氣之頑獷，亦地勢使之然也。」（註四八）

由於各宗族在經濟發展過程中的不平衡，人口多寡的差異，因此出現了強宗大族左右地方政治經濟的局面。地方紳權一方面隨著宗族力量的發展而擴大，另一方面又隨著統治者的縱容而膨脹（註四九）。明代萬曆年間（一五七三至一六二〇）以來，閩粵地區隨著宗族勢力的不斷加強，人口壓力的急劇增加，社會經濟的逐漸變遷，一方面使強宗大族得以武斷鄉曲，糧多逋欠，以強凌弱，以衆暴寡，另一方面也激起弱勢小姓及下層社會市井小民的強烈反抗。《泉州府志》記載泉州府南安縣徵租的情形說：

> 每春冬徵租，舊皆佃主親履田畝，以豐歉爲完欠，田丁例供一飯，田主上坐，田丁之老傍坐，舉壺觴田主，或縉紳之林下者，亦和顏與談農事勞苦而慰藉之，共飯畢，乃退租，完將歸，以隻雞白粲二三斗爲贐，田主答以巾扇之類，主佃相與以禮如此。其後貴家憚於親行，率俾其豪奴，取盈之外，復多虐政，於是人心怨憤。未幾負郭田丁集數人爲綵旗鼓吹，先請史相國家中斗栳而迎之，凡有負郭租者數百人突至其家，必取栳較定可否。有識者云，此亂始也。未久，南安之變作，一日而殺田主（註五〇）。

田主被殺，就是升斗小民反抗地主鄉紳的具體行動。連立昌著《福建秘密社會》引傅衣凌撰〈關於鄭成功評價的一些看法〉一文後指出明末泉州南安縣就有過一個“斗栳會”的群衆組織。斗和栳都是裝穀子的容器，起先農民群衆公認史相國收租的斗栳最公平，每當交租時，旌旗鼓吹，把史相國家中斗栳請出遊行，若遇黑心田主，就蜂擁而入，用史相國家斗栳較定，於是就被稱爲斗栳會，後來終因團結抗租而釀成大案（註五一）。崇禎年間（一六二八至一六四三），福建漳州平和縣境內，大姓鄉紳肆虐，地方百姓，不堪其苦，各小姓謀結同心，聯合抵制。江日昇編著《台灣外記》敘述永曆四年（一六五〇）記事說：

> 五月，詔安九甲萬禮從施郎〔琅〕招，領眾數千來歸。禮即張耍，漳之平和小溪人。崇禎間，鄉紳肆虐，百姓苦之，眾謀結同心，以萬爲姓，推耍爲首。時率眾統踞二都，五月來歸（註五二）。

明代末年“以萬爲姓”集團，就是漳州平和縣小姓聯合抵制大姓鄉紳肆虐的異姓結拜組織。

清初順治年間（一六四四至一六六一），閩粵地區由於地方不靖，連年戰禍，造成人口下降。清廷又極力倡導宗族制度，宗族之間，在經濟利益上的衝突，並不十分尖銳，社會相對安定，宗族械鬥較爲罕見。康熙中葉平定三藩之亂以後，閩粵地區的經濟逐漸復甦，宗族經濟亦迅速成長，宗族械鬥案件又層見疊出，大姓恃強凌弱，以衆暴寡，小姓聯合自保，異姓結拜的風氣，又再度盛行。強宗大族由於長久以來定居於一地，族旺丁多，有些村鎮多成爲一族所居，動輒數十里。例如漳州府屬平和縣，界連廣東，其縣境內有南勝地方，離縣城一百五十里，民居稠密，楊、林、胡、賴、葉、陳、張、李、蔡、黃諸大族，環列聚居。福州將軍暫署總督印務阿爾賽具摺指出，「漳州府平和縣屬之南勝地方，族大丁多，民風強悍，臣不時留心密行察訪。近訪得有葉揚一犯，暗結匪類，欺壓鄉民，行兇作惡。」（註五三）阿爾賽差遣兵役緝捕葉揚等人到案，葉揚聞拿逃竄，兵役擒獲同夥賴枋等人到案，供出葉揚招夥拜把，欲行搶竊。南勝地方，地闊人稠，風俗刁悍，倚山阻水，易於逃匿，地方官多以南勝最爲難治。

福建觀風整俗使劉師恕具摺時，亦指出泉州府所屬七縣中，以晉江、南安、同安三縣最爲難治，安溪、惠安二縣次之，永春、德化二縣又次之。晉江縣施姓爲施琅之子漕運總督施世綸、福建提督施世驃家族，人丁衆多，住居衙口、石下、大崙諸村。同安縣境內村鎮主要爲李、陳、蘇、莊、柯諸大族所叢居，安溪縣赤嶺地方則幾乎爲林姓一族所居。《泉州府志》記載同安民俗說：「瀕海之區四達交衝，游手攘臂之徒糾夥結盟，各立門戶，胥役兵丁爲之互張聲勢。蓋泉民剛質，頗有尙氣之習。郡城內多淫祠，畫地爲境，境有無賴少年，謂之闖棍，每遇迎神，輒與鄰境互相格鬥。其在鄉村大姓，聚族而居，睚眦之怨，率族持械，雖觸法不率，晉、南、同皆然，近唯惠安、安溪少見耳。」（註五四）

宗族械鬥的風氣，晉江、南安、同安三縣都同樣盛行。《永春縣志》記載當地的民俗說：「性尤剛愎狠悍，喜鬥好訟，睚眦之怨，雀角之爭，疊架虹橋，嬲鬥不已，酷暱青鳥之說，動輒拆屋毀墳，不顧法網。又人率聚族而居，以姓之大小爲強弱，始則大姓欺凌小姓，近則衆小姓相爲要結，大姓反有受其虐者。」（註五五）大姓欺凌小姓，衆小姓相爲要結，聯合抵制大姓，異姓結拜的活動，蔚爲風氣。

福建總督高其倬具摺指出，「福建叢山疊海，形勢險要，人情愚悍，向來藏奸伏莽，屢有其事。至於大姓恃衆，彼此械鬥，及倚恃山深逕險，抗糧抗訟者不乏。」「泉州府屬之同安一縣，幅幀頗大，海疆要區，居人龐雜，風習不純，大族既好械鬥，而偷渡及私梟盜竊頗多，其山邊深青蓮花等莊，大姓叢居，向極多事。同安相離甚遠，縣令實有鞭長不及勢。」「漳州府屬之漳浦、詔安二縣，俱在沿海，幅幀皆闊，民情刁悍，糧多逋欠，地最叢奸。」（註五六）高其倬訪查泉、漳等府宗族械鬥及異姓結拜的習俗後具摺奏稱，「福建泉、漳二府民間，大姓欺凌小族，小族亦結連相抗，持械聚衆，彼此相殺，最爲惡俗，臣時時飭禁嚴查。今查得同安縣大姓包家，與小姓齊家，彼此聚衆列械傷殺，署縣事知縣程運青往勸，被嚇潛回，隱匿不報。」（註五七）同安縣李、陳、蘇等大姓合爲包家，以“包”爲姓，各小姓及雜姓合爲齊家，以“齊”爲姓，包姓與齊姓彼此聚衆械鬥。福建觀風整俗使劉師恕亦奏稱，「其初大姓欺壓小姓，小姓又連合衆姓爲一姓以抗之。從前以包爲姓，以齊爲姓，近日又有以同爲姓　以海爲姓，以萬爲姓，現在嚴飭地方官查拏禁止。」（註五八）

泉、漳等府各縣聚族而居，大姓恃其既富且強，族大丁多，上與官府往來，下與書差勾結，倚其勢焰，動輒發塚拋屍，擄人勒贖，小姓受其魚肉，積不能平，於是聯合數姓，乃至數十姓，以抵敵大姓，列械相鬥。福建巡撫毛文銓具摺指出，「查遏爭鬥，當始於大姓，次則游手好閒者，蓋閩省大姓最多，類皆千萬丁爲族，聚集而居，欺凌左右前後小姓，動輒鳴鑼列械，脅之以威。而爲小姓者受逼不堪，亦或糾約數姓，合而爲一。遇其相持之際，雖文武官員率領兵役前往押釋，亦所不能。」（註五九）由此可知宗族械鬥的規模，必然不小，其激烈程度，形同戰場。

福建按察使德舒具摺指出福建宗族械鬥，「通省皆然，惟漳、泉爲尤甚。」（註六〇）由於宗族械鬥事件層出不窮，異姓結拜活動，遂成爲各宗族在械鬥發生前的組織工作。所謂“以包爲姓”集團，便是在宗族械鬥過程中大姓之間的異姓結拜組織，至於“以齊爲姓”、“以同爲姓”、“以海爲姓”、“以萬爲姓”等集團，則爲各小姓之間的異姓結拜組織。質言之，閩粵地區異姓結拜風氣的盛行，與當地宗族械鬥的頻繁，確實有極密切的關係。

閩粵地區的異姓結拜組織，主要是承繼歷代民間金蘭結義的傳統。異姓兄弟舉行結拜儀式時，在神前歃血瀝酒跪拜天地盟誓的習慣，由來甚古，其起源可以追溯到戰國時代（西元前四〇三年至二二二年）。《左傳》、《史記》等書記載戰國時代，諸候大夫會盟，殺牲歃血，參加盟誓者，或口含牛馬雞犬的鮮血，或用獸血寫立盟書，以取信於人。西漢初年，劉邦在位期間（西元前二〇六年至一九五年），亦曾與心腹大臣秘密舉行過“白馬之誓”。但所謂英雄豪傑或異姓兄弟的結義，其所以深入民間，實受《三國志通俗演義》及《水滸傳》故事的影響，桃園三結義及梁山泊英雄大聚義，在性質上，就是一種異姓兄弟的金蘭結義。劉備、關公、張飛三人在桃園以烏牛白馬祭告天地，焚香再拜，結爲兄弟，宣讀誓詞，協力同心，救困扶危，不求同年同月同日生，但願同年同月同日死，背義忘恩，天人共戮，這種強調義氣千秋的故事，早已家喻戶曉，耳熟能詳。《水滸傳》單道梁山泊好處的一篇言語說：

> 八方共域，異姓一家。天地顯罡煞之精，人境合傑靈之美。千里面朝夕相見，一寸心死生可同。相貌語言，南北東西雖各別；心情肝膽，忠誠信義並無差。其人則有帝子神孫，富豪將吏，並三教九流，乃至獵户漁人，屠兒劊子，都一般兒哥弟稱呼，不分貴賤；且又有同胞手足，捉對夫妻，與叔姪郎舅，以及跟隨主僕，爭鬥冤讎，皆一樣的酒筵歡樂，無問親疏。或精靈，或粗鹵，或村樸，或風流，何嘗相礙，果然識性同居；或筆舌，或刀鎗，或奔馳，或偷騙，各有偏長，眞是隨才器使（註六一）。

引文中已指出異姓一家，三教九流，不分貴賤，都一般兒哥弟稱呼。異姓兄弟結拜後，都成一家同胞兄弟。金聖嘆修改的七十回本《水滸傳》敘述梁山泊英雄一百八員頭領在山寨忠義堂拈香歃血盟誓，由宋江爲首宣讀誓詞，其誓詞內容如下：

> 竊念江等昔分異地，今聚一堂，準星辰爲弟兄，指天地作父母，一百八人，人無同面，面面崢嶸；一百八人，人合一心，心心皎潔。樂必同樂，憂必同憂；生不同生，死必同死。既列名爲天上，無貽笑於人間。一日之聲氣既孚，終身之肝膽無二。倘有存心不仁，削絕大義，外是內非，有始無終者，天昭其上，鬼闞其旁，刀劍斬其身，雷霆滅其跡；永遠沈於地獄，萬世不得人身，報應分明，神天共察（註六二）。

梁山泊英雄大聚義時宣讀的誓詞中「準星辰爲弟兄，指天地作父母」，就是後世金蘭結義拜天爲父拜地爲母儀式的依據。老一輩的人常說：「少不看水滸，老不看三國。」但在下層社會裡，《水滸傳》和《三國志通俗演義》卻是老少皆知的兩本小說，盛行於閩粵地區的異姓結拜，就是模做其儀式，吸收其要素。異姓結拜，一方面模擬家族血緣制的兄弟關係，彼此以兄弟相稱，藉盟誓來約束成員，以強化內部的互助及組織；一方面吸收佛家破除俗姓，以"釋"爲僧侶共同姓氏的傳統，藉以發揚四海皆兄弟的精神。異姓兄弟結拜後，除了本姓外，另以象徵特殊意義的文字爲義姓，化異姓爲同姓，以打破各家族的本位主義，並消除內部彼此的矛盾。各小姓聯合後，或以"萬"爲義姓，象徵萬衆一心；或以"齊"爲義姓，象徵齊心協力；或以"同"爲義姓，象徵共結同心；或以"海"爲義姓，象徵四海一家。大姓因小姓聯合抵制而感受威脅，也聯合各大姓，舉行異姓結拜儀式，以"包"爲義姓，象徵包羅萬民。閩粵地區各宗族之間模擬血緣兄弟關係的異姓結拜集團，已具備秘密會黨的雛型。

《水滸傳》敘述宋江一打東平，兩打東昌後，回到梁山泊，計點大小頭領，共有一百八員，心中大喜，決定設壇建醮，至第七日夜間三更時分，從西北乾方天門滾出一團火塊，鑽入壇前地下，衆人掘開泥土，只見一個石碣，龍章鳳篆，前面三十六行，都是天罡星，背後七十二行，都是地煞星，天罡和地煞合計一百八員，就是梁山泊大小頭領的總數。宋江看過天書後，對衆頭領說：「鄙猥小吏，原來上應星魁，衆多弟兄也原來都是一會之人。上天顯應，合黨聚義。」（註六三）異姓結拜的弟兄都是一會之人，就是會黨得名的由來。結會時，會員須對天跪地立誓，這種跪拜天地的儀式，就是天地會得名的由來。易言之，天地會的取名，正是從《水滸傳》梁山泊大聚義的誓詞而來（註六四）。福建布政使德舒具摺指出，「閩地僻處海濱，又多深山邃谷，習尚強悍，以好勇鬥狠爲能，毋論秀頑，好學拳棒，往往創立會名，聯合聲勢。原其初意，不過圖禦外侮，迨聚集日久，結交既廣，或恃勇技過人，或逞機謀聚衆，肆然無忌。」（註六五）福建巡撫定長對福建結會樹黨的緣起，剖析甚詳，其原摺略謂：

> 閩省山海交錯，民俗素稱強悍，凡抗官拒捕、械鬥逞兇之案，歷所不免，近經嚴立科條，有犯必懲，此風已稍爲斂戢。臣自抵任來，留心訪察，知閩省各屬，向有結會樹黨之惡習，凡里巷無賴匪徒，逞強好鬥，恐孤立無助，輒陰結黨與，輾轉招引，創立會名，或陽托奉神，或陰記物色，多則數十人，少亦不下一二十人，有以年次而結爲兄弟者，亦有恐干例禁而並無兄弟名色者，要其本意，皆圖遇事互相幫助，以強凌弱，以衆暴寡。而被侮之人，計圖報復，亦即邀結匪人，另立會名，彼此樹敵，城鄉效尤，更間有不肖兵役潛行入夥，倚藉衙門聲勢，里鄰保甲，莫敢舉首。小則魚肉鄉民，大則逞兇械鬥，抗官拒捕，亦因此而起，是結會樹黨之惡習，誠爲一切奸宄不法之根源（註六六）。

結會樹黨，簡稱會黨。以年次結爲兄弟，就是異姓結拜，其宗旨在求內部的互助，或求以強凌弱，或結連相抗，計圖報復，秘密會黨就是由閩粵地區宗族械鬥過程中的異姓結拜集團轉化而來的各種秘密組織。閩粵地區義結金蘭，結會樹黨，惡習相沿，寖成風氣。郭廷以教授著《台灣史事概說）認爲張禮、郭義、蔡祿等締結同盟，以萬人合心，以“萬”爲姓，改姓名爲萬禮、萬義、萬祿，依照行次有萬大、萬二、萬七之稱，後來的天地會則爲其組織的擴大（註六七）。但是除了“以萬爲姓”集團外，尚有“以齊爲姓”、“以同爲姓”、“以海爲姓”、“以包爲姓”等異姓結拜集團。因此，與其說天地會是以“萬”爲姓組織的擴大，不如說清代秘密會黨就是由閩粤地區宗族械鬥過程中的異姓結拜集團轉化而來的各種秘密組織。

## 第三節 清代前期秘密會黨的分佈及其活動

有清一代，秘密會黨的活動，非常頻繁，各省大吏查辦結會樹黨案件的文書，仍多保存。所以發掘檔案，掌握直接史料，分析社會經濟變遷，結合區域史研究成果，就是重建會黨信史的正確途徑。檢查現存檔案可知清代前期的秘密會黨是由閩粤地區的異姓結拜集團轉化而來的各種秘密組織。

關於秘密會黨名稱的演變，中外史家曾提出各種不同的看法。蕭一山撰〈天地會起源考〉一文認爲天地會的名稱不一，普通所稱三合會、三點會都是天地會的別名，後來的清水會、匕首會、雙刀會、鉢子會、告化會、小紅旗會、小刀會、劍仔會、致公堂以及哥老會、青紅幫等都是天地會的分派，其原來總名，對外則稱天地會，對內則自稱洪門（註六八）。陶成章撰〈教會源流考〉一文亦認爲三合會、三點會、哥老會以及種種諸會，無一非天地會的支派。因明太祖年號洪武，所以叫做洪門，因指天爲父，指地爲母，故又名天地會（註六九）。有清一代，會黨林立，名目繁多，自從台灣林爽文起事以後，天地會已成爲耳熟能詳的一個著名會黨。但除使用“天地”字樣的天地會本支以外，其他會黨，名稱不一。劉子揚撰〈清代秘密會黨檔案史料概述〉一文指出中國第一歷史檔案館中，保管著大量清代秘密會黨的檔案，時間起自雍正朝，迄於宣統末年（一七二三至一九一一），總計數萬件。作者依據這批檔案列舉秘密會黨的名目多達一百餘個（註七〇）。台北國立故宮博物院現藏清代檔案中所見會黨名目，爲數亦夥。

因此，可知秘密會黨是屬於多元性的民間秘密組織，探討秘密會黨問題，不能忽略天地會本支以外的其他各種會黨。依據海峽兩岸現存清代檔案，考察秘密會黨名稱的由來，實難支持蕭一山、陶成章等人的說法。至於康熙十三年（一六七四）已出現天地會的說法，尤不可信。

文化人類學派解釋文化的起源，大致可以歸納為兩派：一派稱為傳播學派，又稱為文化單源說。這一學派從地理上的分佈，考察各種現象，凡是外形類似，不論其距離遠近，都歸之於傳播關係，各種文化都由一地播出，不承認有重複的創造；一派稱為進化學派，又稱為文化複源說。這一派認為人類天性相近，人同此心，心同此理，人類文化依照自然法則演進，不必一定起源於一地。過去研究秘密會黨的學者所重視的問題，多局限於考證天地會起自那一年？創自何人？始自何地？並未對天地會的含義，先作說明，以致對天地會的起源問題爭論不已。其實探討秘密會黨的源流，不宜只用文化單源說的理論，而忽略文化複源說的理論。有清一代，會黨名稱，不勝枚舉，到處創生，衍生轉化，彼此模仿，或改易別名，或代以同音字樣，並非創自一人，亦非始於一時，或出自一地。因此，所謂天地會，實含有廣義與狹義兩方面的意義。廣義的天地會是包括各種名目的會黨，而以天地會為通稱；狹義的天地會則僅限於使用"天地"字樣的天地會本支而言，後世所稱天地會是泛指廣義的天地會，是各種會黨的通稱。依據現存檔案，可以先將清代前期的秘密會黨案件，按照時間分佈，列表如下：

表一：清代前期秘密會黨案件分佈簡表（一六四四至一七九五）

| 年分 | 福建省 | | 廣東省 | | 江西省 | | 廣西省 | | 安徽省 | |
|---|---|---|---|---|---|---|---|---|---|---|
| | 會名 | 地點 | 會名 | 地點 | 會名 | 地點 | 會名 | 地點 | 會名 | 地點 |
| 雍正六年（1728） | 鐵鞭會<br>父母會 | 福建<br>諸羅縣 | | | | | | | | |
| 雍正七年（1729） | 桃園會<br>子龍會 | 福建<br>臺灣 | | | | | | | | |
| 雍正八年（1730） | 一錢會 | 廈門廳 | | | | | | | | |
| 雍正九年（1731） | | | 父母會 | 海陽縣 | | | | | | |
| 雍正十三年（1735） | | | | | | | | | 鐵尺會 | 霍邱縣 |
| 乾隆元年（1735） | 關聖會 | 邵武縣 | | | | | | | | |
| 乾隆七年（1742） | 子龍小刀會 | 漳浦縣 | | | | | | | | |
| 乾隆十二年（1747） | 邊錢會 | 福安縣 | | | 關帝會 | 宜黃縣 | | | | |
| 乾隆十三年（1748） | 父母會<br>北帝會 | 長泰縣<br>漳浦縣 | | | | | | | | |
| 乾隆十五年（1752） | 鐵尺會 | 邵武縣 | | | | | | | | |
| 乾隆二十六年（1761） | | | 天地會 | 廣東 | | | | | | |
| 乾隆二十七年（1762） | 天地會 | 漳浦縣 | | | | | | | | |
| 乾隆二十八年（1763） | 天地會 | 漳浦縣 | | | | | | | | |
| 乾隆三十二年（1767） | 天地會 | 漳浦縣 | | | | | | | | |
| 乾隆三十三年（1768） | 天地會 | 漳浦縣 | | | | | | | | |
| 乾隆三十七年（1772） | 小刀會 | 彰化縣 | | | | | | | | |

| | | | | | | | | | | |
|---|---|---|---|---|---|---|---|---|---|---|
| 乾隆三十八年（1773） | 小刀會 | 彰化縣 | | | | | | | | |
| 乾隆三十九年（1774） | 小刀會 | 彰化縣 | | | | | | | | |
| 乾隆四十年（1775） | 小刀會 | 彰化縣 | | | | | | | | |
| 乾隆四十四年（1779） | 小刀會 | 彰化縣 | | | | | | | | |
| 乾隆四十五年（1780） | 小刀會 | 彰化縣 | | | | | | | | |
| 乾隆四十六年（1781） | 小刀會 | 彰化縣 | | | | | | | | |
| 乾隆四十七年 | 小刀會 | 彰化縣 | | | | | | | | |
| （1782） | 天地會 | 平和縣 | | | | | | | | |
| 乾隆四十八年（1783） | 天地會 | 平和縣 | | | | | | | | |
| 乾隆四十九年（1784） | 天地會 | 彰化縣 | | | | | | | | |
| 乾隆五十一年 | 天地會 | 彰化縣 | 天地會 | 饒平縣 | | | | | | |
| （1786） | 添弟會 | 諸羅縣 | | | | | | | | |
| | 雷公會 | 諸羅縣 | | | | | | | | |
| 乾隆五十二年（1787） | | | 牙籤會 | 西寧縣 | | | 牙籤會 | 蒼梧縣 | | |
| 乾隆五十四年（1789） | 遊　會 | 嘉義縣 | | | | | | | | |
| 乾隆五十五年 | 天地會 | 嘉義縣 | | | | | | | | |
| （1790） | | 彰化縣 | | | | | | | | |
| 乾隆五十六年（1791） | 天地會 | 彰化縣 | | | | | | | | |
| 乾隆五十七年 | 天地會 | 彰化縣 | | | | | | | | |
| （1792） | 靝黰會 | 同安縣 | | | | | | | | |
| 乾隆五十九年 | 小刀會 | 鳳山縣 | | | | | | | | |
| （1794） | 天地會 | 龍溪縣 | | | | | | | | |
| 乾隆六十年 | 天地會 | 鳳山縣 | 天地會 | 南海縣 | | | | | | |
| （1795） | 天地會 | 漳州府 | 天地會 | 順德縣 | | | | | | |

資料來源：臺北國立故宮博物院、北京中國第一歷史檔案館典藏清代檔案。

對照前列簡表可知順治、康熙年間，並未破獲任何會黨案件，會黨案件的正式出現，實始於雍正六年（一七二八）。雍正年間福建內地先後出現鐵鞭會、桃園會，台灣出現子龍會，廈門廳出現一錢會，台灣諸羅縣、廣東海陽縣出現父母會，安徽霍邱縣出現鐵尺會。鐵鞭會是因會中所執器械爲鐵鞭而得名，鐵尺會亦因會中所執的器械爲鐵尺而得名。雍正十三年（一七三五）六月，安徽潁州府查獲鐵尺會。據署潁州知州李元祥稟稱：「訪得州屬霍邱縣葉爾集地方，有愚頑多人，聚衆結盟，名爲鐵尺會，有高二、王三洒、宋大漢、郭長腿等數十餘人於閏四月二十二日在丁屆遠家拜盟會酒演戲，前搭布篷十座，各執鐵尺一根，高二、王三洒居中擺列扁擔二條，以作刑杖，凡不聽指揮者，以扁擔責之。五月十二、十三等日，又在菜園內演戲三本，在王三洒家聚會，共有二十餘席（註七一）。因會中成員各執鐵尺一根，故稱鐵尺會。雍正八年（一七三〇），福建廈門破獲一錢會。會首李才，原爲水師營兵，因結夥酗酒打降，被枷責革糧後，又至廈門盟夥李環機家飲酒滋事，被轅門總統官白虎漢解回原籍安插。李才糾衆結盟，欲向白虎漢報復。會中平日「各出銀一兩，打造軍器」（註七二），李才被革糧後，會員每人各出銀一兩，以買補營糧。會中因遇事要出銀一兩，故稱一錢會。桃園會破獲的地點是在福建泉、漳一帶，因桃園三結義而得名。子龍會出現於台灣，因趙雲字子龍而得名。在《三國志通俗演義》中單騎救主的趙子龍渾身是膽，重禮明義，心如鐵石，非富貴所能動搖。以劉備、關羽、張飛結義的桃園，或趙雲的字號子龍作爲異姓結拜團體的會名，充分顯示了義氣千秋的忠義精神。

雍正四年（一七二六）五月初五日，台灣諸羅縣屬蓮池潭地方，有蔡蔭等十三人結拜父母會，公推蔡蔭爲大哥。雍正六年（

一七二八）正月十二日，諸羅縣縣民陳斌在湯完家起意招人結拜父母會。次日，陳斌等二十三人齊集於湯完家，歃血拜把，結拜父母會，各人以針刺血滴酒設誓，共推湯完爲大哥。同年三月十八日，是注生娘娘生日，蔡蔭等二十人又在蕭養家再結父母會，仍以蔡蔭爲大哥。三月二十九日，是湯完的生日，衆人約定於是日糾人再結父母會，但在前一日即被破獲。據會中尾二蔡祖等人供稱：「陳斌在湯完家起意招人結父母會，每人出銀一兩拜盟，如有父母老了，彼此幫助。」（註七三）會中成員每人出銀一兩爲父母年老身故籌措互助費，這是台灣父母會得名的由來。並非因拜天爲父，拜地爲母，父天母地而得名，也不是由天地會易名而來。雍正六年（一七二八）八月，福建總督高其倬具摺時指出，「福建風氣，向日有鐵鞭等會，拜把結盟，奸棍相黨，生事害人，後因在嚴禁，且鐵鞭等名，駭人耳目，遂改而爲父母會。」（註七四）鐵鞭會的出現，雖然早於父母會，但兩者性質不同，不可混爲一談，父母會由鐵鞭等會改易而來的說法，是有待商榷的。雍正九年（一七三一），廣東海陽縣所破獲的父母會，與台灣父母會的宗旨，亦不相同。饒平縣武舉余猊因窩賊犯案被革後，於是年九月初二日夥同陳阿幼等十餘人在海陽縣屬歸仁都橫溪鄉托稱結拜父母會，歃血結盟，欲圖劫害官衙，以洩私忿（註七五）。余猊結盟拜會，歃血瀝酒，是屬於異姓結拜，但余猊倡立父母會的目的是爲了糾黨報復，不同於台灣父母會。

乾隆年間（一七三六至一七九五），秘密會黨的名稱，共計十四種，其中十二種主要分佈於福建省，其次爲廣東省，說明乾隆年間秘密會黨較活躍的地區，仍限於閩粵地區。福建邵武縣先後破獲關聖會、鐵尺會，漳浦縣先後破獲子龍小刀會、北帝會、天地會，福安縣破獲邊錢會，長泰縣破獲父母會，平和縣破獲天地會，同安縣破獲�會，龍溪縣破獲天地會。台灣彰化縣先後破獲小刀會、天地會，諸羅即嘉義縣先後破獲添弟會、雷公會、遊會，鳳山縣破獲天地會。廣東惠州、饒平縣、南海縣、順德縣等地破獲天地會。此外，與福建鄰近的江西宜黃縣破獲關帝會，廣東西寧縣及其近鄰的廣西蒼梧縣破獲牙籤會。

據《邵武府志》記載，康熙年間（一六六二至一七二二），福建邵武府已有九老會的名稱（註七六）。但九老會是屬於一種文人結社，以博雅相尚，爲鄉黨所仰慕，不同於下層社會的異姓結拜組織，並非屬於秘密會黨。邵武縣是邵武府治，地當閩、贛孔道，與南平縣爲犄角之勢，結盟拜會的風氣很盛行，乾隆元年（一七三六），邵武縣破獲關聖會。乾隆十二年（一七四七）十一月，江西人蕭其能在宜黃縣加入關帝會，其後又轉邀曾元章等人入會。翌年四月十六日，蕭其能等人同到宜黃縣境寫立會簿。次日，衆人焚表，然後在會員唐榮發家歃血飲酒，將煙灰同雞血和入酒內喫喝，並宰殺牛一頭、豬三隻，喫酒而散（註七七）。邵武縣的關聖會與宜黃縣的關帝會，都是因崇拜關聖帝君而得名。此外，邵武縣也破獲鐵尺會，則因會中所執器械而得名。乾隆十二年（一七四七）六月，福建福安縣角源地方有居民何老妹等糾衆結拜邊錢會，將制錢對半夾開，會中成員每人各給半邊，以爲入夥憑據。又用紙一張對裁，半包錢文，半寫自己姓名年歲，錢文散給各人，所寫姓名年歲，交由何老妹收藏。因會中以半邊錢爲憑據，故稱邊錢會（註七八）。乾隆十三年（一七四八），福建漳州府長泰縣查出縣境陳巷墟地方有居民戴瓜素學習彈唱，於六月十五日糾邀林漸等共三十七人，各出錢六十文，聚集飲酒彈唱，號爲父母會。在漳浦縣雲霄地方查出縣民吳豹等人奉祀玄武，號爲北帝會。拏獲十三人，起出神像三座，小刀一把。福建巡撫潘思榘指出北帝會的會員，是一夥闖棍，一人有釁，群起扛幫，橫行市肆（註七九）。

小刀會的起源相當早，從現存檔案可以發現乾隆七年（一七四二）已查辦小刀會案件。是年，福建漳浦縣小刀會成員殺死知縣一案，竟牽連營兵在內指使。閩浙總督那蘇圖具摺指出福建漳、泉二府，地介海濱，民刁俗悍，每好盟神拜會，各立名色，爭強角勝，生事地方，偶有微嫌夙釁，即傳佈匿名揭帖，希圖陷害於人，或糾黨械鬥。據汀漳道陳樹著稟報漳浦縣雲霄地方有小刀會滋事，其起因是由於是年三、四月間雨澤愆期，傳佈訛言，驚擾民衆，漳浦縣知縣朱以誠查拏雲霄地方張姓、平和縣張姓各一人，同時起獲小刀，查明兩面有鋒（註八〇）。六月初三日，朱以誠在縣堂審案時，被營兵指使小刀會成員賴石刺傷身故。同年十二月十七日，福建水師提督王郡咨文內所稱「漳浦縣殺死知縣一案子龍小刀會」（註八一），即指知縣朱以誠被殺一事，因子龍會中成員各執兩面有鋒的小刀防身，故稱子龍小刀會。所謂小刀會是由天地會演變而來的論證，固然值得商榷，至於小刀會即由三點會、三合會改稱的說法，亦不足採信。

乾隆年間，台灣秘密會黨案件共二十起，其中發生在彰化縣境內的包括小刀會十起，天地會四起。在林爽文起事以前，以小刀會的活動，最爲頻繁。福建水師提督黃仕簡赴台查辦械鬥案件後，查閱台灣府舊存案卷，查出乾隆三十七年（一七七二），已有小刀會滋事案件。是年正月間，大墩（台中市）街民林達因賣檳榔，被營兵強買毆辱。林達乃起意邀同林六等十八人，結爲一會，相約遇有營兵欺侮時，各帶小刀幫護（註八二）。後來因林達與賴焰等因買柴角毆，赴縣告驗，地方官始知有十八王爺小刀會名目。其後林阿騫、林六、林文韜、陳纏、盧佛、盧講、林水、黃添等各結小刀會。乾隆四十五年（一七八〇）七月，興化營兵丁洪標等七人，到彰化溁田地方公祭遠年平番陣亡兵丁。因舊時設祭之處，已被縣民楊振文新蓋房屋，洪標等人即在門首擺列祭品，向屋內致祭，楊振文即率衆攔阻，搶散祭品。兵民互毆時，兵丁鄭高放鎗誤傷販賣果物的街民林水的腿肚。林水赴縣城控告，鄭高等被革糧逐伍後，挾嫌報復，到處騷擾百姓，以致百姓怨恨兵丁。同年九月，林水糾邀孫番等人，結拜小刀會，以謀抵制營兵。小刀會首領林文韜因細故與兵丁吳成等互毆成隙，乾隆四十七年（一七八二）六月十五日夜間，兵丁吳成等因挾前嫌，將林文韜擒入營盤圍毆，兵丁楊祐用刀戳傷林文韜右眼成瞎。因兵丁恃強凌弱，百姓爲抵制營兵，三五成群，各結小刀會。多羅質郡王永瑢等人議覆小刀會案件時已指出，「台灣一府，地居海中，番民雜處，是以多設兵丁，以資彈壓。乃兵丁等反結夥肆橫，凌辱民人，強買強賣，打毀房屋，甚至放鎗私鬥，以致該處居民，畏其強暴，相約結會，各持小刀，計圖抵制，是十餘年來，小刀會之舉，皆係兵丁激成。」（註八三）彰化小刀會盛行的原因很多，營兵擾累百姓，就是主要原因之一。清初領有台郡後，其府縣並無堅城可恃，而汛地遼闊，彰化地方，番漢雜處，又多僻徑荒山，罪犯易於藏匿，全縣以一守備帶原關防把總駐防，所統兵丁僅二百八十名，兵勢單薄。兵丁之中又有漳、泉之分，往往多事。雍正年間，福建總督高其倬具摺時已指出福建水師之中泉、漳之兵丁佔十之七、八，而台灣地方，亦以泉、漳之民最多，武弁籍隸泉、漳，瞻顧鄉情，討好兵丁，不能嚴加管束，營伍廢弛，以致驕縱擾民，貪黷牟利。福建水師提督黃仕簡查辦小刀會案件後指出，「彰邑城內，兵民雜處，兵悍民強，各不相下，由來已久，而小本經紀之人，歷被營兵短價勒買，遂各聯同類，藉以抵制。」（註八四）兵丁結夥肆虐，與民爭利，百姓爲求自保，遂結拜小刀會，藉以抵制營兵。據民人張攀供稱，「小的上年去過台灣一次，聽見父親說，彰化地方向來有一班人，身帶小刀，叫做小刀會，遇有人家打架，他們會齊拏了小刀去相幫。」（註八五）因會中成員攜帶小刀自衛，故稱小刀會。

台灣諸羅縣九芎林地方，有捐職州同楊文麟養子楊光勳與親生子楊媽世因爭產不睦，楊文麟將楊光勳析居相隔數里外的石溜班地方，每年給以定數銀穀。楊光勳因不敷花用，時與楊媽世爭財吵鬧。乾隆五十一年（一七八六）六月，楊光勳糾人潛至楊文麟臥室搬取財物，被楊媽世率衆逐散。楊光勳更懷忿恨，於是糾邀何慶等七十五人結拜添弟會，取弟兄日添，爭鬥必勝之義，並非地方官將天地會改作添弟會，換以同音字意。會中設立會簿一本，登記入會姓名及其地址。據添弟會要犯陳耀等供稱：

> 楊光勳因被伊義父楊文麟析居，心懷不忿。楊文麟田園較廣，冀圖糾眾搶割，兼備鬥毆，遂起意立會。每人先給番銀二圓，藉其幫助，並許搶割之後，再爲分潤米穀，惟恐會內之人不肯出力，是以立簿登名，倘有臨時退諉者，仍向討還番銀，伊等貪圖微利，聽從入會（註八六）。

楊光勳倡立添弟會的目的是冀圖搶割養父楊文麟田園米穀，並預備與楊文麟親生子楊媽世鬥毆。楊媽世聞知楊光勳結拜添弟會後，亦商同素好的潘吉爲主謀，糾邀何稽第二十四人，結盟拜會。楊媽世以楊光勳兇惡不肖，違悖倫常，忤逆不孝，必被雷公擊斃，所以取名雷公會。據楊媽世供稱，「聞知楊光勳結會之事，因離城較遠，且田穀將熟，告官禁阻，恐致無及，隨亦就近結會，以備抵禦。」雷公會倡立的目的，就是爲了抵禦添弟會。由此可知添弟會和雷公會都是械鬥團體，但就添弟會本身或雷公會內部而言，都是一種異姓結拜組織。

廣西蒼梧縣與廣東西寧縣地界毗連，乾隆五十二年（一七八七）九月，廣東西寧縣人仇德廣與高明縣人梁季舟商議結拜弟兄，相約如被人欺侮，彼此幫護，希圖騙錢使用，即與盧首賢等二十二人在西寧縣杜城墟新廟結會，公推仇德廣爲大哥，各出會錢三百文交給仇德廣收受，仇德廣即解下身佩銀牙籤一副，聲言當以牙籤會爲名，各人身帶牙籤一副，作爲暗號，隨後照樣打造，散給會員。牙籤會的成員何昌輝寄居廣西蒼梧縣文瀾村，開店生理。仇德廣等人來到蒼梧縣，商同何昌輝糾邀陳興遠等二十人，各出會錢三百文，於同年十月十八日齊赴文瀾村古廟結拜牙籤會，仍推仇德廣爲會首。仇德廣聲言每人於牙籤之外，尙須打造銀印一個，裝入小盒，各自佩帶，方爲信記，仇德廣編造印章，以“賢義堂記”四字爲記，共計打造銀牙籤、銀印章各四十三副，每副賣錢一千六百文（註八七）。牙籤會強調內部的互助，仇德廣等人結拜牙籤會的目的，一方面彼此幫護，一方面希圖騙錢使用。

天地會也是一種異姓結拜組織，關於天地會成立的具體年代，衆說紛紜，大致可以歸納爲五種說法：第一種說法認爲天地會是明朝遺民建立的反清復明組織，始倡者爲鄭成功（註八八）；第二種說法認爲天地會創始年代始自康熙十三年，歲次甲寅（一六七四）（註八九）；第三種說法認爲歲次甲寅，應爲雍正十二年（一七三四）的甲寅（註九〇）；第四種說法認爲天地會正式成立於乾隆三十二年（一七六七）；第五種說法認爲天地會成立於乾隆二十六年（一七六一）。前三種說法，主要是根據天地會等會黨流傳的神話故事，如《西魯序》、《貴縣修志局發現的天地會文件》等，以推論天地會的成立時間，影射臆測，穿鑿附會，捕風捉影，俱不足採信。天地會的倡立，與明末遺臣的抗清活動，是風馬牛不相及的（註九一）。蔡少卿撰〈關於天地會的起源問題〉一文指出，康熙甲寅說、雍正甲寅說，「或是完全沒有擺脫天地會的神話傳說的影響，或是根據片斷〔段〕的材料作出一些推測。」（註九二）羅爾綱撰〈水滸傳與天地會〉一文說：「中國刑法上有禁止異姓結拜弟兄的法令，實始自清初康熙時代天地會的起來。」又說：「最重要的一條證明天地會起源於康熙年間的證據，卻在那條嚴禁異姓結拜弟兄的律例。」（註九三）我國民間異姓結拜弟兄的風氣，由來已久，梁山泊結義的傳說，已起於北宋末年，但在元明時期尚無禁止異姓結拜弟兄的律例。我國刑法史上制訂禁止異姓結拜弟兄的律例，實始自清代初年。據《大清會典》記載，康熙年間雖然針對異姓人結拜弟兄問題先後三次修訂律例，但條文中並未指明是對付天地會或任何會黨而修訂的。康熙年間修訂律例，也只能說明異姓結拜風氣的盛行，各種秘密會黨在性質上都是屬於異姓結拜，與清初以來所訂律例相牴觸，所以遭到官方的取締。以清初禁止異姓結拜弟兄的律例，視爲證明天地會起源於康熙年間的證據，是值得商榷的。

第四種說法主要是依據兩廣總督孫士毅奏摺及天地會成員的供詞等資料，考證狹義的天地會即天地會本支的成立時間及地點，認爲「天地會爲洪二和尚提喜所創，正式成立於乾隆三十二年（一七六七），起會的地點在福建省漳州府漳浦縣高溪鄉觀音寺。」（註九四）但乾隆三十二年是陳丕等人加入天地會的年分，不是洪二和尚最初倡立天地會的時間。近年以來，隨著天地會起源問題研究的深化，以及檔案資料的陸續發掘，注意力已集中在第五種說法上。

嘉慶初年，福建巡撫汪志伊於〈敬陳治化漳泉風俗疏〉中指出，「查閩省天地會，起於乾隆二十六年，漳浦縣僧提喜，首先倡立，暗中主使，謀爲不軌。」（註九五）中國第一歷史檔案館硃批奏摺及《外紀簿》也含有關於天地會起源的珍貴資料。據福建巡撫汪志伊具摺奏稱，「臣遵查天地會匪始於乾隆二十六年間，漳、泉匪徒謀爲不軌，潛相勾結，蔓延台灣，歷經勦捕，大加懲創之後，均知歛跡。嗣因五十九年秋災，會匪始流爲盜賊，肆行搶劫，甚至擄人勒贖，以致商旅不通，必須結伴數十人，方敢行走。」（註九六）乾隆五十四年（一七八九）三月初九日，覺羅伍拉納接任閩浙總督，與巡撫徐嗣曾督同司道將僧提喜親生之子行義，僧提喜之徒陳彪，反覆細勘，熬刑究詰後，於同年五月初三日具奏，《外紀簿》抄錄了這件奏摺，爲天地會的創立時間提供了確鑿的證據，奏摺中明確記載：「臣等查提喜于乾隆二十六年倡立天地會名色，編造悖逆詩句。」（註九七）這件奏摺當是福建巡撫汪志伊兩次具奏天地會起源時間的直接依據。提喜是僧名，稱爲僧提喜，大家都叫他提喜和尚。又名涂喜，以萬爲姓，故稱萬提喜，或叫做萬和尚涂喜。因提喜乳名洪，排行第二，又稱洪二和尚。嚴煙供詞中的“洪二房和尚”，即爲洪二和尚。提喜和尚先在廣東秘密傳授天地會，然後回到故鄉漳浦縣，傳徒結會，發展會衆。據福建漳浦縣人盧茂供稱，提喜於乾隆二十七年（一七六二）即在漳浦縣境觀音廟傳佈天地會，盧茂等即於是年入會，陳彪由方勸指引入會。趙明德本名趙宋，乾隆二十八年（一七六三），趙宋拜陳彪爲師，帶見提喜，改名入會（註九八）。乾隆三十二年（一七六七），漳浦縣人陳丕等人加入天地會。據陳丕供稱：「乾隆三十二年，聽得本縣高溪鄉觀音亭有提喜和尚傳授天地會，入了此會，大家幫助，不受人欺負，小的就與同鄉的張破臉狗去拜從提喜入會。」（註九九）如何看待覺羅伍拉納等奏摺有關天地會起源的記載，學術界仍然存在著頗大分歧（註一〇〇），但天地會成立的時間，最早也只能追溯到乾隆二十六年（一七六一），地點在廣東，是由洪二和尚萬提喜倡立的。康熙年間，四川、福建、廣東等地，雖然有異姓結拜活動，但異姓結拜組織並不等於天地會。天地會本支倡立於乾隆年間的說法，應該是可以採信的。

連立昌著《福建秘密社會》一書指出，「堅持康熙甲寅說的同志，認爲缺乏直接史料是康熙時史料存留少的緣故，可是雍正至乾隆早期的史料已很多了，也未見天地會活動記載。如天地會早於小刀會創立，理該先流傳，可是不但漳、泉地區和潮汕地區均未見蹤跡，而傳入台灣反在小刀會之後，這就難以解釋了。因而天地會起於康熙甲寅說不能說服人。天地會起於乾隆時的漳浦，應是比較符合史實的。」（註一〇一）誠然，在狹義的天地會名稱正式出現以前，閩粵等地已經存在著許多會黨名稱。在乾隆二十六年（一七六一）以前官方破獲的秘密會黨，包括鐵鞭會、父母會、桃園會、子龍會、鐵尺會、關聖會、子龍小刀會、邊錢會、關帝會、北帝會等，如果天地會已於康熙初葉成立，何以其流傳反而在這些會黨之後呢？康熙甲寅說確實缺乏說服力。秦寶琦撰〈關於天地會的創立宗旨問題——兼與赫治清、胡珠生同志商榷〉一文進一步指出乾隆二十六年（一七六一），提喜總結以往傳徒結會的經驗教訓，汲取其他秘密結社的內容，並加以改造、創新，根據“人生以天地爲本”之義，創造出“天地會”這一個名目（註一〇二）。蔡少卿著《中國秘密社會》一書也認爲，「在天地會的發源地一帶，原已存在著一些秘密結社如父母會、鐵尺會等，天地會只是匯集了這些組織的特點，以新的號召，充實了新的內容而建立起來的。最明顯的是它採納了以往秘密會黨的基本結拜方式，但又獨創了“開口不離本，出手不離三”，“取煙吃茶，俱用三指，以及木立斗世等暗號”。這種“三指訣”，是由洪二和尚首創，後來就成爲會內世代相傳的特有暗號；“五點二十一”、“三八廿一”則暗喻洪門，也是天地會特有的象徵。」（註一〇三）姑且不論“三指訣”是否由洪二和尚首創，而“三指訣”及其他隱語暗號成爲天地會等會黨世代相傳，則是事實。戴玄之教授撰〈略論清幫與洪門的起源〉一文指出，「因天地會係洪二和尚所創，入會者皆爲其門徒，故稱“洪門”。」（註一〇四）。由此可知過去所謂洪門因明太祖年號“洪武”而得名的說法，並不可信。排比各秘密會黨出現的時間後，可以看出天地會是較晚出現的一個秘密會黨，它吸收了原已存在各秘密會黨的要素，而加以改造及創新。

嚴煙又名嚴若海，是福建漳州府平和縣人，賣布爲生。乾隆四十七年（一七八二），在同村行醫的廣東人陳彪，就是洪二和尚的嫡傳弟子之一，嚴煙聽從糾邀，加入天地會。翌年，嚴煙渡海到台灣，在彰化開張布鋪，並傳天地會。據嚴煙供稱天地會的宗旨爲：

> 天地會名目，因人生以天地爲本，不過是敬天地的意思。要入這會的緣故，原爲婚姻喪葬事情，可以資助錢財；與人打架，可以相幫出力；若遇搶劫，一聞同教暗號，便不相犯；將來傳教與人，又可得人酬謝，所以願入這會者甚多（註一〇五）。

天地會的成立宗旨，主要還是在於內部的互助問題。據天地會要犯楊振國等供稱，「凡入會者，令其對天跪地立誓，因取名天地會，並不寫帖立簿，只以舉指爲號。」（註一〇六）結盟拜會時對天跪地立誓，就是以天地爲本而敬天地的意思，天地共鑒。盟誓以後，傳授三指拏煙喫茶、遇搶奪之人用三指按住胸膛等暗號，或以大指爲天，小指爲地，出外行走便可免於搶奪。

林爽文也是福建漳州府平和縣人，乾隆三十八年（一七七三），隨其父林勸等移居台灣彰化大里杙，趕車度日，素喜交結。乾隆四十九年（一七八四）三月二十五日，林爽文聞知天地會人多勢盛，利於糾搶，要求加入天地會。嚴煙應允，設立香案，在刀劍下盟誓，遇有事情，大家出力，公同幫助。因恐人數衆多，彼此不能認識，相約見人伸三指，並有"洪"字暗號，口稱"五點二十一"。此時，彰化一帶，泉、漳分類械鬥，並未平息，林爽文爲凝聚漳州籍移民的力量，即於乾隆五十一年（一七八六）八月十五日在大里杙山內車輪埔糾衆歃血飲酒，結拜天地會，互相約誓，有事相助，患難相救。當時由於諸羅縣添弟會與雷公會爭產械鬥殺害把總陳和，地方兵役緝拏會黨，查辦過激，兵役肆虐，凡有拏獲，立行杖斃，又藉端索詐，焚燬房屋，牽連天地會，人心不服，各逸犯紛紛逃匿大里杙，添弟會、雷公會、小刀會與天地會遂形成了聯合陣線，在官逼民反的號召下，終於擴大成爲大規模的反滿運動。由此可知台灣天地會是閩粵內地天地會的派生現象，過去學者認爲天地會首先發源於台灣，然後傳佈於閩粵內地，這種說法並不符合歷史事實。

林爽文領導以天地會爲骨幹的會黨自乾隆五十一年（一七八六）十一月二十八日攻陷大墩正式豎旗起事開始至乾隆五十三年（一七八八）二月初五日莊大田等被俘清軍平定南北兩路止，前後歷時一年又三個月。林爽文起事期間，諸羅縣崎內莊人李效，倡言天地會黨夥欲來莊搶掠，莊民紛紛逃避，李效乘間攫取所遺銀物。清軍平定亂事後，百姓歸莊，李效恐被告發，且慮出入被人暗算，於乾隆五十四年（一七八九）六月間，糾邀陳高陞等人結會，相約凡遇打架及官差拘捕時，彼此出來相幫抵禦。因結會以來，可以任從出入遊戲，所以取名爲遊會（註一〇七）。林爽文起事失敗以後，天地會的逸犯潛匿各地，企圖復興天地會，直接或間接地加速了天地會及其他各種秘密會黨在台灣和閩粵等省內地的傳播與發展。

乾隆五十三年（一七八八），天地會逸犯陳信逃至南投，借住於素識的廣東客家謝志家中。陳信的衣包內藏有天地會誓章一紙，內載「有福同享，有禍同當，一人有難，大家幫助。若是不救，及走漏消息，全家滅亡，刀下亡身」等字樣。陳信又傳授天地會的盟誓儀式及隱語暗號。福建漳州人張標移居南投後，因與當地泉州籍移民彼此不睦，仇家甚多，欲糾人結會，以防備泉州人。乾隆五十五年（一七九〇）七月二十八日，張標遇見素識的謝志，二人閒談，起意糾人結會。謝志對張標說：「既要糾人結會，何不復興天地會？」張標問以如何結法？謝志答稱：「要排設香案，在神前宰雞歃血鑽刀，對天立誓：一人有難，大家幫助，如若負盟，刀下亡身。誓畢將誓章在神前焚化。會內相見，用左手伸三指朝天做暗號。」二人遂商議先邀幾個同心的人，各自分頭邀人。謝志思及入會之人，應給與憑據，又想：大家若肯忠心興會，多多招人，便有福氣，於是令人刻了圖記一個（註一〇八），上刻"福忠興萬合和"六字，凡入會者，即將圖書印給紙片，以爲憑據，入會者共計十人，於同年九月初二日在南投虎仔坑訂盟結會，公推張標爲大哥，排設香案，在神前宰雞歃血鑽刀。謝志取出天地會舊誓章，與張標等在神前跪讀，然後將誓章在神前焚化，與衆弟兄分飲血酒。謝志又將天地會用左手伸三指朝天的舊記號傳授給衆人（註一〇九）。福建同安縣人吳光彩於乾隆五十四年（一七八九）七月內渡海入台，在彰化縣埔心莊居住，與居民張阿秀交好。乾隆五十五年（一七九〇）九月，張標復興天地會，張阿秀聽邀入夥，被拏正法，吳光彩起意邀人結會，為張阿秀報仇。乾隆五十七年（一七九二）三月，吳光彩與素來交好的吳基同至陳潭的屋寮內閒談，陳潭提及糾人結會，吳光彩引為同心。同年四月初九日，吳光彩與吳基同張標案內逸犯王都等齊集陳潭寮內，由王都傳授天地會的結拜儀式，隨後邀得陳僭等九人入會，未幾，先後被拏獲（註一一〇）。

鄭光彩，原籍福建龍溪縣，自幼生長在台灣鳳山地方，向來與陳旺、魏東、楊骨等人交好，四人俱無恆業，起初靠著為人看守田園度日，後來竟勒令附近各莊每年給與工錢，聲稱代其保護田園，如不依從，即強割偷竊。附近居民皆畏懼允從，惟廣東莊客家籍移民不從，聲言欲行告官究辦。鄭光彩慮及結仇甚多，恐被告發查拏時無人幫助，因而思及從前天地會內之人，遇事互相幫助，衆皆畏懼，於是起意結會。乾隆五十九年（一七九四）五月，鄭光彩與陳旺等人相商，因天地會名目易於招搖，必須改換會名，以掩人耳目。由於每人各置小刀一把，隨身攜帶，決定改名為小刀會。分頭邀人入會，首夥共五十四人，於同年五月二十三日齊至鹽埔莊楊骨家中備辦牲醴香燭，然後到莊外僻靜荒埔擺設香案，排列牲醴，公推鄭光彩為大哥，陳旺為二哥，魏東為三哥，楊骨為四哥，衆人拜天立誓，相約都要齊心，如一人有事，衆人協力相幫，背盟之人，死於刀下。又由鄭光彩為首，挨次用刀將左手食指割破，滴血入酒中，各人分飲。約定每人各置備小刀一把，用牛角作柄，隨身攜帶，作為同夥暗號，以及防身之用。後來因為楊骨家內房屋窄小，恐怕外人識破，又不能聚集多人，遂於近山偏僻的柳仔林無人地方，搭蓋草寮數間，以供聚會。未幾，鄭光彩等四十九人被拏獲（註一一一）。乾隆六十年（一七九五）正月二十六日，鳳山縣人陳光愛糾邀葉告等首夥共一百零九人在縣境烏山後僻處排列牲醴，拜天立誓，歃血飲酒，結拜天地會。同年二月初四日夜間，陳光愛率衆往攻石井汛，殺傷兵丁，因府城援兵抵達，衆人逃散，陳光愛等被拏獲（註一一二）。

台灣林爽文起事前後，閩粵內地的天地會，也是活動頻繁。廣東饒平縣人林功裕，向在福建平和縣、漳浦縣等處唱戲，與平和縣林邊鄉人林三長認為同宗。乾隆五十一年（一七八六）六月，林功裕經林三長糾邀加入天地會。據林功裕供稱：「令從劍下爬過設誓，教以三指拏煙喫茶及遇搶奪之人用三指按住胸膛爲號。問從那裡來？只說水裡來三字，便知同會，並傳授歌句，有洪水漂流及李桃紅、木立斗世等字。」（註一一三）許阿協向在福建平和縣地方與開張麵店的賴阿邊販麵度日，乾隆五十一年（一七八六）十月間，許阿協路過蔴塘地方，被人搶去番銀，告知賴阿邊。賴阿邊告以若入天地會，將來行走便可免於搶奪，被搶番銀亦可代爲要回。許阿協應許入會，當將搶去番銀要回，並經賴阿邊授以大指爲天，小指爲地及接遞茶煙暗號詩句（註一一四）。廖山、陳水、張廷路、李爵等人均籍隸福建龍溪縣，葉釵籍隸同安縣，各在台灣挑賣鹽魚水果小本生意，因人地生疏，慮被欺壓，先後加入天地會，冀免被人欺侮。林爽文起事以後，先後潛回內地，於乾隆五十七年（一七九二）被拏獲（註一一五）。天地會逸犯陳蘇老、蘇葉等潛回福建同安縣，與晉江縣人陳滋、陳池等暗設靝黫會。靝音天，即指青天，黫音地，即指黑地，以靝黫二字，暗代天地，並有“順國”等字樣。乾隆五十七年（一七九二），閩浙總督覺羅伍拉納據泉州道府稟報後即親赴泉州，分路圍拏，陳蘇老等人被捕獲，並搜出刊刷及墨書各號紙等物（註一一六）。據陳蘇老供稱，聞得廣東石城縣高溪地方，洪三房朱九桃，亦有起會之事。惟經官方嚴查，並無結果。乾隆六十年（一七九五），地方官查出廣東石灣地方天地會案件。是年十二月十五日，何得廣商同陳三勝、陳秩舉、何頌直、曾公輝五人共邀得一百人，在廣東南海縣與順德縣交界的石灣地方僻靜山地飲酒，結拜兄弟。何得廣身體魁偉，膂力強大，且輕財好施，被推爲大哥。因由五人糾邀拜會，故以五順堂爲號。

天地會起源問題，絕非僅僅是一個年代問題，它直接涉及這一秘密會黨產生的時代背景、宗旨、性質諸方面的問題。有清一代，會黨林立，名目繁多，除使用“天地”字樣的天地會本支以外，其餘會黨名稱，指不勝屈，探討秘密會黨的問題，不能忽略天地會本支以外的其他各種會黨。排比清代前期會黨名稱出現的次第，可以發現康熙末年朱一貴等人雖有拜把結盟的異姓結拜活動，但是尚未倡立會黨名稱。秘密會黨雖然是下層社會由異姓結拜集團轉化而來的多元性秘密組織，但異姓結拜集團不等於秘密會黨。秘密會黨名稱的正式出現，是始於雍正年間的鐵鞭會、父母會等會黨，天地會是乾隆年間較晚出現的一個會黨。在後世天地會八拜儀式中的前二拜有「一拜天爲父，二拜地爲母」等句，史家遂認爲父母會即因父天母地而得名。對天跪地立誓，是天地會得名的由來，但父母會的出現早於天地會，過去認爲父母會是由天地會改名而來，並不符合歷史事實。鐵鞭會的出現，雖然早於父母會，但父母會的性質與鐵鞭會不同，並非由鐵鞭會改名而來。乾隆初年的子龍小刀會及乾隆中葉的台灣小刀會，既非藉名父母會，亦非由三點會、三合會改名而來。乾隆末年，鳳山縣鄭光彩結會樹黨，據供因天地會名目易於招搖，爲掩人耳目，所以變名小刀會。但鄭光彩供詞中的“天地會”字樣，似乎是地方官欲加重小刀會的罪名而構陷之詞。林爽文起事前後，小刀會已與天地會互相結合，小刀會入會時亦模倣天地會的結拜儀式，但小刀會的特徵，仍然與天地會不盡相同，若由兩者儀式的近似，而認爲鄭光彩所結拜的小刀會是由天地會變名而來，進而推斷鄭光彩所倡立的小刀會是「迄今爲止史料上所見天地會系統內最早的小刀會，應作爲小刀會創立之始」的說法（註一一七），是有待商榷的。忽視乾隆初年早期的小刀會，而將鄭光彩所倡立的小刀會作爲小刀會創立之始，實在很難瞭解整個小刀會的源流。小刀會不必藉名父母會，亦不必由天地會變名而來。小刀會與天地會固然不相統屬，各小刀會之間同樣也沒有統屬關係，無論是天地會系統以內的小刀會，或是天地會系統以外的小刀會，都是屬於閩粤系統的秘密會黨，天地會系統內外的小刀會，是從早期到後期的發展。

在林爽文領導天地會起事以前，添弟會與雷公會的械鬥已是劍拔弩張。蕭一山撰〈天地會源流〉文中謂「添弟會即天地會及天帝會之轉音，有曰，先入會爲兄，後入會爲弟，故名。」（註一一八）“添弟”與“天地”讀音相同，但從而推斷乾隆年間的添弟會也是天地會的轉音，則有待商榷。當林爽文起事以後，清廷嚴查天地會，清高宗以楊光勳案內所稱添弟會，明係天地會名目，署彰化縣知縣事同知劉亨基等將“天地”二字改爲“添弟”字樣，換以同意的字義，欲化大爲小，有心取巧，希圖規避處分（註一一九）。清高宗諭令軍機大臣寄信閩浙總督李侍堯查明地方官將天地會改作添弟會，究竟是何人的主見？李侍堯遵旨細查楊光勳爭產械鬥案件，原卷內有台灣鎭總兵官柴大紀、台灣道永福奏稿一件，及台灣府知府孫景燧稟文一扣，俱書作“添弟”字樣。永福被革職拏交刑部治罪時，亦供稱原案文稟，俱係“添弟”字樣，並非擅改。楊光勳結會樹黨，「意欲弟兄日添，則爭鬥必勝」，故名添弟會。添弟會與天地會讀音相同，又同時出現於台灣，清高宗遂誤以爲添弟會係由天地會改名而來。過去以乾隆年間台灣添弟會爲天地會的轉音，以及先進爲兄，後進爲弟，故取名添弟會的說法，固不可信。至於認爲乾隆年間的天地會除使用本名外，還使用"添弟會"等名稱（註一二〇），而將乾隆年間的台灣添弟會列入天地會系統，是由天地會轉化而來的說法，並不符合歷史事實。張菼撰〈台灣反清事件的不同性質及其分類問題〉一文中認爲「楊光勳、楊媽世兄弟械鬥事件中已有天地會組織的官方記載，清室官書將之改爲"添弟會"，所以改稱，是爲了避重就輕，則天地會不但在閩台地區活動已久，並且深爲當局所忌。」（註一二一）文中所稱清室官書將天地會改爲"添弟會"，恰與歷史事實相反。就雍正乾隆時期而言，所謂天地會是各秘密會黨的原來總名，父母會、小刀會、添弟會等都是天地會的別名，爲了避人耳目而改易會名的看法，確實是應該拋棄的陳說。

林爽文起事以後，由於清廷極力嚴查天地會，各省民人以天地會敢於公然反抗朝廷，對天地會的名稱及其活動，已經耳熟能詳，家喻戶曉，天地會的隱語暗號，傳佈益廣，各會黨結盟立誓時，多模倣天地會的儀式，傳授天地會的隱語暗號。各會黨原本就是異姓結拜組織，吸收民間金蘭結義的傳統，名目雖異，性質卻相近，具備許多共同的要素。而且由於入會儀式及隱語暗號的互相模倣，彼此影響，使各會黨之間的差異性日益減少，最後只要識得暗號，就是同會之人，此即清代秘密會黨棄小異，取大同，逐漸消除矛盾的發展過程。

**【註釋】**

註　一：中國人民大學清史研究所、中國第一歷史檔案館合編《天地會》，(一)（北京，中國人民大學出版社，一九八〇年十一月），頁四。

註　二：劉秉英撰〈少林古寺觀寶藏〉，《北京晚報》，一九八一年十一月二十七日。

註　三：陳國屏著《清門考源》（台北，古亭書屋，民國六十四年八月），第三章，頁四二。

註　四：《宮中檔》（台北，國立故宮博物院），第二七二三箱，九九包，一九四三二號，嘉慶二十年七月二十七日，浙江巡撫顏檢奏摺。

註　五：同註四。

註　六：《軍機處檔·月摺包》（台北，國立故宮博物院），第二七五一箱，三一包，五二七五四號，嘉慶二十二年八月初一日，湖廣總督阮元咨呈。

註　七：《軍機處檔·月摺包》，第二七五一箱，三一包，五二七一五五號，天地會秘書抄本。

註　八：《天地會》，(一)，頁五。

註　九：施列格原著，薛澄清譯述《天地會研究》（台北，古亭書屋，民國六十四年八月），頁五二至六二。

註一〇：平山周著《中國秘密社會史》（台北，古亭書屋，民國六十四年八月），頁一二至一九。

註一一：羅爾綱著《天地會文獻錄》（上海，正中書局，民國三十六年十月），頁五八。

註一二：《貴縣修志局發現的天地會文件》，《國立北平圖書館館刊》，第八卷，第四號（北平，國立北平圖書館，民國二十三年七月），頁三一。

註一三：連橫著《台灣通史》（台北，台灣銀行經濟研究室，民國五十一年二月），卷三〇，〈朱一貴列傳〉，頁七八四。

註一四：陶成章撰〈教會源流考〉，見羅爾綱編者《天地會文獻綠》，頁六三。

註一五：溫雄飛著《南洋華僑通史》，見蕭一山編《近代秘密社會史料》（台北，文海出版社，民國六十四年九月），卷首，〈天地會起源考〉，頁一〇。

註一六：黃玉齋撰〈洪門天地會發源於台灣〉，《台灣文獻》，第二十一卷，第四期（台灣，台灣文獻會，民國五十九年十二月），頁一八。

註一七：劉師亮著《漢留全史》（台北，古亭書屋，民國六十四年八月），頁三。

註一八：胡珠生撰〈天地會起源初探——兼評蔡少卿同志關於天地會的起源問題〉，《歷史學》，第四期（一九七九），頁七二。

註一九：蕭一山撰〈天地會起源考〉，《近代秘密社會史料》，卷首，頁一二。

註二〇：蕭一山著《清代通史》，第一冊（台北，台灣商務印書館，民國五十一年九月），頁九〇一。

註二一：衛聚賢著《中國幫會青紅漢留》（重慶，說文出版社，民國三十八年），頁一八。

註二二：翁同文撰〈康熙初葉"以萬為姓"集團餘黨建立天地會〉，《中華學術與現代文化叢書》，第三冊，《史學論集》（台北，中華學術院，民國六十六年四月），頁四四二。

註二三：張菼撰〈天地會的創立年代與五祖之為台灣人〉，《台灣風物》，第三十五卷，第二期（台北，台灣風物雜誌社，民國七十四年六月），頁七八。

註二四：《宮中檔雍正朝奏摺》，第二十四輯（台北，國立故宮博物院，民國六十八年十月），頁四二五，雍正十三年四月二十二日，蘇州巡撫高其倬奏摺。

註 二 五：《宮中檔雍正朝奏摺》，第二十四輯，頁五四八，雍正十三年閏四月十八日，河東總督王士俊奏摺。

註 二 六：同註二五。

註 二 七：秦寶琦撰〈天地會檔案史料概述〉，《歷史檔案》，一九八一年，第一期，頁一一三。

註 二 八：秦寶琦著《清前期天地會研究》（北京，中國人民大學出版社，一九八八年七月），頁八六。

註 二 九：戴玄之撰〈天地會的源流〉，《大陸雜誌史學叢書》，第三輯，第五冊（台北，大陸雜誌社，民國五十九年九月），頁七九。

註 三 〇：秦寶琦撰〈鄭成功創立天地會說質疑〉，《鄭成功研究論文選續集》（福州，福建人民出版社，一九八四年），頁九三。

註 三 一：劉美珍等撰〈關於天地會歷史上的若干問題〉，《明清史國際學術討論會論文集》（天津，人民出版社，一九八二年七月），頁一〇二五。

註 三 二：《清前期天地會研究》，頁八四。

註 三 三：柯尼格（Samue Koenig）著，朱岑樓譯《社會——社會之科學導論》（Sociology, An Introduction to the Science of society）（台北，協志工業叢書出版公司，民國七十五年三月），頁一。

註 三 四：王思治撰〈宗族制度淺論〉，《清史論叢》，第四輯（北京，中華書局，一九八二年十二月），頁一七八。

註 三 五：朱勇著《清代宗族法研究》（長沙，湖南教育出版社，一九八七年十二月），張晉藩序，頁二。

註 三 六：魏安國撰，陳春聲譯〈清代珠江三角洲的宗族、賦稅和土地占有〉，《明清廣東社會經濟研究》（廣州，廣東人民出版社，一九八七年六月），頁三二九。

註 三 七：朱勇著《清代宗族法研究》，頁一六二。

註 三 八：朱勇著《清代宗族法研究》，頁一一八。

註 三 九：《皇清奏議》（台北，文海出版社，民國五十六年十月），卷五六，頁三〇。

註 四 〇：《月摺檔》（台北，國立故宮博物院），道光十八年十二月二十一日，掌山西道監察御史郭柏蔭奏摺抄件。

註 四 一：《皇朝經世文編》（台北，國風出版社，民國五十二年七月），卷二三，頁四二。

註 四 二：丁杰撰〈止鬥論〉，《清史研究通訊》，一九八五年，第三期（北京，中國人民大學書報資料中心，一九八五年），頁六。

註 四 三：《宮中檔雍正朝奏摺》，第五輯（民國六十七年三月），頁五八三。雍正四年二月初四日，福建巡撫毛文銓奏摺。

註 四 四：《宮中檔雍正朝奏摺》，第十一輯（民國六十七年九月），頁七一四，雍正六年十一月初六日，廣東碣石鎮總兵蘇明良奏摺。

註 四 五：《宮中檔雍正朝奏摺〉，第十九輯（民國六十八年五月），頁三五一，雍正十年正月二十四日，福建觀風整俗使劉師恕奏摺。

註 四 六：《軍機處檔・月摺包》，第二七四〇箱，四三包，六一七一號，乾隆十五年七月十二日，廣東按察使石柱奏摺錄副。

註 四 七：劉興唐撰〈福建的血族組織〉，《食貨半月刊》，第四卷，第八期（上海，新生書局，民國二十五年九月），頁四〇。

註四八：《皇朝經世文編》卷二三，頁二七，〈上汪制軍書〉。

註四九：譚棣華撰〈略論清代廣東宗族械鬥〉，《清史研究通訊》，一九八五年，第三期（北京，中國社會科學出版社，一九八五年），頁七。

註五〇：黃任等纂《泉州府志》（台北，國立故宮博物院，乾隆癸未刊本），卷二〇，頁一三。

註五一：連立昌著《福建秘密社會》（福州，福建人民出版社，一九八九年十二月），頁一六二。

註五二：江日昇編著《台灣外記》（台北，台灣銀行經濟研究室，民國四十九年五月），第七冊，卷三，頁一一二。

註五三：《宮中檔雍正朝奏摺》，第二十三輯（民國六十八年九月），頁七六五。雍正十二年十一月十八日，福州將軍署總督印務阿爾賽奏摺。

註五四：《泉州府志》，卷二〇，頁一七。

註五五：杜昌丁修《永春州志》（台北，國立故宮博物院，乾隆二十二年刊本），卷一六，頁二。

註五六：《宮中檔雍正朝奏摺》，第十二輯（民國六十七年十月），頁一六〇，雍正六年十二月二十八日，福建總督高其倬奏摺。

註五七：《宮中檔雍正朝奏摺》，第九輯（民國六十七年七月），頁三一一，雍正五年十一月十七日，福建總督高其倬奏摺。

註五八：《宮中檔雍正朝奏摺》，第十四輯（民國六十八年二月），頁四四一，雍正七年十月十六日，福建觀風整俗使劉師恕奏摺錄副。

註五九：《宮中檔雍正朝奏摺》，第五輯（民國六十七年三月），頁五八三，雍正四年二月初四日，福建巡撫毛文銓奏摺。

註六〇：《宮中檔乾隆朝奏摺》，第二輯（台北，國立故宮博物院，民國七十一年六月），乾隆十六年十一月二十一日，福建按察使德舒奏摺。

註 六 一：施耐庵著《水滸傳》（台北，陽明書局，民國七十三年三月），頁七二八。

註 六 二：施耐庵著《水滸傳》（台北，桂冠圖書公司，民國七十四年十一月），七十回本，頁九四七。

註 六 三：《水滸傳》，七十回本，頁九四二。

註 六 四：羅爾綱撰〈水滸傳與天地會〉，《會黨史研究》（上海，學林出版社，一九八七年一月），頁三。

註 六 五：《皇朝經世文編》，卷七一，頁二九。

註 六 六：《宮中檔乾隆朝奏摺》，第二十二輯（民國七十三年二月），頁八〇四，乾隆二十九年十月初八日，福建巡撫定長奏摺。

註 六 七：郭廷以著《台灣史事概說》（台北，正中書局，民國六十四年二月），頁一一八。

註 六 八：蕭一山撰〈天地會起源考〉，《近代秘密社會史料》，卷首，頁四。

註 六 九：陶成章撰〈教會源流考〉，《天地會文獻錄》（上海，正中書局，民國三十六年十月），頁六三。

註 七 〇：劉子揚撰〈清代秘密會黨檔案史料概述〉，《會黨史研究》（上海，學林出版社，一九八七年一月），頁三一一。

註 七 一：《宮中檔雍正朝奏摺》，第二十四輯（民國六十八年十月），頁八八二，江南總督趙弘恩奏摺。

註 七 二：《宮中檔雍正朝奏摺》，第十七輯（民國六十八年三月），頁六六二，雍正九年二月二十二日，管理福建海關事務郎中準泰奏摺。

註 七 三：《宮中檔雍正朝奏摺》，第十一輯（民國六十七年九月），頁六七，雍正六年八月初十日，福建總督高其倬奏摺。

註七四：《宮中檔雍正朝奏摺》，第十一輯，頁六九。

註七五：《宮中檔雍正朝奏摺》，第十九輯（民國六十八年五月），頁五六，雍正九年十月二十二日，廣東總督郝玉麟奏摺。

註七六：王琛等修《邵武府志》（台北，國立故宮博物院，光緒丁酉年刊本），卷九，頁三。

註七七：《軍機處檔·月摺包》，第二七七二箱，一九包，二七一〇號，乾隆十三年六月二十九日，江西巡撫開泰奏摺錄副。

註七八：《軍機處檔·月摺包》，第二七七二箱，一〇包，一二五七號，乾隆十二年九月初九日，新柱奏摺錄副。

註七九：《軍機處檔·月摺包》，第二七七二箱，二四包，三六一八號，乾隆十三年十月二十八日，福建巡撫潘思榘奏摺錄副。

註八〇：秦寶琦撰〈台灣學者對天地會小刀會源流研究述評〉，《清史研究集》，第二輯（北京，中國人民大學清史研究所，一九八二年六月），頁三一〇。

註八一：《明清史料》（台北，中央研究院歷史語言研究所，民國六十一年三月），頁七四，乾隆八年十二月十九日，台灣鎮總兵官張天駿揭帖。

註八二：《軍機處檔·月摺包》，第二七七六箱，一四〇包，三三二〇六號，乾隆四十八年六月二十六日，福建水師提督黃仕簡等奏摺錄副。

註八三：《軍機處檔·月摺包》，第二七七六箱，一四〇包，三三三二〇號，乾隆四十八年七月初一日，多羅質郡王永瑢奏摺錄副。

註八四：《宮中檔乾隆朝奏摺》，第五十五輯（民國七十五年十一月），頁八五八，乾隆四十八年四月二十九日，福建水師提督黃仕簡等奏摺。

註 八 五：《宮中檔乾隆朝奏摺》，第五十四輯（民國七十五年十月），頁六七一，乾隆四十八年正月初十日，閩浙總督富勒渾奏摺。

註 八 六：《宮中檔乾隆朝奏摺》，第六十一輯（民國七十六年五月），頁五五一，乾隆五十一年九月十八日，福建按察使李永祺奏摺。

註 八 七：《宮中檔乾隆朝奏摺》，第六十八輯（民國七十六年十二月），頁三八九，乾隆五十三年五月三十日，廣西巡撫孫永清奏摺。

註 八 八：連橫著《台灣通史》，卷三〇，頁七八四；陶成章撰〈教會源流考〉，《近代秘密社會史料》，卷二，頁二。

註 八 九：溫雄飛著《南洋華僑通史》，《近代秘密社會史料》，卷首，頁八；翁同文撰〈康熙初葉"以萬爲姓"集團餘黨建立天地會〉，《中華學術與現代文化叢書》，第三集，頁四三七。

註 九 〇：蕭一山撰〈天地會起源考〉，《近代秘密社會史料》，卷首，頁一二。

註 九 一：周新國撰〈天地會與清代通俗文化〉，《江海學刊》，一九八七年，第六期（江蘇，江蘇省社會科學院，一九八七年十一月），頁五三。

註 九 二：蔡少卿著《中國近代會黨史研究》（北京，中華書局，一九八七年十月），頁四八。

註 九 三：羅爾綱著《天地會文獻錄》，頁八七至八九。

註 九 四：戴玄之撰〈天地會的源流〉，《大陸雜誌史學叢書》，第三輯（台北，大陸雜誌社，民國五十九年九月），頁七九。

註 九 五：《皇朝經世文編》，卷二三，頁四二，汪志伊奏〈敬陳治化漳泉風俗疏〉。

註 九 六：《硃批奏摺》（北京，中國第一歷史檔案館），六三〇卷，一號，嘉慶四年十月十二日，福建巡撫汪志伊奏摺。

註 九 七：秦寶琦撰〈天地會起源"乾隆說"新證——伍拉納、徐嗣曾關於天地會起源的奏摺被發現〉，《明清史月刊》，一九八六年，第四期（北京，中國人民大學書報資料中心，一九八六年），頁四三。

註 九 八：秦寶琦撰〈有關天地會起源史料〉，《歷史檔案》，一九八六年，第一期（北京，中國第一歷史檔案館，一九八六年），頁三八。

註 九 九：《軍機處檔．月摺包》，第二七七八箱，一六一包，三八二三一號，乾隆五十三年十一月初十日，陳丕供詞單。

註一〇〇：赫治清撰〈論伍拉納等奏摺有關天地會起源的記載〉，《清史國際學術討論會論文集》（瀋陽，遼寧人民出版社，一九九〇年八月），頁二五九。

註一〇一：連立昌著《福建秘密社會》（福州，福建人民出版社，一九八九年二月），頁一六四。

註一〇二：秦寶琦撰〈關於天地會的創立宗旨問題——兼與赫治清、〈胡珠生同志商榷〉，《明清史月刊》，一九八八年，第十一期，頁五二。

註一〇三：蔡少卿著《中國秘密社會》（杭州，浙江人民出版社，一九八九年八月），頁二四。

註一〇四：戴玄之撰〈略論清幫與洪門的起源〉，《星洲日報》，一九七三年元旦新年特刊第三十四版。

註一〇五：《天地會》㈠，頁一一一，乾隆五十三年六月十六日，審訊嚴煙供詞筆錄。

註一〇六：《宮中檔乾隆朝奏摺》，第六十二輯（民國七十六年六月），頁八二一，乾隆五十二年正月初六日，閩浙總督常青奏摺。

註一〇七：《軍機處檔．月摺包》，第二七四四箱，一七五包，四二二四一號，乾隆五十四年十一月初六日，台灣鎮鎮總兵奎林奏摺錄副。

註一〇八：秦寶琦撰〈乾嘉年間天地會在台灣的傳播與發展〉，《台灣研究國際研討會論文〉（美國芝加哥，一九八五年七月），頁一五。

註一〇九：《明清史料》，戊編，第四本，頁三九五，乾隆五十六年三月十二日，台灣鎮總兵官奎林等奏摺移會抄件。

註一一〇：《明清史料》，戊編，第五本，頁四四五，乾隆五十八年十二月十一日，福建水師提督兼台灣鎮總兵官哈當阿等奏摺。

註一一一：《明清史料》，戊編，第二本，頁一五八，嘉慶五年十一月二十三日，刑部〈爲內閣抄出台灣總兵愛等奏〉移會。

註一一二：《宮中檔》，第二七一二箱，五五包，七三六八號，嘉慶七年二月初十日，愛新泰奏摺。

註一一三：《宮中檔乾隆朝奏摺》，第六十三輯（民國七十六年七月），頁四五六，乾隆五十二年二月二十七日，兩廣總督孫士毅奏摺。

註一一四：《宮中檔乾隆朝奏摺》，第六十三輯，頁八九，乾隆五十二年正月二十一日，兩廣總督孫士毅奏摺。

註一一五：《軍機處奏摺錄副》（北京，中國第一歷史檔案館），八八四三卷，一九號，乾隆五十七年十二月二十一日，閩浙總督覺羅伍拉納奏摺錄副。

註一一六：《清高宗純皇帝實錄》，卷一四一一，頁二一，乾隆五十七年八月庚寅，據覺羅伍拉納等奏。

註一一七：秦寶琦撰〈乾嘉年間天地會在台灣的傳播與發展〉，《台灣研究國際研討會論文》，頁二三。

註一一八：蕭一山撰〈天地會源流〉，《近代秘密社會史料》，卷二，頁一五。

註一一九：《清高宗純皇帝實錄》，卷一二七四，頁一九。

註一二〇：秦寶琦撰〈天地會檔案史料概述〉，《歷史檔案》，一九八一年，第一期，頁一一七。

註一二一：張菼撰〈台灣反清事件的不同性質及其分類問題〉，《台灣文獻》，第二十六卷，第二期（台灣，台灣文獻會，民國六十四年六月），頁九五。

# 第三章　人口流動與秘密會黨的發展

## 第一節　人口壓迫與人口流動

人口流動是一種社會現象，人口流動的結果，可以改變人口分佈狀況。人口學研究的人口流動，主要是指由居住地點遷移而產生的流動現象，除正式的遷徙外，還包括較長時期的出外就業、屯戍、出征、赴任、駐防、發配或流放等等，至於那些並不改變居住地點的出差、旅遊、探親、訪友之類的活動，就不在人口學研究者的考察視線之內。人口流動按照流動方向，可以劃分爲向心流動、離心流動及回環流動。人口流動起點與人口重心點的距離比流動終點與重心點距離更遠的叫做向心流動，反之則稱爲離心流動。人口流動的起點與終點大體都在一個同心圓上的則稱爲回環流動。人口較稀少地區向中心稠密地區的流動，例如邊疆少數民族因人口膨脹後產生高壓的民族遷徙，伴隨著武裝入侵而有組織的快速流入中原，就是一種向心流動，離心流動則具有與向心流動不同的特徵，它主要是起源於人口稠密的已開發地區，由於當地人口過度繁殖，在一定生產力條件下形成高壓，而向四周人口稀少開發中地區擴散。至於回環流動，一般而言，也是人口稠密區向地曠人稀地區的流動，例如廣東人口向廣西、贛南等地區，或福建向江西沿邊山區的流動。人口流動按照流動速度可分爲快速流動與緩慢流動。按照流動原因可分爲經濟性流動與非經濟性流動，逃荒、墾邊、求業等爲了經濟上謀利或謀生的目的而產生的流動，即屬於經濟性流動；因戰爭、刑罰、探訪、遊樂等政治原因或社會、文化等目的而產生的流動，則屬於非經濟性流動（註一）。

有清一代，人口的流動，主要是人口因壓力差而產生流動的規律。已開發人口密集地區，形成了人口高壓地區，開發中地曠人稀地區，則爲人口低壓地區，於是人口大量從高壓地區流向低壓地區。清代的人口壓迫問題，從康熙、雍正時期（一六六二至一七三五）已經顯露端倪，乾隆年間（一七三六至一七九五），因人口問題而造成更大的社會問題。在清代的人口流動過程中，福建、廣東是南方最突出的兩個有分，人口的增長，促進了社會的繁榮，但同時也因生產發展和人口增長的失調而帶來一系列的社會問題。羅爾綱將乾嘉道三朝（一七三六至一八五〇）民數與田畝進行比較以後，指出清代人口問題，歸根結底完全是人口與土地的比例問題。據估計每人平均需農田三畝至四畝，始能維持生活，但廣東每人平均祇得一畝餘，福建則不及一畝，人多田少，田地不夠維持當時人口最低的生活程度，由於人口與田地比例的失調，自然引起物價騰貴與生活艱難，糧食與人口的供求已失去均衡的比例，康熙末年，地方性的人口壓迫問題已經起來（註二）。

生齒日繁，食指衆多，是米貴的主要原因，在人口與田地比例失調的情形下，還有許多地方的耕地，普遍的稻田轉作，富戶人家以良田栽種烟草等經濟作物（註三）。由於經濟作物種植的大量增產，而引起的耕地緊張，遂日益嚴重，福建、廣東就是全國耕地最緊張的地區之一。閩粵地區地狹人稠，糧食生產面積日益縮減，其糧食供應，益形不足（註四）。根據各省督撫各月奏報糧價的平均數，可以了解康熙末年、雍正初年閩粵等省的米價。

表二：清代康雍年間閩粵等省米價一覽表　（單位：兩）

| 年　　分 | 福建 | 廣東 | 廣西 | 江西 | 雲南 | 貴州 | 湖廣 |
|---|---|---|---|---|---|---|---|
| 康熙五十二年(1713) | 1.21 | 1.10 | 0.80 | | 0.85 | 0.60 | 0.66 |
| 康熙五十三年(1714) | 1.10 | 0.77 | 0.75 | 0.79 | 0.76 | 0.60 | 0.71 |
| 康熙五十四年(1715) | 1.12 | 0.82 | | 0.76 | 1.05 | 0.60 | |
| 康熙五十五年(1716) | | 0.97 | 0.90 | 0.82 | 0.90 | 0.63 | 0.85 |
| 康熙五十六年(1717) | 1.13 | 0.71 | | 0.74 | 0.78 | | 0.65 |
| 康熙五十七年(1718) | 1.08 | 0.74 | 0.60 | 0.61 | | 0.61 | 0.59 |
| 康熙五十八年(1719) | 1.17 | 0.69 | 0.64 | 0.56 | | | 0.56 |
| 雍正元年（1723） | 0.98 | 0.76 | 0.79 | 0.76 | 0.85 | 0.80 | 0.72 |
| 雍正二年（1724） | 0.95 | 0.72 | 0.56 | 0.85 | 0.96 | 0.72 | 0.83 |
| 雍正三年（1725） | 1.55 | 0.83 | 0.52 | 0.82 | | 0.70 | 0.89 |
| 雍正四年（1726） | 1.73 | 1.48 | 0.89 | | 0.98 | 0.60 | 0.80 |

資料來源：國立故宮博物院，中國第一歷史檔案館藏康熙、雍正朝宮中檔奏摺。

從上表可以看出康熙五十二年（一七一三）至雍正四年（一七二六）之間、福建、廣東歷年平均米價俱高於廣西、江西、雲南、貴州、湖廣，福建米價尤其昂貴。雍正四年（一七二六）新正以後，因連日陰雨，福建米價漸貴，上游延平等府每石價銀一兩以外，下游泉洲、漳州等府每石價銀一兩七、八錢不等（註五）。同年春夏之交，霖雨過多，各府米價普遍昂貴，其中漳州府漳浦、泉州府同安等縣，每石價銀二兩五、六、七、八錢不等，以致群衆搶奪米舖，喧鬧罷市（註六）。福建陸路提督吳陞具摺指出「閩省幅幀遼闊，生齒殷繁，惟是山多田少，歲產米穀，不足以資壹歲之需，即豐收之年，尚賴江浙粵省商船運到，源源接濟，由來舊矣。」（註七）吳陞原摺指出福建米價，處處騰貴，其中泉州、漳州、興化、汀州等府告糴尤難，每石賣銀二兩五錢至九錢不等。兩廣總督孔毓珣具摺奏稱：「廣東素稱魚米之鄉，然生齒繁庶，家鮮積蓄，一歲兩次收成，僅足日食，而潮州一府，界連福建，田少人多，即遇豐歲，米價猶貴於他郡。」（註八）福建巡撫毛文銓具摺時亦稱，南澳半屬福建，半屬廣東，向來只藉潮州米穀接濟，但因潮州米價騰貴，每石價銀三兩，所以不能接濟（註九）。清初以來，一方面由於生齒日繁，食指衆多，一方面由於經濟作物與稻穀奪地，糧食生產量減少，米價騰貴，在在都使民生日益艱難，愈來愈多無田可耕，無地可守的窮人成爲四處飄零的流動人口。質言之，地狹人稠人口高壓地區的人口壓迫是人口流動的推力，而地曠人稀人口低壓地區的墾拓荒地是人口流動的吸力。郭松義撰＜清代人口問題與婚姻狀況的考察＞一文已指出，在清代，差不多都是那些開發較久的傳統農業區，那裡的人口密集，特別是一個家族在當地居住了十幾代，幾十代，最早只是一戶，後來就發展成爲百餘戶、幾百戶，同時又因家族內部的貧富分化，這樣必然會有相當一部分人，因爲缺乏耕地，謀生困難，被迫離開故土，向外遷居。家族成員外遷對人口增長所造成的影響，實際上反映了生存空間對人口增長所起的制約作用。一些從老家族中分裂出來的成員，幾乎絕大部分都遷居到地廣人稀，有較多活動餘地的新墾區，閩粵湖廣之民徙居到四川是這樣，廣東洪氏從原嘉應州遷到花縣官祿坃村，張氏由原應天府遷到廣西桂林等等，亦是如此（註一〇）。從清代後期人口增長的相對速度來考察，也可以說明這個事實。據統計湖北、廣東的人口增加六倍，雲南、貴州增加七倍，湖南、廣西增加八倍，台灣增加十四倍（註一一）。台灣等地因爲移民入境較多，所以人口快速成長。廣東人口雖然從清初到清末一直上升，但因外遷人口較多，所以人口增長較緩慢，清代的人口流動與人口政策，都是值得重視的問題。

爲了緩和人口壓力，適應社會經濟變遷，清廷先後積極推行了幾項重要的措施，舉凡改土歸流、墾拓荒地、丁隨地起等，都直接或間接地加速了人口的流動。西南是我國少數民族分佈最多的地區，由於各少數民族的歷史及地理背景，彼此不同，其社會經濟的發展，並不平衡，歷代以來，對各少數民族所採取的統治方式，遂不盡相同。明清時期，在西南少數民族分佈地區，在政治上大體同時存著三種不同的類型：第一類是流官統治的地區，其各項制度，與內地基本相同；第二類是土司統治的地區，由朝廷授給當地部族首領各種官職，如土府、土州、土縣，或宣慰司、宣撫司、招討司、安撫司、長官司等，准其世襲，並實行與內地不同的各種制度；第三類是既未派駐流官，亦未設置土司的所謂生界部落，或生苗部落，各部落既無君長，亦各不相統屬，對朝廷也沒有納貢、輸賦、供征調的義務（註一二）。據統計，清初以來，在西南地區曾經存在過的土司，大約有八百多個，主要分佈於湖廣、雲南、貴州、廣西、四川等省。朝廷在如此廣大的區域內設置大量土司，就是想要建立一套和當地的政治、經濟發展及風俗習慣相適應的制度，以便於朝廷的統治（註一三）。但土司制度是一種特殊的地方政權形式，具有濃厚的割據性，朝廷對各少數民族間接統治，土司勢力不斷發展，已有尾大不掉之勢。

康熙五十一年（一七一二）二月二十九日，清聖祖御暢春園內澹寧居聽政時，面諭九卿、詹事、科道等員云：「我朝七十年來，承平日久，生齒日繁，人多地少。從前四川、河南等省，尙有荒地，今皆開墾，無尺寸曠土。」（註一四）內地各省，已無曠土，人滿爲患，苗疆廣袤，改土歸流以後，可以開墾荒地，容納內地過剩的人口。

清代改土歸流的實行，並非始自雍正年間，順治、康熙年間，已在雲南、四川等邊區省分開始改土歸流，但當時仍以綏撫爲主，到了雍正初年，才開始大規模地進行改土歸流。高其倬在雲貴總督任內已開始改土歸流，勦撫兼行，改威遠歸流，設同知以下官（註一五）。雍正四年（一七二六），鄂爾泰接任雲貴總督後，雷厲風行，大規漠進行改土歸流。同年九月，鄂爾泰經日夜籌思後具摺奏稱：

> 苗猓逞兇，皆由土司，土司肆虐，並無官法，恃有土官土目之名，行其相殺相劫之計，漢民被其摧殘，彝人受其荼毒，此邊疆大害，必當剪除者也。臣受恩深重，職任封疆，日夜籌思，若不盡改土歸流，將富強橫暴者漸次擒拏，懦弱昏庸者漸次改置，縱使田賦兵刑，盡心料理，大端終無頭緒。稍有瞻顧，必不敢行，稍有懈怠，必不能行，不敢與不能之心，必致負君父而累官民，故以臣愚昧，統計滇黔，必以此爲第一要務。然改歸之法，計擒爲上策，兵勦爲下策；令自投獻爲上策，勒令投獻爲下策（註一六）。

改土歸流以後，地方田賦兵刑，始有頭緒。爲整頓地方，鄂爾泰對改土歸流，遂不遺餘力。

在土司統治的地區，有廣闊的荒地，可以開墾。廣西提督韓良輔曾查出廣東欽州西北，廣西上思州西南，安南祿州東北的地帶，稱爲「三不要」，地名怪異，諸山環繞，原屬土司統治，後由白鴿、白雞、白難村民耕耨其中，自種自食（註一七）。三不要就是土司統治下的棄地。雲南布政使常德具摺時指出「雲貴遠處邊徼，幅幁遼闊，除石山陡崖以外，非盡不毛之地，若能因時制宜，近者種秔稻，高陸者藝菽粟，莫非膏腴沃壤。總緣流官管轄者十之三、四，土司管轄者十之六、七，土司不識調劑，彝人不知稼穡，俗語雷鳴田，遇雨則耕，無雨則棄，坐守其困。」（註一八）苗疆非盡不毛之地，但因土司搶佔土地，可耕熟田，固然被土司佔有，而廣大的荒地，土司又往往以守險備敵爲理由，禁止開墾，以致地荒民窮。

雍正年間（一七二三至一七三五），在湖廣、貴州、雲南、廣西、四川等省，延袤千里的苗疆地區，大規模進行改土歸流，據統計，當時被改流的土司、土縣和長官司以上，共六十多個（註一九）。改土歸流後，原來被土司佔有的可耕地，准許貧民開墾，並減輕農人的負擔，有利於生產的發展。清廷在推行改土歸流的同時，又在無土司的生界部落進行設官建置，改土歸流，確實有其進步作用。

據辭書的解釋，所謂改土歸流，就是改土官爲流官，即廢除世襲的土官制，而改爲臨時任命的流官制，流官受命於政府，而隨時調動（註二〇）。「改土歸流」一詞，滿文讀如：

"aiman i hafan be halafi, irgen i hafan obume"

（註二一），意即「改土官爲民官」。改土歸流後，土司苗疆，與內地無異，於是更換世襲的土官，而任命民官。因此，所謂改土歸流，就是指前述第二類土司統治地區及第三類生界部落設置民官而言，改土歸流的結果，使邊疆逐漸內地化，在原來苗疆地區實行和內地一致的各項制度及措施。改土官爲民官，廢除土司，分別設立府、廳、州、縣，委任內地民官進行統治，變間接統治爲直接統治，設立保甲、編查戶口、丈量土地、清理錢糧、建立學校、治河修路，清代改土歸流，確實具有積極的意義。乾隆初年，湖廣總督永常於「敬陳改土歸流，地方流民日增，請立法清釐」一摺略謂：

> 湖北之施南一府，僻處萬山，水田稀少，包穀雜糧之外無他產，刀耕火耨之外無他業，加以層巒疊嶂，密箐深林，商賈罕通，蓋藏鮮裕。其所隸六縣，除恩施縣係施州衛改設，建始縣由四川劃歸外，其宣恩、咸豐、利川、來鳳等四縣，向係忠峒等十八土司管轄，附近人民，不許違例擅入，故土民之所產，僅足以供其食用，風俗淳樸。自雍正十三年改土歸流以來，久成內地，以致附近川黔兩楚人民，或貪其土曠糧輕，攜資置產，或藉以開山力作，搭廠墾荒，逐隊成群，前後接踵（註二二）。

土司管轄下的苗疆地方，向來不許內地漢人違例擅入，改土歸流以後，苗疆已成內地，提供內地漢人落地生根的廣大空間，內地漢人貪其土曠糧輕，成群結隊，湧入苗疆，開山力作，搭廠墾荒，可以自由出入苗疆，改土歸流後的苗疆成了容納內地過剩人口的開發中地區，也是人口流動較頻繁的地區，外來人口的成長極爲迅速。質言之，改土歸流與清代人口流動也有極密切的關係。

爲了緩和人口壓力，解決貧民生計問題，清廷又積極推行墾荒政策，隨著人口的增加，有更多的土地被開墾出來，許多無地貧民從人口稠密的地區遷出，湧向土曠糧輕的地區，從事墾荒。朝廷獎勵開墾，更是不遺餘力。順治六年（一六四九），正式議定州縣以上各官，以勸墾爲考成，凡地方官招徠各處逃民，不論原籍別籍，編入保甲，開墾荒田，給以印信執照，永准爲業，州縣以勸墾的多寡爲優劣，道府以督催的勤惰爲殿最，年終載入考成。順治十五年（一六五八），戶部議定督開荒地勸懲則例，其要點如下：

> 凡督撫按一年內，墾至二千頃以上者，紀錄一次，六千頃

以上者，加升一級；司道墾至一千頃以上者，紀錄一次，三千頃以上者，加升一級；州縣墾至一百頃以上者，紀錄一次，三百頃以上者，加升一級；衛所官員墾至五十頃以上者，紀錄一次，一百頃以上者，加升一級；文武鄉紳墾至五十頃以上者，現任者量予紀錄，致仕者給扁旌獎，其貢監生民有主荒地，仍聽本主開荒。如本主不能開墾，該地方官募民給與印信開墾後，永爲己業。若開墾不實，及開過復荒，新舊官員分別治罪（註二三）。

戶部議定的墾荒勸懲則例，就是諭令地方官員將墾荒列入例行公事之中，並作爲陞遷紀錄，有利於墾荒政策的推行。

順治十八年（一六六一），因雲貴地區已經平定，清廷飭令將一應荒地，有主者令本主開墾，無主者招民開墾。所墾荒地，其久荒者，初年免徵，次年半徵，三年全徵；新荒者，初年半徵，次年全徵。康熙元年（一六六二），議准各官勸墾，照順治十五年（一六五八）例議敘外，如一年內督撫能遞加墾至八千頃以上者，加一級，紀錄一次，一萬二千頃以上者，加二級；道府墾地四千頃以上者，加一級，紀錄一次，六千頃以上者，加二級；州縣官墾地四百頃以上者，加一級，紀錄一次，六百頃以上者，加二級，衛所官墾地一百五十頃以上者，加一級，紀錄一次，二百頃以上者加二級。如州縣衛所有荒地一年內全無開墾者，由督撫題參，將道府州縣衛所官各罰俸半年。其墾後復荒者，削去督撫等官開墾時紀錄加級，督撫罰俸一年，道府降一級住俸，州縣衛所官降三級住俸，勒限一年，督令開墾。康熙三年（一六六四），因各省布政司，亦有督墾之責，故令其照督撫例議敘。

清廷三令五申，嚴定各官墾荒獎懲則例，從康熙初年以來，清廷的墾荒政策，已經立竿見影。據清代國史館纂修《皇朝食貨志》記載報墾田畝統計，康熙二年（一六六三），湖廣安陸、岳州、寶慶、永州、常德、辰州、靖州各府州報墾田八百八頃六十畝、蘄州、岳州、九谿、茶陵、荊右、銅鼓、五開、鎮溪各衛所報墾田六百頃二十六畝。康熙三年（一六六四），湖南寶、永、常、辰、郴、靖六府州報墾田六百三十四頃，岳、長、衡、辰、常、靖六府州續墾田五百十八頃三十六畝。湖北安荊等十六府州續墾田八百七頃四十五畝。雲南省墾田二千四百五十九頃，又續墾一千二百餘頃。康熙四年（一六六五），湖南長沙、衡州等屬墾田三千一百三十三頃六十六畝，河南省墾田一萬九千三百六十一頃，又報墾六千六百八十餘頃，貴州省墾田一萬二千九頃，湖北各府墾田四千七百三十九頃，江西省報墾田二千八百三十五頃，又續報墾二千八百三十五頃四十五畝。湖廣報墾四千六百餘頃，山東省報墾三千二百三十餘頃。康熙六年（一六六七），湖南報墾田三千一百九十頃五十畝。康熙七年（一六六八），山東省報墾田一百二十二頃六十餘畝。康熙九年（一六七〇），廣東省報墾復民田一萬七百十五頃七十四畝，墾復屯田三十一頃九十二畝（註二四）。

雍正元年（一七二三）四月，巡視南城監察御史董起弼奏請開放荒蕪官地，無論山僻水隅，河地沙場，聽從民便，盡力開墾，則民食自饒（註二五）。雍正二年（一七二四）閏四月，署理廣西巡撫韓良輔指出雍正初年的人口總數，較康熙初年，不啻倍之，日後蕃庶，益不可以數計，「人民日益增盛，而地畝不加墾闢，不可不爲斯民籌其粒食。」韓良輔以廣西土曠人稀，自柳州至桂州，傜獞雜處，棄地頗多，於是奏請招民開墾，以盡地力。其原摺略謂：

臣查粵西土曠人稀，一望皆深篁密箐，爲民上者不察，遂目爲荒瘠而不之顧。夫篁箐既深且密，則其地之非磽确斥鹵可知矣。蓋天地無私，本無揀擇。若去其篁箐舊根，而入以稻穀新種，則必盡成膏腴而非荒瘠矣。然而勸墾之令日下，陞科之文日上，乃旱潦一至，黎民即有饑色者，實地力尚有未盡耳！頃臣蒙恩署理撫篆，自柳達桂，沿途見棄地頗多，細思其故，大抵有六：山谿險峻，猺獞雜處，其間所墾之田，與村莊稍遠，便慮成熟之後，被人盜割，徒勞工費，一也；民性樸愚，但取濱江及山水自然之利，不知陂渠塘堰之術，二也；不得高卑所宜雜糧之種，三也；不識各省深耕易耨之法，四也；出產止有米穀，納賦非銀不可，且差傜隨田而起，恐貽後日之累，五也；良懦墾熟，豪衿猾吏，每每指爲祖業，恃勢霸佔，強弱不敵，六也，此土民之所以畏縮不前而多曠土也。臣愚以爲宜遴選大員，專司其事，督率守令，逐漸料理，先購宜植之種，兼僱教耕之人，然後相度肥饒空曠之地，約可容聚數十家足以守望相助者爲之，搭蓋茅舍，招徠貧民聚居，又貸以牛種，教其興行陂塘井堰之利。至於相近協營之處，則查出餘丁，亦酌倣屯種之意，廣爲播種，嚴彼冒佔之禁，寬以陞科之期，一處有效，又擇他處照前勸墾，但取妥洽，不在欲速，守令又時單騎徒步，時攜酒食，勸農教耕，其所舉給頂帶農人，即命爲農師，以督教其鄉人，則粵民見有利無害，有不發奮興起者乎？將見人稠地闢，烟瘴漸銷，衣食足而禮義興，邊徼盡成樂土矣（註二六）。

韓良輔所提出來的勸墾意見，主要是爲緩和廣東的人口壓力，解決游民問題。清世宗披覽奏摺後也說：「此奏之可嘉，不可盡述，此開墾一事，李馥可與韓良輔諧同辦理，爾等可一德一心成此美政，不可推委妒忌，互相猜疑，可和衷虛心籌畫，只要以百姓作利爲念，錢糧起科皆末節也，爾等悉心斟著〔酌〕奏聞，勉力行之。」辦理開墾，是一種美政，錢糧起科，則爲末節。因廣東貧民群往封禁礦山偷挖，販私盜竊，毫無顧忌，清廷乃命廣東巡撫鄂彌達等查勘各處礦硐。鄂彌達覆奏時指出貧民偷挖礦硐，雖因習尙澆漓，輕蹈法網，亦由無田可耕，無業可守，遂致流爲盜匪。鄂彌達也提出墾荒以解決人口壓力的辦法，他首先差遣糧道前往肇慶府新設鶴山縣及附近恩平、開平等縣查勘可墾荒地。據統計在鶴山縣境丈出荒地三萬三千餘畝，按照業戶耕地百畝需佃五人計算，共可安集佃民一千六百餘戶，恩平、開平二縣荒地不止一、二萬畝，亦可安集佃民八、九百戶，俱可招集廣東惠州、潮州等處貧民開墾耕種，給以廬舍口糧工本，每安插五家，編甲入籍，即給地百畝。據鄂彌達奏稱，當時惠州、潮州二府貧民，徙居鶴山耕種入籍者，已有三百餘戶，其陸續依棲，仍絡繹不絕。他相信不數年間，將野無曠土，地無遺利（註二七）。可以墾拓的地區，包括各省沿邊山區，邊疆省分的邊陲地帶，以及改土歸流後的苗疆地區，都吸收了各省的貧苦民衆，容納了閩粵等省沿海州縣過剩的人口。

清廷爲了適應社會經濟變遷的需要，曾經進行賦役改革，其結果也有利於人口的流動。清廷對於賦役制度的整頓，大致可以歸納爲兩大方面：一方面確立以明代萬曆年間（一五七三至一六二〇）則例爲基礎的定賦原則；一方面簡化賦役條款及程序，繼續推行一條鞭法（註二八）。

明代初期的賦役法，有田，也有丁。田有賦，即地糧，就是土地稅。丁有役，即差役，差役改徵銀兩後，稱爲丁銀，類似後世的人頭稅。明代的差役，主要爲里甲、均傜、雜泛三種。里甲又稱甲役，以戶為單位，應役甲丁，主要為管攝一里公事，或稽核戶口，或催徵賦役。均徭又稱為徭役，以丁為單位，舉凡馬夫、巡欄、驛館夫、皂隸等，皆屬均徭，銀力從所便。雜泛又稱為雜役，如砍薪、抬柴、修河、修倉、運料、接遞、站鋪等，皆屬雜泛，是不定時的力役。

宣德、正統年間（一四二六至一四四九），徭役繁重，壯丁盡行，役及老幼，已無餘力從事耕種，舊的賦役法既成為阻礙社會分工及商品經濟發展的主要因素，一條鞭法遂應運而興。王慶雲著《熙朝紀政》一書指出明代採行一條鞭法的原因云：

> 明之銀差大約有二，初行里甲時，富者出財，貧者出力，所謂銀力從所便，此丁之有銀差也。正統以後，舉京徭上供之數，按丁糧而徵之，於是丁糧皆有銀差之科派，而不問出力與否矣。其後上供者雖官為支解，而公私所需，復給銀責里長營辦，給不一二，供者什佰，而京徭解戶為中官留難，率至破產，民不堪命，於是行一條鞭（註二九）。

徭役繁重，民不堪命，於是採行一條鞭法，其要點如下：

> 總括一州縣之賦役，量地計丁，丁糧畢輸於官，一歲之役，官為僉募。力差，則計其工食之費，量為增減。銀差，則計其交納之費，加以增耗，凡額辦、派辦、京庫歲需與存留，供億諸費，以及土貢方物，悉併為一條，皆計畝徵銀，折辦於官，故謂之一條鞭（註三〇）。

由於白銀需要量的增加，英宗正統元年（一四三六），明廷在長江以南運輸困難地區所課徵的田賦，多將米麥改折為銀，按照每石折銀二錢五分的比率來徵收，稱為金花銀。嘉靖年間（一五二二至一五六六），更擴大範圍，全國各地的田賦、徭役及其他攤派，俱合併一起，折銀繳納（註三一）。一條鞭法是以改革役法爲重點，因勢利導，嘉靖年間，數行數止，至萬曆年間（一五七三至一六二〇），始通行全國。

徭役折銀是一條鞭法的主要內容，就是由土地負擔差銀。一條鞭法實行後的賦稅，逐漸擴大貨幣部分的比重，其徵收解運，也由民收民運，改爲官收官解。原來由里甲負責供應的各項費用，改爲徵收一定額數的銀兩。均徭原有銀差、力差之分，嗣後亦將力差改爲徵銀，由官方雇人充役，里甲改爲與均徭銀合併徵收，差役則漸漸變爲攤丁入地，均徭、里甲與兩稅遂合而爲一，一條鞭法既將里甲、差役、雜項一併歸入田賦項下計畝徵銀，此即清初丁隨地起的嚆矢。

丁隨地起，又稱攤丁入地，是一條鞭法的繼續和深化。明代一條鞭法，量地計丁，併丁於地，按畝徵銀，胥役不易爲奸，且由官方代爲支給，則小民得以盡力田畝。但其實行並不澈底，各省徭役頗不一致，或丁隨地派，或丁隨丁派，仍有丁役，其差徭終難盡廢（註三二）。

清初沿襲明代一條鞭法，丁田分辦，丁銀與田賦仍然分爲兩項，賦役不均的現象，極爲嚴重，富戶巨族，田連阡陌，竟少丁差，貧民小戶，地無立錐，卻照丁科派，反多徭役。清聖祖巡幸所至，訪問百姓，詢知一家有四、五丁，僅一人輸納丁銀，甚至七、八丁、亦僅一、二人輸納丁銀，其餘俱無差徭，苦樂不均，隱匿人丁。據《樂亭縣志》記載：「我朝之初，丁分三等，科定九則，亦有明條鞭之遺意，但田與丁分，或田日益而丁轉輕，富者不以爲德；若田去丁存，或本無田而丁不免，則餬口不給，猶苦追呼，甚而轉徙逃亡，攤賠滋累。」（註三三）

從順治元年（一六四四）起至康熙五十年（一七一一）止，經過六十餘年的長期恢復，社會日趨安定，經濟逐漸繁榮，但人口與地畝僅增加一倍左右，十分遲緩，一方面可以說是由於土地與人口的清查不夠澈底，另一方面可以說是由於地主以多報少，貧苦小民迫於賦役的繁重，而相率逃亡，人丁統計並不確實。康熙五十一年（一七一二）二月二十九日，《起居注冊》記載清聖祖御暢春園內澹寧居聽政，面諭九卿、詹事、科道等員云：

> 我朝七十年來，承平日久，生齒日繁，人多地少。從前四川、河南等省，尚有荒地，今皆開墾，無尺寸曠土。口外地肥，山東等省百姓往彼處耕種者甚多，朕去年差官去查，共有六萬餘人，納錢糧者止二萬餘人，查出者雖有六萬，其未經查出者，更不知幾萬矣。欲將伊等搬入口內，念伊等窮民，以何爲生？故仍令在口外居住。朕昔巡幸訪問百姓，據稱一家有四、五丁納銀一丁者，有七、八丁納銀二丁者等語。各省巡撫編審時，只奏報納銀丁數，而不奏報不納銀丁數，故實在丁數不得而知。今國用充足，凡給俸餉等項，綽綽有餘，將各省今番編審丁銀數目，永遠著爲定額，嗣後不准增減，仍令將納銀不納銀民之數目查明具奏。查此特欲知各省人民之實數，並非視丁加賦之意，此事自古以來無有知之者，即有知者，亦不敢行，朕特爲生民有益計耳，實於千萬年後之百姓大有裨益，想聞此有不歡欣者矣，俟典試諸臣出場，爾等會同查明定議具奏（註三四）。

人丁雖然增加，但地畝並未加廣，人丁與土地的分配，極度失調，不能按照後來滋生的人丁徵收丁銀。因此，諭令直省徵收錢糧即以康熙五十年（一七一一）的丁冊爲依據，亦即以二千四百六十萬的人丁總數作爲徵數丁銀的固定數目，定爲常額，嗣後所生人丁，稱爲「盛世滋生人丁」，雖達成丁年齡，亦不必承擔差徭丁銀。以後人丁遇有減少時，即以新增人丁抵補，維持原額，不增不減。按照規定，凡載籍之丁，十六以上添注，六十以上開除，意即由十六歲以上、六十歲以下的男丁負擔國家的丁銀。當男丁年逾六十歲以後，稱爲除丁，男丁除丁以後，再由新增的人丁補足舊缺額數，亦即以本戶新添人丁抵補，又不足，則以同甲同圖糧多者頂補，其餘人丁歸入滋生冊內造報。輸納丁銀的人數，永爲定額，即可將全國徵收丁銀的總額固定下來，不再隨著人丁的增加而多增丁銀。

盛世滋生人丁永不加賦的辦法實行以後，雖然仍未達到均丁的目的，無地貧民私派之費，多於丁銀，並沒有解決清初賦役不均的嚴重問題，但卻間接爲丁隨地起的實行提供了有利的條件。丁隨地起的賦役改革之所以能在一定程度上實行，主要是由於盛世滋生人丁永不加賦實行後，丁增而銀不增，丁銀數目確定，將一定數目的丁銀攤入地畝徵收，其法簡便易行，清世宗於是在康熙末年財政措施的基礎上進一步實行丁隨地起的賦役改革，將丁銀攤入地糧內徵收，雍正二年（一七二四）以後，通行各省。或按地糧兩數攤派，或按地糧石數攤派，或按田地畝數攤派。各省攤派方式及攤丁銀數，因地制宜，其基本原則是「因田起丁，田多則丁多，田少則丁少」，而且「無論紳衿富戶，不分等則，一例輸將。」攤丁入地，通過對紳衿富戶稍增小額負擔，而轉化爲國家賦稅，用以抵償無地貧民因不繳納丁銀而減少的稅額，從而保證了賦稅足額。

從歷史發展的總趨勢加以觀察，丁隨地起的實行，在歷代傳統賦稅制度史上可以說是一項重要的改革，具有積極的意義。丁隨地起，其實是一種均攤丁銀的辦法，將向來無地貧民的丁銀攤入地畝田賦，傜役完全由土地負擔，使有產之家均勻完納，將人頭稅併入土地稅，使賦稅的負擔，更趨向統一，不僅有利於國家財政法令的貫徹，而且對於促進各地社會經濟的發展，也起了很大的作用。攤丁入地後，對於一般貧民，在經濟上免除了丁銀的追比，取消了人頭稅，使長期以來束縛貧苦百姓人身自由的戶丁編審，開始鬆動了。由於丁差攤入田地，州縣官員只要認定地主，就可以保證賦稅的徵收，所以對於一般人戶的流動，已不如以前引起驚恐了（註三五）。由於丁隨地起免除了無地貧民的丁銀，人身依附土地的關係減輕了，在居住方面也獲得更大的自由，有利於無地貧民的向外遷徙，增加他們的謀生機會，擴大他們的出路。由於攤丁入地後免除了城鎮工商業者的丁銀，使工商業者獲得更多的迴旋餘地，而促進城鎮的發展，同時也加速了下層社會的人口流動，在農村裡因無法獲取土地被排擠出來的流民，有一部分進入城鎮，從事手工業，經營小本生意；有一部分離鄉背景，披荊斬棘，墾殖荒陬，在開發中地區逐漸形成移墾社會；有一部分成爲非農業性人口，東奔西走，浪跡江湖，倚靠卜卦算命，行醫看病，賣唱耍藝，肩挑負販，傭趁度日，即所謂販夫走卒。出外人孤苦無助，爲了立足異域，他們往往結拜弟兄，倡立會黨，以謀求患難相助。清初以來，生齒日繁，人口流動頻仍，大量的流動人口爲秘密會黨的發展，提供了極爲有利的條件。

## 第二節　清代中期秘密會黨的分佈

人口流動是人類對社會經濟的一種反應，清代秘密會黨的發展，與人口流動有密切的關係。在清代人口的流動現象中，福建和廣東是我國南方最突出的兩個省分。閩粵沿海人口密集的已開發精華區，由於地狹人稠，其無田可耕無業可守的貧民，因迫於生計，而紛紛出外謀生，或湧入開發中地區墾荒種地，或湧入城鎮肩挑負販，或浪跡江湖堪輿算命，都成爲流動人口。　他們由於離鄉背井，勢孤力單，出外人孤苦無助，爲求立足異域，每藉閒談貧苦，起意結會樹黨。他們模擬血緣家族兄弟關係，義結金蘭，倡立會黨，以求自我保護。爲了便於說明，先將清代中期嘉慶、道光時期（一七九六至一八五〇）的秘密會黨，就其時間及空間的分佈，列出簡表於下：

表三：嘉慶道光時期秘密會黨分佈簡表

| 年分 | 福建 | 廣東 | 江西 | 廣西 | 雲南 | 貴州 | 湖南 | 四川 | 浙江 |
|---|---|---|---|---|---|---|---|---|---|
| 嘉慶二年<br>（1797） | 小刀會 | | | | | | | | |
| 嘉慶四年<br>（1799） | 天地會 | | | | | | | | |
| 嘉慶五年<br>（1800） | 小刀會<br>天地會 | 共合義<br>會 | | | | | | | |
| 嘉慶六年<br>（1801） | 小刀會 | 天地會 | | | | | | | |
| 嘉慶七年<br>（1802） | 添弟會<br>和義會 | 天地會<br>牛頭會<br>添弟會 | | | | | | | |
| 嘉慶八年<br>（1803） | 添弟會<br>雙刀會<br>仁義會 | 天地會<br>添弟會 | | | | | | | |
| 嘉慶九年<br>（1804） | 添弟會 | 天地會 | | | | | | | |
| 嘉慶十年<br>（1805） | 添弟會<br>百子會<br>天地會 | 添弟會 | 天地會 | | | | | | |
| 嘉慶十一年 | 添弟會 | 天地會 | 天地會 | 天地會 | | | | | |

| （1806） | 天地會 | | 三點會 | | | | | | |
|---|---|---|---|---|---|---|---|---|---|
| 嘉慶十二年 | 花子會 | | 天地會 | 天地會 | | | | | |
| （1807） | | | | 龍華會 | | | | | |
| 嘉慶十三年 | 江湖串 | | 洪蓮會 | 添弟會 | | | | | |
| （1808） | 子會 | | 邊錢會 | 天地會 | | | | | |
| | | | 三點會 | | | | | | |
| 嘉慶十四年 | 添弟會 | | | 添弟會 | | | | | |
| （1809） | | | | | | | | | |
| 嘉慶十五年 | 添弟會 | | | 添弟會 | | | | | |
| （1810） | | | | | | | | | |
| 嘉慶十六年 | 百子會 | 三合會 | 添弟會 | 添弟會 | | | | | |
| （1811） | 雙刀會 | 天地會 | | | | | | 雙刀會 | |
| 嘉慶十七年 | 添弟會 | | | | 添弟會 | | | | |
| （1812） | | | | | | | | | |
| 嘉慶十八年 | 花子會 | | 忠義會 | 添弟會 | 添弟會 | | 孝義會 | | |
| （1813） | 仁義會 | | | | | | | | |
| | 仁義三 | | | | | | | | |
| | 仙會 | | | | | | | | |
| | 仁義雙 | | | | | | | | |
| | 刀會 | | | | | | | | |
| | 添弟會 | | | | | | | | |
| 嘉慶十九年 | 拜香會 | 天地會 | 三點會 | | 良民會 | | | | |
| （1814） | 洪錢會 | 三合會 | 五顯會 | 添弟會 | | | | | |
| | 仁義會 | | 添弟會 | | | | | | |
| | 添弟會 | | | | | | | | |
| | 父母會 | | | | | | | | |
| | 雙刀會 | | | | | | | | |
| 嘉慶二十年 | 雙刀會 | 天地會 | | 添弟會 | 添弟會 | | | | |
| （1815） | | | | 忠義會 | | | | | |
| 嘉慶二十一年 | 明燈會 | 天地會 | 邊錢會 | 添弟會 | 添弟會 | 添弟會 | 忠義會 | | |
| （1816） | | | | | | 孝義會 | | | |
| 嘉慶二十二年 | | | | 忠義會 | | | 公義會 | | |
| （1817） | | | | | | | | | |
| 嘉慶二十三年 | | | 添弟會 | | | | 添弟會 | | |

| | | | | | | | | | |
|---|---|---|---|---|---|---|---|---|---|
| （1818） | | | 太平會 | | | | | | |
| 嘉慶二十四年（1819） | | | 添弟會 | | | | 擔子會<br>情義會 | | |
| 嘉慶二十五年（1820） | 平頭會 | | 添弟會 | 添弟會 | | | | | |
| 道光元年（1821） | | | 邊錢會<br>洪連會<br>三點會<br>添弟會 | 老人會 | | | | | |
| 道光二年（1822） | | | 三點會 | | | | | | |
| 道光四年（1824） | | | 添刀會 | | | | | | |
| 道光五年（1825） | | | 三點會<br>添弟會 | | | | | | |
| 道光六年（1826） | 三點會<br>兄弟會 | | 三點會 | | | | 仁義會 | | |
| 道光七年（1827） | | | 三點會 | | | | | | |
| 道光九年（1829） | | | 添弟會 | | | | | | |
| 道光十年（1830） | | | 三點會 | 添弟會 | | | | | |
| 道光十一年（1831） | | 三合會 | 鐵尺會<br>三點會 | | 添弟會<br>三合會 | 三合會 | 三合會 | | 鈎刀會 |
| 道光十二年（1832） | | | 三點會 | | | | | | |
| 道光十三年（1832） | 保家會<br>三點會 | | 天罡會<br>三點會 | | | | | | |
| 道光十四年（1834） | 三點會 | | | | | | | | |
| 道光十五年（1835） | 三點會 | | 長江會 | | 添弟會 | 添弟會<br>邊錢會 | | | |
| 道光十六年 | 花子會 | 雙刀會 | 邊錢會 | | | | | | |

| | | | | | | | | | |
|---|---|---|---|---|---|---|---|---|---|
| （1836） | | 三點會 | 簑巴會 | | | | 棒棒會 | | |
| 道光十七年<br>（1837） | | | | | 添弟會 | | 添弟會 | | |
| 道光十九年<br>（1839） | | | | | | | 認異會 | | |
| 道光二十年<br>（1840） | | | | | | 老人會 | | | |
| 道光二十一年<br>（1841） | 江湖會 | | | | | | | | |
| 道光二十四年<br>（1844） | | 雙刀會<br>天地會<br>[illegible]<br>隆興會 | | 拜上帝會 | | | | | |
| 道光二十五年<br>（1845） | | 三合會<br>臥龍會 | | | | | | | |
| 道光二十七年<br>（1847） | 紅錢會 | | 關爺會<br>三點會 | 棒棒會<br>靶子會 | | | 添弟會<br>靶子會 | | |
| 道光二十八年<br>（1848） | | | | 天地會 | | | | | |
| 道光三十年<br>（1850） | 小刀會 | 三合會<br>天地會 | | | | | 添地會 | | |

資料來源：臺北國立故宮博物院、北京中國第一歷史檔案館典藏宮中檔硃批奏摺、軍機處檔奏摺錄副、國史館月摺檔、內閣外紀簿、內閣大庫明清史料等。

表中所列秘密會黨案件名稱共計一六五個，其中福建共四十七個，佔百分之二十九，江西共三十九個，佔百分之二十四，廣東共二十六個，佔百分之十六，廣西共二十一個，佔百分之十三，湖南共十五個，佔百分之九，雲南共九個，佔百分之五，貴州六個，佔百分之三。由此可以從會黨案件名稱的分佈得知嘉慶、道光時期，福建、江西、廣東、廣西等省是秘密會黨較活躍的地區，其次是湖廣、雲南、貴州等地。雍正、乾隆時期，秘密會黨最盛行的地區，主要在福建，其次爲廣東，江西、廣西各破獲一件。嘉慶十年（一八〇五）以後，江西的秘密會黨，已如雨後春筍。嘉慶十一年（一八〇六）以後，廣西秘密會黨亦日趨活躍，嘉慶十七年（一八一二）以後，雲南、湖廣秘密會黨相繼出現，嘉慶二十一年（一八一六）以後，貴州也開始出現各種會黨。這種分佈現象反映秘密會黨是隨著移民潮的出現而横向發展。

嘉慶、道光時期，福建地區除小刀會、天地會、父母會、添弟會外，還出現許多新的會黨名目，例如和義會、雙刀會、仁義會、仁義雙刀會、拜香會、洪錢會、明燈會、平頭會、三點會、兄弟會、保家會、江湖會、紅錢會等，都是這一時期倡立的名稱。廣東除天地會外，另外出現共合義會、牛頭後、添弟會、三合會、雙刀會、䰄黜𦬆、隆興會、臥龍會等新會名。江西除天地會、三點會、添弟會、邊錢會、鐵尺會、關爺會外，又出現洪蓮會、忠義會、五顯會、太平會、添刀會、天罡會、長江會、爹巴會等新會黨名稱。廣西除天地會、添弟會、忠義會外，還出現龍華會、老人會、拜上帝會、棒棒會、靶子會等新會名。雲南、貴州除添弟會、三合會、邊錢會、老人會外，另外出現良民會、孝義會等新會名。湖南除添弟會、忠義會、仁義會、棒棒會、靶子會外，又出現孝義會、認異會、公義會、擔子會、情義會、添地會等新會名。此外四川破獲雙刀會，浙江破獲鈎刀會等會黨。

大致而言，嘉慶、道光時期地方官破獲的秘密會黨，包括小刀會、天地會、添弟會、和義會、忠義會、仁義會、共合義會、仁義三仙會、仁義雙刀會、百子會、花子會、江湖會、江湖串子會、牛頭會、三點會、三合會、洪蓮會、邊錢會、龍華會、雙刀會、拜香會、洪錢會、父母會、明燈會、平頭會、五顯會、太平會、添刀會、老人會、良民會、兄弟會、保家會、䰄黜𦬆、隆興會、鐵尺會、天罡會、簽巴會、拜上帝會、棒棒會、認異會、紅錢會、臥龍會、關爺會、靶子會、公義會、擔子會、情義會、鈎刀會、添地會等，其中兄弟會又名同年會，洪蓮會又作洪連會，合計五十個不同會黨名稱。秘密會黨的倡立，一方面有其延續性，一方面有其獨創性。乾隆年間的台灣添弟會與天地會，其倡立時間、地點、人物，並不相同，不能混爲一談。嘉慶、道光時期的添弟會，主要是天地會的同音字，是從天地會轉化而來的秘密會黨。但就添弟會名稱的廣泛襲用而言。仍然可以看出其傳佈的過程。乾隆五十一年（一七八六），台灣首先出現添弟會。嘉慶七年（一八〇二），福建建寧府建陽縣出現添弟會，廣東惠州府博羅等縣也出現添弟會。嘉慶十三年（一八〇八），廣西梧州府容縣等地出現添弟會。嘉慶十六年（一八一一），江西吉安府龍泉縣出現添弟會。翌年，雲南師宗縣出現添弟會。嘉慶二十一年（一八一六），貴州興義府出現添弟會。嘉慶二十三年（一八一八），湖南道州出現添弟會。三點會首先出現於江西，而且盛行於江西。嘉慶十一年（一八〇六），江西贛州府會昌縣出現三點會。道光六年（一八二六），福建出現三點會。三合會首先出現於廣東，而且盛行於廣東，嘉慶十六年（一八一一），廣東廣州府順德縣首先出現三合會。道光十一年（一八三一），貴州開泰等縣、湖南藍山等縣先後出現三合會。各會黨的倡立及其傳佈，多有軌跡可尋。

改朝換代的社會變動，或連年戰亂，是造成人口流動的一個重要因素。但康熙中葉以來的情況不同，人口壓力，耕地緊張，成爲人口流動的主要原因，那些被排擠出來的游離人口因爲不能安土重遷而被迫就食他方，清代秘密會黨的傳佈，顯然與人口流動有密切的關係。雍正、乾隆時期的秘密會黨，與嘉慶、道光時期的秘密會黨，在名稱上的變化固然不同，同時在空間上的分佈，也有很大的變化。先就福建地區秘密會黨的地理分佈列表於後。

表四：嘉慶道光時期福建秘密會黨地理分佈表

| 府 | 州 | 廳 | 縣 | 會黨名稱 |
|---|---|---|---|---|
| 福州 | | | 閩、侯官、長樂、福清、連江、羅源、古田、屏南、閩清、永福。 | 雙刀會。 |
| 福寧 | | | 霞浦、福鼎、福安、寧德、壽寧。 | 天地會、父母會。 |
| 延平 | | | 南平、順昌、將樂、沙、永安、尤溪。 | 添弟會、天地會、拜香會、仁義會、明燈會。 |
| 建寧 | | | 建安、甌寧、建陽、崇安、浦城、松溪、政和。 | 天地會、添弟會、雙刀會、百子會、仁義會、平頭會、紅錢會、花子會。 |
| 邵武 | | | 邵武、光澤、建寧、泰寧。 | 添弟會、天地會、花子會、仁義三仙會、仁義雙刀會、洪錢會、保家會、三點會。 |
| 汀州 | | | 長汀、寧化、清流、歸化、連城、上杭、武平 | 和義會、仁義會、添弟會、天地會、花子會、 |

| | | | | |
|---|---|---|---|---|
| | | | 、永定。 | 江湖串子會、拜香會、江湖會。 |
| 漳州 | | 雲霄 | 龍溪、海澄、南靖、漳浦、平和、詔安、長泰。 | 天地會、雙刀會。 |
| | 龍巖直隸州 | | 漳平、寧洋。 | |
| 興化 | | | 莆田、仙遊。 | 小刀會，天地會。 |
| 泉州 | | | 晉江、南安、惠安、同安、安溪。 | 小刀會。 |
| 臺灣 | | 淡水 | 臺灣、鳳山、嘉義、彰化。 | 小刀會、兄弟會（同年會）。 |

資料來源：臺北國立故宮博物院、北京中國第一歷史檔案館典藏清代宮中檔、軍機處檔。

雍正、乾隆年間，福建內地的秘密會黨，主要分佈於漳州、泉州等府，嘉慶、道光時期，福建西北山區的秘密會黨，日益盛行。表中所列會黨名稱共計三十八個其中分佈於福建西北延平、建寧、邵武、汀州四府所屬境內的，計有二十九個，約佔百分之七十六，漳州、泉州二府所佔比率卻甚低。福建由於在地形上是從西北向東南呈梯狀的丘陵地帶，而且其山地丘陵面積幾佔百分之九十五，故其通省十府的精華區域，都集中於沿海一帶，以福州、泉州、漳州三府爲中心。其中以福州府爲中心的沿海地區，主要在福建下游，開發較早，歷代以來均爲福建地區的文化、經濟及政治重心。以泉州、漳州二府爲中心的沿海地區，居於晉江及九龍江下游，港灣深澳，宋代以降，向爲我國對外貿易的重心，由於當地山多田少，人口稠密，所以經商移民成爲境內極爲突出的人文現象。至於福建西北內陸山地，由於武夷及戴雲山脈橫亙其間，所以交通較爲阻塞，社會經濟及文化方面較爲落後，地曠人稀，開發遲緩，米價並不昂貴，可以容納東南沿海過剩的人口，提供貧民謀生的空間。其中南平、順昌、將樂、沙縣、永安、尤溪等六縣隸屬於延平府，嘉慶、道光時期出現的秘密會黨包括：添弟會、天地會、拜香會、仁義會、明燈會等。建安、甌寧、建陽、崇安、浦城、松溪、政和等七縣隸屬於建寧府，先後出現的秘密會黨包括：天地會、添弟會、雙刀會、百子會、仁義會、平頭會、紅錢會、花子會等。邵武、光澤、建寧、泰寧等四縣，先後出現的秘密會黨包括：添弟會、天地會、花子會、仁義三仙會、仁義雙刀會、洪錢會、保家會、三點會等。長汀、寧化、清流、歸化、連城、上杭、武平、永定等八縣隸屬於汀州府，先後出現的秘密會黨包括：和義會、仁義會、添弟會、天地會、花子會、江湖串子會、拜香會、江湖會等。福建西北山區的秘密會黨如雨後筍地發展起來，並非歷史的巧合。道光年間，福建巡撫徐繼畬具摺時已指出延平等府五方雜處，有利於秘密會黨的發展，其原摺略謂：

> 查閩省延、建、邵三府民俗本極淳良，因產茶葉，又多荒山，外鄉無業游民紛紛麕集，或種茶，或墾荒，或傭趁。本省則泉州、漳州、永春；鄰省則江西、廣東，客民之數，幾與土著相埒，因此藏垢納污，作奸犯科，無所不有。大約搶劫之案，泉州、永春、廣東之人爲多；結會之案，則

> 江西人爲多。搶劫者皆凶悍匪徒，至結會之人則多寄居異鄉，恐被欺侮，狡黠之徒，乘機煽惑，誘以結會拜師，可得多人幫護，愚民無知，往往爲其所惑。是欲除結會之習，莫若舉行聯甲，使土著與客民不相歧視，庶良善可安於敦睦，匪徒亦易於稽查（註三六）。

茶葉不僅是我國廣大人民長期以來的重要飲料之一，而且也是一種大宗的輸出品，尤其十八世紀中葉茶葉輸出數量的迅速增加，更刺激茶的種植及推廣，茶的產地，遍及秦嶺淮水以南各省，尤以福建、廣東等省產量最多，種植最盛，人民多以種茶採茶爲生，每年初春後，是採茶季節，常有衆多的季節性工人遠自閩粵東南沿海及江西等鄰省前往茶園工作，筐盈於山，擔連於道，茶廠林立，每廠大者百餘人，小者亦數十人，客販擔夫，絡繹於途，其中被稱爲"碧堅"的製茶工人，多屬於無籍游民。李國祁著《中國現代化的區域研究：閩浙台地區，一八六〇～一九一六》一書已指出福建省內非通商口岸的人口流動，在十九世紀後期受茶葉貿易及太平天國戰亂兩個主要因素的影響很大，其人口流動的方向是由沿海及河谷人煙稠密的汀州、泉州、福州地區流向山區建寧府建陽、政和、建甌，延平府南平、龍巖州一帶，甚至鄰省的浙贛人民也流向省內邊區貿易興盛如浦城、政和、邵武等地，這一人口流動現象，對閩北、閩西地區的社會變遷，產生了相當大的影響力（註三七）。嘉慶、道光時期，閩西、閩北的人口流動，對當地的社會變遷，確實產生了重大的影響。

南嶺山脈，自西向東蜿蜒於桂東及粵北，西起萌渚嶺向東有騎田嶺、傜山、大庾嶺、九連山等，多爲花岡岩構成的山地或砂岩、石英岩形成的山嶺。南嶺山脈以南地區，地多丘陵淺山，稱爲嶺南丘陵，在行政上包括廣東、廣西兩省，雖然兩省同爲丘陵地，但廣東是一片斜坡地，廣西則爲盆地。廣東境內的山地是以震旦方向的走向爲主，由粵東的海岸山、蓮花山、大望山、羅浮山、南昆山到珠江三角洲以西的雲霧山、雲開大山、勾漏山等，都是作東北往西南走向，北、西、東三面皆高，只有南方低平，因此，三面河溪向南匯流。廣東的河川以珠江水系爲主體，珠江上游分三江，其中西江最長，以源自雲南東部的南、北盤江爲源，流貫廣西全境後，在梧州以下始稱西江，流經三水後分爲二支：一支東流和北江相會，東南流經順德入珠江口；一支東南流在新會、香山兩縣間由磨刀門入海。北江以湞水爲正源，源出大庾嶺山麓。東江源出江西定南縣，初名定南水，會尋鄔水後，改名龍江，河源縣以下會合新豐水後，始稱東江，續向西南流經惠陽、石龍、東莞，由虎門入珠江口，珠江三角洲就是以西江上的高要，北江上的清遠，東江上的惠陽爲三頂點，是廣東人口最稠密，物產最豐富的地區。此外，在粵東有韓江流域，其上游源自福建長汀山區，南流經潮州在澄海以下分二支入海。雷州半島附近的廣東南路一帶，多獨立入海的河川，其中源自雲霧山西南麓的石骨水，在吳川以南入海。源出廣西鬱林勾漏山區的廉江，在合浦以西入海。源自十萬大山的北崙河，注入珍珠港，是中越之間的一條界河（註三八）。

廣東由於山多田少，地狹人稠，其生產發展和人口增長的失調，日趨嚴重，越來越多無田可耕無業可守的貧苦小民，因迫於生計而離鄉背井，其情形與福建頗相類似，常有大批貧民紛紛徙入山區，對改變山區的社會經濟面貌起了很大的作用。例如廣東欽州在雍正初年，土地尙荒而未闢，乾隆以後大批客戶徙入欽州，人力既集，百利漸興，山原陵谷，開闢墾荒，種植甘蔗，成爲重要產糖地區。嘉慶、道光時期，廣東地區的秘密會黨，日趨活躍，與當時旳社會經濟變遷，也有密切的關係，先將這一時期廣東秘密會黨的地理分佈列表於後。

表五：嘉慶道光時期廣東秘密會黨地理分佈表

| 府 | 州 | 廳 | 縣 | 會黨名稱 |
|---|---|---|---|---|
| 廣州 | | | 南海、番禺、順德、東莞、從化、龍門、新寧、增城、香山、新會、三水、清遠、新安、花縣。 | 天地會、添弟會、三合會、隆興會、臥龍會。 |
| 肇慶 | 德慶<br>陽江 | | 高要、四會、新興、高明、廣寧、開平、鶴山、封川、開建、陽江。 | 天地會、三合會。 |
| | 羅定直隸州 | | 東安、西寧。 | |
| | | 佛岡直隸廳 | | |
| | | 赤溪直隸廳 | | |
| 韶州 | | | 曲江、樂昌、乳源、仁化、翁源、英德。 | 添弟會、天地會、三合會。 |

| | | | | |
|---|---|---|---|---|
| | 南雄直隸州 | | 始興。 | |
| | 連州直隸州 | | 陽山。 | |
| | | 連山直隸廳 | | |
| 惠州 | 連平 | | 歸善、博羅、長寧、永安、海豐、陸豐、龍川、河源、和平。 | 共合義會、天地會、牛頭會、添弟會、三點會、雙刀會。 |
| 潮州 | | 南澳 | 海陽、豐順、潮陽、揭陽、饒平、惠來、大埔、澄海、普寧。 | 添弟會、天地會、氵靝氵點氵（三點會）、雙刀會。 |
| | 嘉應 | | 長樂、興寧、平遠、鎮平。 | 添弟會、雙刀會。 |
| 高州 | 化州 | | 茂名、電白、信宜、吳川、石城。 | 天地會。 |
| 雷州 | | | 海康、遂溪、徐聞。 | 天地會。 |
| | 陽江 | | 陽春、恩平 | |
| 廉州 | | | 合浦、靈山。 | |

| 欽州 | | | 防城。 | |
|---|---|---|---|---|
| 瓊州 | 儋州 | | 瓊山、澄萬、安定、文昌、會同、樂會、臨高。 | 天地會。 |
| | 崖州 | | 感恩、昌化、陵水、萬縣。 | |

資料來源：臺北國立故宮博物院、北京中國第一歷史檔案館典藏清代檔案。

表中所列廣東各府會黨名稱共計二十一個，其中惠州府共六個，約佔百分之二十九；廣州府共五個，約佔百分之二十四；潮州府共四個，約佔百分之十九；韶州府共二個，約佔百分之十，廣東秘密會黨主要分佈於惠州、廣州、潮州、韶州、高州、雷州、瓊州等府及嘉應州所屬境內各縣，其中惠州、廣州、潮州等府的秘密會黨尤爲活躍。在嘉慶、道光時期，官方取締的秘密會黨，名目頗多。惠州府境內破獲的秘密會黨包括：共合義會、天地會、牛頭會、添弟會、三點會、雙刀會等；廣州府境內破獲的秘密會黨，除天地會、添弟會外，還查出三合會、隆興會、臥龍會等；潮州府境內除天地會、添弟會、雙刀會外，另外又查出飄黰艿。嘉慶、道光時期，廣東境內秘密會黨的分佈，主要集中於人口流動較頻繁的東南沿海各府州縣。

江西地區，三面環山，外江內湖，地勢南高北低，諸水自南、西、東三面向北流出。南有九連山、大庾嶺，西有幕阜、九嶺、雲霄、武功、井岡、萬洋、諸廣各山脈，東南有武夷山。南部地區是一個山間盆地，稱爲贛南盆地，盆地呈現向心狀水系，東爲貢水，主流發源於瑞金境內，經會昌、雩都，會合北來梅水，向西流經茅店附近，有來自南嶺北麓龍南縣、虔南、定南二廳境內的桃江來會，水量大增；盆地之西爲章水，上游稱爲上猶水，源出諸廣山麓，向東流出，會合源出大庾嶺的池江，兩河會合後，稱爲章水，章、貢二水在贛縣相會後，始稱贛江，沿贛江斷層線北流，中挾吉、袁、瑞、臨諸流，水量益增，然後注入鄱陽湖，全長約七百公里，與東側的昌江、信江、撫水，西側的修水合爲江西五大江。江西北半部爲鄱陽盆地，是由九華、幕阜諸山所形成的大地塹，四周丘陵山地的河川，形成另一面向心狀水系，並且在各縱谷間發育流動，同時形成交通孔道。清代初年，因襲前明舊制，在江西置江西巡撫、承宣布政使及南贛巡撫。康熙四年（一六六五）五月，裁南贛巡撫。乾隆八年（一七四三），吉安府析永新縣西北境、安福縣西境，增置蓮花廳。乾隆十九年（一七五四），升贛州寧都縣爲直隸州。乾隆三十八年（一七七三），升贛州定南縣爲定南廳。乾隆年間，蓮花、定南等廳及寧都直隸州的設置，主要是因邊境人口日增而重新調整行政區域。江西雖然是屬於已開發區域的一個省分，但是由於江西的地理較特殊，全省毗連福建、廣東、湖南、湖北、安徽、浙江等六省，贛南盆地三面環山，沿邊山區可以容納鄰省過剩的人口，客籍移民開山種地，逐漸形成移墾社會；北部鄱陽盆地水路交通發達，人口流動頻繁，五方雜處，秘密會黨頗爲盛行。先將嘉慶、道光時期江西秘密會黨的地理分佈列出簡表如後：

表六：嘉慶道光時期江西秘密會黨地理分佈表

| 府 | 州 | 廳 | 縣 | 會黨名稱 |
| --- | --- | --- | --- | --- |
| 南昌 | 義寧 | | 南昌、新建、豐城、進賢、奉新、靖安、武寧。 | 邊錢會。 |
| 饒州 | | | 鄱陽、餘干、樂平、浮梁、德新、安仁、萬年。 | 邊錢會。 |
| 廣信 | | | 上饒、玉山、弋陽、貴溪、鉛山、廣豐、興安。 | 餈巴會。 |
| 南康 | | | 星子、都昌、建昌、安義。 | |
| 九江 | | | 德化、德安、瑞昌、湖口、彭澤。 | |
| 建昌 | | | 南城、新城、南豐、廣昌、瀘溪。 | |
| 撫州 | | | 臨川、金谿、崇仁、宜黃、樂安、東鄉。 | 邊錢會、三點會、天罡會。 |
| 臨江 | | | 清江、新淦、新喻、峽江。 | 三點會。 |
| 瑞州 | | 銅鼓 | 高安、新昌、上高。 | |

| | | | | |
|---|---|---|---|---|
| 袁州 | | | 宜春、分宜、萍鄉、萬載。 | |
| 吉安 | | 蓮花 | 廬陵、泰和、吉水、永豐、安福、龍泉、萬安、永新、永寧。 | 添弟會、添刀會、三點會、千刀會。 |
| 贛州 | | 定南<br>虔南 | 贛、雩都、信豐、興國、會昌、安遠、長寧、龍南。 | 天地會、三點會、洪蓮會、忠義會、五顯會、太平會、添弟會、長江會、關爺會。 |
| 南安 | | | 大庾、南康、上猶、崇義。 | 添弟會、三點會、添刀會、添地會。 |
| | 寧都直隸州 | | 瑞金、石城。 | 鐵尺會。 |

資料來源：臺北國立故宮博物院、北京中國第一歷史檔案館典藏清代檔案。

表中所列江西秘密會黨名稱共計二十四個，主要分佈於南昌、饒州、廣信、撫州、臨江、吉安、贛州、南安等府及寧都直隸州所屬各縣，其中贛州府境內共九個，約佔百分之三十八，包括：天地會、三點會、洪蓮會、忠義會、五顯會、太平會、添弟會、長江會、關爺會等，贛州府境內就是嘉慶、道光時期秘密會黨最盛行的地區。其次是南安府，共破獲四個會黨，約佔百分之十七，包括：添弟會、三點會、添刀會、添地會等。其次是吉安、撫州二府，各三個會黨，各約佔百分之十三，除添弟會、添刀會、三點會外，還破獲邊錢會、天罡會等。贛州府定南、虔南二廳、贛縣、雩都、信豐、興國、會昌、安遠、長寧、龍南等縣，與廣東、福建兩省接壤，其中信豐、龍南等縣，與廣東南雄等縣鄰近，也是邊防要隘。南安府大庾、南康、上猶、崇義等縣，與湖南、廣東連界，其中大庾縣是南安府附郭，也是廣東省邊界，亙有新舊二城，四面皆山，隘口林立；吉安府蓮花廳及廬陵等縣，界連湖南省；撫州府臨川等縣，接壤閩浙，都是人口流動較頻繁，秘密會黨較活躍的地區。

江西盆地沿邊丘陵坡地茶園甚多，所產紅茶和綠茶，質量俱佳。此外，多栽甘藷，成爲輔助性的糧食作物，坡地橘園亦多，經濟作物面積廣大。鎢是江西著名的礦產，其礦區主要分佈於贛南大庾、贛縣、上猶、龍南、遂川、興國等縣，袁州府宜春等縣各山場所出銅、鉛礦苗亦極豐富，閩粵等省民人因迫於生計，紛紛湧入江西邊境謀生。《清朝文獻通考》謂：「搭棚居住，種麻、種菁、開爐、煽鐵、造紙、做茹爲業，謂之棚民。」（註三九）江西通省除撫州、九江、南康、建昌四府外，其餘七府內四十四州縣，皆有棚民，多寡不等，主要爲外地流入的異籍貧民，多來自福建、廣東及浙江等省。清代志書屢載贛州府定南縣有廣東無籍貧民來此墾種。吉安府廬陵縣閩、粵流民接踵而至，據山而耕。瑞金縣因與福建接壤，所以漳、泉貧民麕至駢集。興國在萬山之中，流民亦浮於土著。貴溪縣客籍人口居什之三、四。由於大批異籍客民紛至沓來，對於改變江西山區的社會經濟面貌，發生了很大的作用。

江西棚民由來已久，雍正九年（一七三一）三月，江西按察使樓儼具摺指出江西棚民的由來，略謂：「悉係閩廣及外郡無業之人，始於明季兵燹之後，田地荒蕪，招徠墾種，以致引類呼朋，不一而足，竟有已成家業數代者，亦有甫經新到未久者。」（註四〇）黃翥撰〈棚民抗清述略〉一文指出，「棚民移來時間，始於明嘉靖時，至崇禎時愈來愈多，入清至於乾隆，尙有棚民領種之事。」（註四一）外省移入江西的棚民，當不至晚於明代嘉靖年間，但是到了乾隆年間，江西棚民的人口仍然與日俱增。例如瑞州府新昌縣廣岡洞，界連南昌府，其路可通湖南岳州府境內，崇山密林，明季封禁以後，踰越墾種者，仍絡繹不絕。袁州府萬載縣，棚民亦衆，江西巡撫裴徫度指出萬載縣的棚民，「係閩廣等處，向來附居江西荒山，搭棚墾種靛烟，名爲棚民。」（註四二）贛州、廣信、建昌三府及寧都州，均與福建接壤，福建無業貧民多來此搭篷賃山墾種。在江西廣信府、福建建寧府及浙江處州府交界地方有銅塘山，其西北面歸福建崇安、浦城二縣管轄，閩粵無業貧民，依山作棚，零星散處，開山墾荒，樵採爲生。因棚民雜處，四面皆山，密林深洞，明代以來，爲防“奸宄”，而下令封禁，習稱封禁山。江西巡撫裴徫度具摺奏陳封禁山的由來，原摺略謂：

> 廣信府有銅塘山，相傳產銅，故名銅塘，然有名無實，誘眾聚匪，擾累地方，故歷來封禁，又名封禁山。以其界連

> 浙閩，明季浙賊葉宗留，閩賊鄧茂七等，俱因盜礦啓釁，出入此山，遂肆焚掠。迨討平之後，凡去銅塘數拾里，悉皆封禁，法令甚嚴，正以清盜源，而絕根株，非因有窩盜人不敢入也。既禁之後，奸徒屢次請開，俱不准行。順治拾年，又有獻議採木者，郡縣力陳不便，撫臣蔡士英會同督臣馬國柱等題明永行禁止，載在志乘，勒之碑石，此封禁山所由來也（註四三）。

各省棚民流入江西的時間，各有先後，有入籍年久納糧當差者；有入籍未久去留蹤跡無定者；有近在市鎮與土著雜處者；有遠在山菁星散各居者；有土民僱其傭工，地主招其墾佃者；更有山主利其工力曲爲隱庇者。棚民或種靛蔴，或種茶烟，或在廠做紙，包括了各種行業（註四四）。由於江西沿邊山區可以容納過剩的人口，閩粵游民多湧向江西沿邊謀生。雍正初年，山西道監察御史何世璂具摺時已指出閩粵流寓之民寄籍江西者，約計一府山谷中老幼男女不下數千人，十三府屬之中，約有數萬人（註四五）。根據台北國立故宮博物院現藏《宮中檔》硃批奏摺，可將乾隆十六年（一七五一）至五十四年（一七八九）江西通省民戶人數列表於後：

表七：乾隆年間江西民人數一覽表

| 年分 | 人口數 | 備註 |
|---|---|---|
| 十六年（1751） | 8,657,468 | |
| 十七年（1752） | 8,702,571 | |
| 十八年（1753） | 8,738,247 | |
| 十九年（1754） | 8,826,662 | |
| 二十年（1755） | 8,922,634 | |
| 二十一年（1756） | 8,998,921 | |
| 二十八年（1763） | 11,149,339 | |
| 二十九年（1764） | 11,233,849 | |
| 三十年（1765） | 11,355,689 | |
| 三十二年（1767） | 11,540,369 | |
| 三十三年（1768） | 11,570,169 | |
| 三十七年（1772） | 11,804,201 | |
| 三十八年（1773） | 12,958,587 | |
| 四十三年（1778） | 17,308,937 | |
| 四十六年（1781） | 17,778,853 | |
| 四十七年（1782） | 17,914,951 | |
| 四十八年（1783） | 18,080,775 | |
| 五十一年（1786） | 18,565,102 | |
| 五十二年（1787） | 18,710,502 | |
| 五十三年（1788） | 18,890,476 | |
| 五十四年（1789） | 19,221,817 | |

資料來源：臺北國立故宮博物院典藏乾隆朝《宮中檔》硃批奏摺。

在南部各省中，江西雖然並非人口壓力最嚴重的省分，但由於江西鄰近人口壓力較嚴重的閩粵等省，使江西沿邊山區成爲容納閩粵過剩人口的地區。乾隆三十一年（一七六六）分福建省田土額計一四五、九一三頃，人口數計八、〇九四、二九四人，每人平均田土數約一點八畝，是全國耕地最緊張的地區之一，廣東地方同樣感受到土地緊張的壓力（註四六）。乾隆三十二年（一七六七）分江西通省田土額四六七、四四一頃，通省民戶人數計一一、五四〇、三六九人，每人平均田土數約四畝。造成江西人口的膨脹，主要是外籍人口的流入。乾隆三十七年（一七七二）分，江西通省十四府州縣所屬各廳縣歲報民數通共二、八〇四、三二五戶，計男婦大小共一一、八〇四、二〇一人。追溯歷年冊報之數，不相上下，江西布政使李瀚察看各屬地方，民戶殷繁，其棚民一項，歷來未盡入冊，福建、廣東、湖南等省連界之人，相繼前往江西租地耕種，愈積愈多。這些異籍之人，從前只是隻身搭棚居住，來去不常。其後挈眷成家，娶妻生子，立有墳地，置有產業，實與土著無異。因此，地方大吏奏請將江西異籍棚民一體冊報。自乾隆三十八年（一七七三）起，江西棚民與土著一體入冊，各府報到人口數，俱有加增。例如南昌府屬義寧州原丁口七二、四九〇人，續查出一三三、六七〇人，共二〇六、一六〇人；贛州府屬贛縣原報丁口五八、三四〇人，續查出二七四、二八〇人，共三三二、六二〇人。其餘如南昌、新建、臨川、金谿、崇仁、湖口、瑞金等縣，亦增至一一、四〇〇人及一四六、八〇〇人不等（註四七）。據江西巡撫海成奏報乾隆三十八年分江西省十四府州各屬實在民數男婦大小共計一二、九五八、五八七人，比上屆增加一、一五四、三八六人。從江西人口的迅速成長，可以看出異籍流動人口的增加概況。江西沿邊山區，生齒日繁，開墾日廣，例如玉山縣生產的苧麻，多出自福建籍棚民開墾的田土。景德鎮是燒造磁器之地，各色人等率多客籍之人。但棚民被土著視爲異己，常遭豪強土棍的欺凌，異籍棚民彼此之間，亦成釁隙。

江西爲魚米之鄉，物價素平，促成江西米價波動的主要原因，是由於當地水患及稻米接濟閩粵等省本地缺米而使江西米價上揚。江西素稱澤國，外江內湖，江與湖相爲表裏，河道四達，港灣縱橫，雖得水利，然而水患頻仍。雍正初年，江西各府米價，每石不逾一兩。雍正四年（一七二六）五月間，江西大雨連日，江水驟漲，贛縣水患受害者，皆閩粵棚居之人。同年三、四月間，廣東潮州府米價昂貴，每石銀三兩以上，廣東布政使檄行江西贛州府接濟。福建汀州府饑民在永定縣搶奪穀船及行戶糧食。贛州鄰近閩粵兩省，運出米穀甚多，以致本地米少價昂，每石需銀一兩四、五錢不等，吉安等府又值青黃不接，米價亦昂，每石需銀一兩三、四錢不等（註四八）。乾隆初年以來，江西米價日昂，其主要原因，除了水患及米穀輸出外，主要是由於人口的增長。乾隆十三年（一七四八）三月，江西巡撫開泰具摺時已指出江西米貴的原因，「大抵由於生齒日繁」（註四九）。乾隆十六年（一七五一）七月二十五日，江西巡撫舒輅具摺奏稱，「江西向來米價每石原止一兩上下，嗣以生齒日繁，需米較多，價漸昂貴，總不能如從前之賤，然山僻小邑，尙止每石賣銀一兩一、二錢不等，並非通省昂貴。」（註五〇）江西由於生齒日繁，需米較多，以致糧價漸昂。雍正、乾隆時期，閩粵地區的秘密會黨，已經開始盛行，名目繁多，而江西秘密會黨案件卻始見於嘉慶年間，實晚於閩粵地區，因此，就嘉慶、道光時期而言，江西秘密會黨可以說是閩粵秘密會黨的派生現象。

湖南、湖北兩湖地區，即《禹貢》荊州地方，明代設置湖廣等處承宣布政使司，湖南隸屬湖廣布政使司，在湖北設湖廣巡撫及總督，在湖南設偏沅巡撫。清初康熙三年（一六六四），析置湖北布政使司、湖南布政使司，並設湖北巡撫，移偏沅巡撫駐長沙。雍正二年（一七二四），改偏沅巡撫為湖南巡撫，並歸湖廣總督兼轄（註五一）。湖廣地區在地形構造上是屬於古代中國大內斜的一部分，四周多背斜山地，東側山脈具有顯著的震旦方向構造，以霍山、幕阜、九嶺、武功等山，與鄱陽盆地為界，南隔騎田、萌渚、都龐諸嶺，與嶺南丘嶺為鄰，北有淮陽弧，以桐柏、大別諸山，與淮水流域分隔。湖南西部的湘西山地，是貴州高原的邊緣山地，湖北西部的鄂西山地及恩施高原，則是四川盆地的盆弦地區。在各背斜之間，自然有寬廣低平的向斜谷地，而形成了兩湖盆地（註五二）。

湖南位居我國本部的南部中央，東界江西，南接廣東、廣西，西為四川、貴州，北鄰湖北，地當四達之衝。就湖南地形而言，大致可以分為湘西山區及洞庭盆地兩大區域，一山一湖，各有特徵。洞庭湖界連三府一州，江湖浩渺，港灣紛歧，近水村民，多以操舟捕魚為業。洞庭湖以南，地面遼闊，宜章、郴州一帶，是廣東出入門戶，廣東無業游民進入湖南，在江湖四達地區謀生者，人數衆多。湖南有大澤，也有深山，湘西山區，重山疊嶂，地脈深厚，盛產五金，例如郴、桂兩州各廠，桃花壟、綠葉坳等廠，山形高厚，礦砂豐富。衡州府常寧縣銅坪嶺，靖州綏寧縣耙沖洞等地，俱有銅礦可採，靖州會同縣慕坪山則產金（註五三）。乾隆年間，范時綬署理湖南巡撫時已指出湖南郴、桂等地，礦廠爐戶，以及開石挑沙，燒炭採煤，造紙等業人夫，動輒數千，除部分土著外，主要為外來無業游民，趁工覓食，官方不便阻其生計，但因良莠不齊，難以稽防，“奸宄”易於潛蹤（註五四）。無業貧民爲謀生計，往往聚衆偷挖礦砂，其中來自各地的游民，爲數尤夥，湖南地區也因此容納了大量的外來人口。就台北國立故宮博物院現藏清代《宮中檔》硃批奏摺所報民數，可將乾隆年間湖南人口的變遷，列出簡表如下：

表八：乾隆年間湖南省人口統計簡表

| 年　　分 | 冊報數 | | 增長數 | |
|---|---|---|---|---|
| | 戶　數 | 人口數 | 戶　數 | 人口數 |
| 十六年（1751） | 1,664,721 | 8,695,912 | | |
| 十七年（1752） | 1,664,721 | 8,702,860 | 0 | 6,948 |
| 十八年（1753） | 1,664,721 | 8,720,341 | 0 | 17,481 |
| 十九年（1754） | 1,664,721 | 8,727,222 | 0 | 6,881 |
| 二十年（1755） | 1,664,721 | 8,735,021 | 0 | 7,799 |
| 二十一年（1756） | 1,664,721 | 8,752,472 | 0 | 17,451 |
| 二十八年（1763） | 1,666,889 | 8,898,906 | | |
| 二十九年（1764） | 1,666,889 | 8,925,093 | 0 | 26,187 |
| 三十年（1765） | 1,666,889 | 8,941,978 | 0 | 16,885 |

| | | | | |
|---|---|---|---|---|
| 三十二年（1767） | 1,666,889 | 8,997,022 | 0 | |
| 三十三年（1768） | 1,666,889 | 9,018,662 | 0 | 21,640 |
| 三十七年（1772） | 1,666,889 | 9,086,641 | 0 | |
| 三十八年（1773） | 1,666,889 | 9,092,328 | 0 | |
| 四十一年（1776） | 2,776,872 | 14,989,777 | | |
| 四十二年（1777） | 2,792,409 | 15,111,161 | 15,537 | 121,384 |
| 四十三年（1778） | 2,815,503 | 15,219,603 | 23,094 | 108,442 |
| 四十四年（1779） | 2,830,634 | 15,352,359 | 15,131 | 132,756 |
| 四十五年（1780） | 2,837,340 | 15,423,842 | | |
| 四十六年（1781） | 2,847,348 | 15,504,843 | 10,008 | 81,001 |
| 四十七年（1782） | 2,857,842 | 15,584,609 | 10,494 | 79,766 |
| 四十八年（1783） | 2,868,810 | 15,676,488 | 10,968 | 91,879 |

資料來源：臺北國立故宮博物院典藏乾隆朝《宮中檔》硃批奏摺。

按照定例，湖南各府州縣人丁大小口數，俱於每年十一月間繕寫黃冊，詳細具摺奏聞。其冊報民數，是將通省民人扣除流寓人口，以實在土著大小男婦人口數及戶數奏報。乾隆十六年（一七五一），冊報戶數爲一、六六四、七二一戶，乾隆四十八年（一七八三），冊報戶數爲二、八六八、八一〇戶，在三十年間戶數增加了一點七二倍。乾隆十六年（一七五一），冊報男女大小人口共八、六九五、九一二人，乾隆四十八年（一七八三），冊報男女大小人口共一五、六七六、四八八人，在三十年間人口增加一點八倍。但從年均增長率加以觀察，從乾隆十六年（一七五一）至乾隆三十八年（一七七三）二十年間，其戶數等於零成長。再就人口年均增長率加以觀察，乾隆十七年（一七五二），人口年均增長率爲百分之八，乾隆四十八年（一七八三），人口年均增長率爲百分之五十九。從這些數字可以看出湖南民數無論戶數或人口數都相當緩慢。張朋園著《中國現代化的區域研究：湖南省，一八六〇～一九一六）一書指出天災人禍、溺嬰、對外移民是影響湖南人口成長緩慢的主要因素（註五五）。湖南進入四川等地的外移人口雖然不少，但湖南吸收廣東、廣西、江西等省外來的移民更多。換句話說，湖南本身人口的自然成長雖然很低，但外來移民卻絡繹不絕，湖南人口遂因移民潮的出現而急遽上昇，並且由於人口流動的頻繁，而促成秘密會黨的盛行，從嘉慶十八年（一八一三）起，湖南開始查獲秘密會黨案件，湖南早期的秘會黨就是閩粵等省秘密會黨的派生現象，可將嘉慶、道光時期湖南秘密會黨的地理分佈列出簡表如後：

表九：嘉慶道光時期湖南秘密會黨地理分佈表

| 府 | 州 | 廳 | 縣 | 會黨名稱 |
|---|---|---|---|---|
| 長沙 | 茶陵 | | 長沙、善化、湘潭、湘陰、寧鄉、瀏陽、醴陵、益陽、湘鄉、攸、安化。 | 孝義會、認異會、添弟會。 |
| 寶慶 | 武岡 | | 邵陽、新化、城步、新寧。 | 棒棒會、靶子會。 |
| 岳州 | | | 巴陵、臨湘、華容、平江。 | |
| 常德 | | | 武陵、桃源、龍陽、沅江。 | |
| | 澧州 | | 石門、安鄉、慈利、安福、永定。 | |
| | | 南州 | | |
| 衡州 | | | 衡陽、清泉、衡山、耒陽、常寧、安仁。 | 添弟會、添地會。 |
| 永州 | 道州 | | 零陵、祁陽、東安、寧遠、永明、江華、新田。 | 擔子會、仁義會、添弟會、忠義會。 |
| | 桂陽 | | 臨武、藍山、嘉禾。 | 三合會。 |
| | 郴州 | | 永興、宜章、興寧、桂陽、桂東。 | |
| 辰州 | | | 沅陵、瀘溪、辰谿、漵浦。 | |

| | | | | |
|---|---|---|---|---|
| 沅州 | | | 芷江、黔陽、麻陽。 | |
| 永順 | | | 永順、龍山、保靖、桑植。 | 公義會。 |
| | 靖州 | | 會同、通道、綏寧。 | |
| | | 乾州 | | |
| | | 鳳凰 | | |
| | | 永綏 | | |
| | | 晃州 | | |

資料來源：臺北國立故宮博物院典藏《宮中檔》、《軍機處檔》。

從表內所列湖南早期秘密會黨的地理分佈，可以發現各種會黨主要分佈於鄰近江西、廣東、廣西等省的各府州縣，例如破獲忠義會、仁義會的永明縣、江華縣，破獲擔子會、情義會的永州都鄰近廣東、廣西，破獲認異會的醴陵縣，破獲添弟會的湘潭縣，都鄰近江西，破獲棒棒會、靶子會的新寧縣，與廣西毗鄰。大致而言，湖南地區的各種秘密會黨，其出現時間，多晚於鄰近的廣東、廣西、江西等省。因此，湖南地區的秘密會黨，其產生可以歸於傳播關係，是鄰近省分秘密會黨發展的派生現象，與外來移民的人口流動有密切的關係，隨著兩廣、江西等省人口的流入，而出現了各種秘密會黨。

西南邊陲的廣西、雲南、貴州，也是開發中區域，地廣人稀，可以容納鄰近已開發區域的過剩人口。廣西與廣東、湖南、貴州接壤，境內有三大江，構成水路交通網。其中漓江由湖南零陵縣入廣西全州境，經桂林、平樂等府；左江由鎮南關外入境，經太平、南寧、潯州等府；右江由黔粵交界合流，經慶遠、柳州、潯州等府，三江俱總匯於梧州大河，以達廣東，合計三江水程約三千餘里，廣東、湖南、貴州等省商賈貨船，往來絡繹。移殖廣西的外省人口，以廣東、湖南爲最多，福建較少。地狹人稠，食指衆多，是廣東米貴的主要原因。兩廣總督孔毓珣於雍正四年（一七二六）七月奏報廣東米價時指出廣東米價每石一兩一、二錢不等，其中潮州一府，每石一兩五、六錢不等，較他府稍貴，而同時的廣西米價，每石自七錢至八、九錢不等，貴賤懸殊（註五六）。廣東市場取向的農村經濟，對農業結構影響極大，農民選擇種植收入較多的經濟作物，使稻米的生產量銳減，以致米少不敷民食。因此，普遍的稻田轉作，也是廣東米貴不可忽視的重要原因。雍正五年（一七二七）四月，署廣東巡撫常賚具摺時抄錄諭旨呈覽，其諭旨內容如下：

> 閩廣兩省督撫常稱本省產米甚少，不足以敷民食，總督高其倬亦曾具奏，巡撫楊文乾則云廣東所產之米，即年歲豐收，亦僅足半年之食。朕思本省之米，不足供本省之食，在歉歲則有之，若云每歲如此，即豐收亦然，恐無此理。或田疇荒廢，未盡地力；或耕耘怠惰，未用人功；或奸民希圖重價，私賣海洋，三者均未可定。昨曾面諭九卿，今廣西巡撫韓良輔奏稱，廣東地廣人稠，專仰給於廣西之米，在廣東本處之人，惟知貪財重利，將地土多種龍眼、甘蔗、烟葉、青靛之屬，以致民富而米少。廣西地瘠人稀，豈能以所產供鄰省多人之販運等語。此奏與朕前旨相符，可知閩廣民食之不敷有由來矣（註五七）。

廣東地廣人稠，少種稻米，多種經濟作物，選擇種植收入較大的龍眼、甘蔗、烟葉、青靛等作物，以致稻米產量減少，其民食不得不藉廣西米穀接濟，廣東饑民就食廣西者遂絡繹不絕。湖南與廣西水路交通便利，湖南人口流入廣西者亦夥。廣西巡撫循例於每年年終將各府州縣戶口增減數目，彙報朝廷，茲就《宮中檔》硃批奏摺等資料，將乾隆年間廣西戶口列表於後；

表一〇：清代乾隆年間廣西省戶口一覽表

| 戶數\丁口\年分 | 戶數 | 大口 | | 小口 | | 合計 |
|---|---|---|---|---|---|---|
| | | 男丁 | 婦女 | 男口 | 女口 | |
| 15 | 940,071 | 1,441,027 | 1,325,279 | 505,780 | 445,279 | 3,717,365 |
| 16 | 941,043 | 1,444,729 | 1,328,090 | 511,219 | 449,405 | 3,733,443 |
| 17 | 942,041 | 1,448,631 | 1,330,993 | 517,025 | 453,540 | 3,750,189 |
| 18 | 943,020 | 1,452,595 | 1,333,895 | 523,024 | 457,702 | 3,767,216 |
| 20 | 945,121 | 1,460,882 | 1,339,883 | 535,078 | 466,358 | 3,802,201 |
| 21 | 946,179 | 1,466,274 | 1,343,508 | 543,201 | 472,732 | 3,825,715 |
| 28 | 954,675 | 1,507,209 | 1,370,119 | 602,205 | 517,729 | 3,997,262 |
| 29 | 955,913 | 1,513,262 | 1,373,853 | 610,655 | 524,284 | 4,022,054 |
| 30 | 957,104 | 1,519,274 | 1,377,947 | 618,292 | 530,281 | 4,045,794 |
| 32 | 1,104,519 | 1,722,412 | 1,570,619 | 768,238 | 644,907 | 4,706,176 |
| 33 | 1,105,712 | 1,729,009 | 1,575,053 | 776,218 | 650,544 | 4,730,824 |
| 38 | 1,111,558 | 1,760,107 | 1,595,196 | 809,661 | 671,492 | 4,836,456 |
| 42 | 1,209,844 | 1,952,857 | 1,712,591 | 999,220 | 808,489 | 5,473,157 |
| 43 | 1,212,093 | 1,979,297 | 1,734,916 | 1,021,498 | 826,136 | 5,561,847 |
| 46 | 1,219,568 | 2,060,783 | 1,804,007 | 1,093,311 | 886,029 | 5,844,130 |
| 47 | 1,222,197 | 2,087,514 | 1,826,376 | 1,117,424 | 907,282 | 5,938,596 |
| 48 | 1,224,992 | 2,113,664 | 1,849,442 | 1,141,808 | 928,842 | 6,033,756 |
| 52 | 1,235,892 | | | | | 6,375,838 |
| 53 | 1,238,650 | | | | | 6,453,340 |
| 54 | 1,241,471 | | | | | 6,530,495 |

資料來源：臺北國立故宮博物院典藏乾隆朝《宮中檔》硃批奏摺。

如表中所列人口，乾隆十五年（一七五〇），廣西臨桂等五十四州縣戶口共九四〇、〇七一戶，大小男女合計三、七一七、三六五人，乾隆五十四年（一七八九），戶數增爲一、二四一、四七一戶，大小男女增爲六、五三〇、四九五人，前後四十年間，通省人口增加爲一倍強。廣西地區由於外來人口的相繼湧入，也成爲人口流動較頻繁的地區，從嘉慶年間以來，秘密會黨更加盛行，廣西秘密會分佈的府州縣，多鄰近廣東、湖南等省。阮元從嘉慶二十二年（一八一七）冬間抵兩廣總督新任後，即細心查訪廣西秘密會黨盛行的原因，其原摺略謂：

> 查粵西民情本屬淳樸，因該省與廣東、湖南、雲南等省連界，外省游民多來種地，良莠不齊，以致引誘結拜添弟會，遂有鄉民因勢孤力弱，被誘入會，希圖遇事幫護，又或有殷實之户恐被搶劫，從而結拜弟兄，以衛身家。其初，該匪等不過誆騙斂錢，沿襲百餘年前舊破書本，設立會簿腰憑，傳授口號，或稱大哥，或稱師傅，或知天地會罪重，改稱老人等會名號。每起或一、二十人，或數十人不等，並無數百人同結一會之案，間有一人而結拜二、三會者。夥黨漸多，旋即恃眾劫掠，又復勾結書役兵丁同入會內，冀其包庇，俾免破獲。其意僅在得財花用，尚無謀爲不法情事，但惑誘良民，糾眾劫擾，實爲地方大害（註五八）。

所謂“外省游民”，即指廣西以外各省的流動人口，其中廣東、湖南貧民前往廣西種地謀生者尤夥，天地會、添弟會等秘密會黨，遂因人口流動的頻繁，而日趨活躍。雲南、貴州爲苗疆地區，界連廣西、湖南、四川等省，因此，其外來流寓及貿易之人，俱屬於鄰近省分的流動人口。湖南辰州、永順、靖州與貴州境內各山挖淘蕨粉，除佐民食外，即以所餘易售銀錢。雲南礦產豐富，外省貧民進入雲南採礦者尤夥。從廣西進入雲貴地區的廣東人口，亦與日俱增，在嘉慶年間以來，雲貴地區的秘密會黨案件，已經層見疊出。

## 第三節　清代中期秘密會黨的活動

清代秘密會黨的發展，與人口流動有密切的關係，雍正、乾隆年間，人口流動已極頻繁，嘉慶、道光時期，閩粵山區及開發中邊陲地區秘密會黨的活動，日趨頻繁，由此可以說明人口流動是因，秘密會黨的發展是果。嘉慶、道光時期，福建漳、泉地區的秘密會黨案件，已明顯地減少。嘉慶三年（一七九八）二月，漳州府南靖縣人顏和尚即余和尚，因屢次搶劫，畏人告官問罪，憶及漳州舊有天地會名目，於是糾邀許城等二十人入會。其後又分別於嘉慶五年（一八一〇）正月、嘉慶六年（一八一一）四月，糾衆拜會。顏和尚糾衆結拜天地會的主要原因是爲了搶劫他人的財物。嘉慶五年（一七九〇）正月二十六日，顏和尚糾同許城等十九人行劫上杭縣監生吳應昌錢舖銀兩。同年閏四月初八日，在龍巖州地方搶奪鄧宗茂等銀物（註五九）。顏和尚所倡立的天地會，就是一種竊盜集團。僧弗性是福建興化府莆田縣人，自幼在縣屬白雲寺披剃，與民人許炳素識。嘉慶五年（一八一〇）六月初間，許炳至白雲寺內與僧弗性閒談，各道貧苦。僧弗性憶及漳、泉地方舊有天地會名目，於六月初六日，糾邀五十餘人，在白雲寺結拜天地會，傳授取物吃煙俱用三指向前暗號（註六〇）。僧弗性結拜的天地會，是屬於一種下層社會的聚衆斂錢行爲。

嘉慶、道光時期，福建內地的秘密會黨，其分佈較廣的地區，多集中於西北或東北山區，以及附近鄰省沿邊地方。嘉慶二年（

一七九七）秋，汪志伊抵福建巡撫新任後，曾辦過秘密會黨七案，共一百零二犯，其中包含御史梁上國條奏內福鼎縣天地會案件。福鼎縣隸福建福寧府，鄰近浙江，當地天地會分為三股：一股首領為莊慶長，原籍泉州，移居福鼎縣才堡村，糾結附近村民入會；一股丁蘊，居住澳外村；一股董希聖，本係泉州府革生，徙居福鼎縣小澳村。當天地會成員陳文滔被捕後供出原籍泉州，潛匿福鼎縣地方開山種地，嘉慶四年（一七九九）三月十五日，糾邀素識的陳日敬等十四人結拜天地會（註六一）。福鼎縣山區可以開墾種地，泉州人來此謀生者，固然不乏其人，漳州人同樣也來福鼎、霞浦等縣種地謀生。漳州府漳浦縣人歐狼，遷居福鼎縣附近的霞浦縣。嘉慶十九年（一八一四）六月，歐狼因貧難度，並希圖遇事彼此照應，於是起意糾邀三十六人，在霞浦縣天岐山空廟內結拜父母會（註六二）。

福建西北山區可以容納更多的過剩人口，東南沿海地區的貧民，因迫於生計的艱難，前往開山種地者，更是絡繹不絕。因此，福建省內部的人口流動方向，主要就是由東南沿海人煙稠密地區流向西北內陸，福建秘密會黨遍佈於西北山區，就是嘉慶年間以來極為顯著的現象。由於西北山區人口流動頻繁，社會不穩定性較高，結盟拜會的風氣較盛行。汀州府長汀縣人黃開基，縫紉度日。嘉慶十年（一八〇五）二月，黃開基在延平府南平縣糾邀五十九人結拜添弟會。嘉慶十九年（一八一四）二月，黃開基因貧難度，糾邀鍾老二等十三人在延平府順昌縣小坑仔山廠內結盟拜會，因添弟會奉文查禁，改立仁義會。同年三月二十八日、四月十二日、五月十二日，黃開基又在建寧府建陽縣桂陽鄉等地三次結拜仁義會。會中成員李青雲是汀州府上杭縣人，鍾和先是長汀縣人，何子旺是邵武府光澤縣人（註六三）。南平、順昌等縣，都在福建西北山區，黃開基往來於山廠內縫紉度日，結盟拜會，可以反映開山種地的外來人口，已經與日俱增。

嘉慶十一年（一八〇六）三月，泉州府晉江縣人李文力等二十二人在南平縣大力口空廟內加入由鄭興名所領導的添弟會。鄭興名搭起神桌，設立萬和尚牌位，中放米斗、七星燈、剪刀、鏡子、鐵尺、尖刀、五色布等物，入會者俱從刀下鑽過，立誓相助。然後由鄭興名傳授開口不離本，出手不離三，取物吃煙俱用三指向前暗號，並交給李文力舊會簿一本。嘉慶十五年（一八一〇）六月，李文力在順昌縣富屯地方糾邀十人結拜添弟會。嘉慶十九年（一八一四）閏二月，李文力糾邀二十七人在建陽縣黃墩地方山廠內結拜添弟會（註六四）。李文力持有舊會簿，所以多次輾轉邀人結會，會簿成爲傳會的主要工具。李發廣是汀州府武平縣人，嘉慶十七年（一八一二）七月，加入添弟會，嘉慶十九年（一八一四）閏二月，李發廣在建寧府建安縣結拜仁義會。同年七、八月，又在建寧府甌寧縣多次結拜仁義會（註六五）。

黃祖宏是汀州府清流縣人，嘉慶十年（一八〇五）十月，黃祖宏等十人在甌寧縣地方拜江西人李于高爲師，加入百子會。嘉慶十六年（一八一一）三月，建寧府建陽縣人江婢仔因貧難度，糾邀三十九人結拜百子會。江婢仔因會內人衆，難以辨認，而令各人將髮辮盤在頭上，辮尾繫結紅繩，垂於右側，作爲暗號，並令取物用二指，接物用三指。會內人稱爲屛裡，會外人稱爲屛外，如被人欺侮，則用香火刺燒白紙三孔，作爲關照暗號。

曹懷林是汀州府長汀縣人，在延平府沙縣謀生，因恐被人欺侮，於嘉慶十九年（一八一四）二月十五日糾邀五十一人在沙縣觀音山空寮內結會，取名拜香會。陳佟仔是建寧府建陽縣人，在甌寧縣謀生，因孤苦無助，於嘉慶十九年（一八一四）八月拜汀州人老謝爲師，加入雙刀會，會中用紅布帶繫褲作爲暗號（註六六）。

江西人封老三，在福建邵武府邵武縣謀生。嘉慶十八年（一八一三）十二月十六日，封老三糾邀陳上元等四十五人在邵武縣天台山空廟內結會，因廟中供奉三仙，所以取名仁義三仙會。封老三傳授開口不離本，出手不離三口訣暗號，衣服第二鈕釦解開不扣，會內人呼爲石子會，外人呼爲沙子會。熊毛是江西石城縣人，到汀州府謀生。嘉慶十八年（一八一三）九月，汀州府寧化縣人張顯魯等聽從熊毛結拜仁義會，其盟誓儀式及口訣暗號，與天地會相近。秘密會黨與秘密宗教，雖然不能混爲一談，但"教"與"會"並非絕不相容。嘉慶七年（一八〇二）七月，福建建寧府建陽縣人陳淑金即陳金奴在本鄉空廟內拜吳以作爲師，加入陽盤教。嘉慶十年（一八〇五）六月，陳淑金與杜世明等七人閒談，杜世明起意結盟拜會，述及閩贛交界舊有陰盤、陽盤名目，暗存"天地"二字，有願入陰盤教者抄傳經本，吃齋念誦；有願入陽盤教者，傳授開口不離本，出手不離三手訣暗號。六月二十六日，衆人偕至建陽山內空廟結會，用白紙一張寫立合同。杜世明等憶及江西會黨廖幹周等曾用"洪萬"二字圖記，隨於合同內編寫二十五人名字，並寫明"衆兄弟投進萬大哥洪記麾下"字樣，將"洪"字作爲總姓，"金"字作爲排行，以取同心堅志之意。陳淑金改名爲"洪金鴻"，杜世明改名爲"洪金明"，其餘各人俱照式將各姓名前二字，易以"洪金"二字。由此可知所謂"陰盤教"，就是民間秘密教派，"陽盤教"實即"陽盤會"，就是民間秘密會黨，亦即"以洪爲姓"的異姓結拜集團。

嘉慶十七年（一八一二）九月，汀州府武平縣人劉奎養與素識的謝幗勳閒談，謝幗勳素知添弟會秘訣，告以如遇同會之人，俱有照應，可免欺凌。劉奎養等人聽從入會，同拜謝幗動爲師。謝幗動傳授暗號，以外面布衫第二鈕釦寬解不扣，髮辮盤起，辮梢向上爲暗號，並給與劉奎養秘書一本。嘉慶十八年（一八一三）二月，劉奎養糾邀汀州府武平縣人朱鳳光入會，照傳暗號要訣，又將秘書借給朱鳳光照抄一本。嘉慶二十年（一八一五）七月，劉奎養等人在浙江被捕後問擬斬決（註六七）。嘉慶二十一年（一八一六）九月，延平府沙縣人鄧方布起意倡立明燈會，先後糾得二十四人，於十月初二日在沙縣白鶴山空廟內會齊結拜，俱拜鄧方布爲師，鄧方布傳授取物吃煙用左手三指暗號。此會結拜時，除用小鐵碗、砂子、小刀外，另點燃明燈一盞，故稱明燈會。

道光年間，建寧府建陽縣地方曾查獲紅錢會，其會首李仙迓即吳仙迓，籍隸江西南豐縣，移徙福建建陽縣種山度日。道光二十六年（一八四六）十二月，江西人饒矗狗在建陽縣尋工，與李仙迓往來交好。饒矗狗陷於困餒時，李仙迓即慷慨資助。次年三月，饒矗狗患病，經李仙迓出資調治。饒矗狗感激之餘，即告知李仙迓，從前曾在三點會首領李魁家傭工，收存有結會歌訣一本，三點會就是保家會，並將歌本交給李仙迓收存，饒矗狗旋即病故。李仙迓因持有傳會工具，起意糾衆拜會。同年七月二十五日舉行第一次結會儀式，到會者共七十二人。七月二十九日，第二次結會，到會者共六十三人，因三點會查禁極嚴，所以改名紅錢會。會中將銅錢用銀硃塗紅，每人各給一枚，作爲入會憑據，另用紅布一小塊，內鈐黑色木戳，稱爲過江票。李仙迓等七十餘人先後被捕，並起出歌本，內載五房源流及各種隱語暗號，內有“⿸虍示⿸虍壽⿸虍合⿸虍和⿸虍同江洪汨渫汰”等字，大小木戳書寫“壽”字及花樣作爲記號（註六八）。福建西北山區建寧、延平、邵武等府，可以容納各地的流動人口，泉州、漳州、興化等府及江西鄰近各府貧民相繼湧入，出外游民，寄居異地，孤苦無助，恐被人欺侮，於是結盟拜會，以會黨爲依附團體，冀得多人幫護。

廣東潮州饒平等縣，與福建漳州府平和等縣毗連，閩人入粵者頗多，結盟拜會案件，屢見不鮮。嘉慶五年（一八〇〇）十二月，福建同安縣陳姓人到廣東地方看相，縣民林添申邀陳姓到家中看相。陳姓告以入會好處，傳授暗號，給與天地會舊表。林添申因貧難度，起意糾人結拜天地會。嘉慶六年（一八〇一）六月，林添申與方庭相等七人議定每人出錢三百文，交給林添申買備酒肉，於七月初七日在村外僻靜地方結拜，林添申取出天地會表文給衆人傳閱，表文內有「復明萬姓一本合歸洪宗，同掌山河，共享社稷，一朝鳩集，萬古名揚」等語，表後書明"天運辛酉年"字樣。林添申持刀，令方庭相等人從刀下鑽過，並告以日後俱要聽從指揮，如有負盟不義者，死於刀下等語，公推林添申爲大哥。弟兄分頭邀人入會，先後邀得百人，分別於七月十二、十四、十五等日在東坡村等處結拜，以林添申爲總會首。

廣東新寧縣人葉世豪，傭工度日。嘉慶六年（一八〇一）二月，福建同安縣人陳姓轉往新寧縣看相，葉世豪請陳姓到家中看相，詢問結拜天地會的好處。陳姓告以洪字爲姓，拜天爲父，拜地爲母，遇事相助，可以乘機搶劫村莊。陳姓又將天地會的會簿一本，交給葉世豪收存，並囑其在新寧地方邀人入會。葉世豪因無人僱用，貧苦難度，起意糾衆結拜天地會。同年八月，有素識的余籠壯等人至葉世豪家閒坐，共談貧苦，相約糾人拜會。九月初十日，同往石笋灘地方結拜，公推葉世豪爲大哥，分頭邀人入會，於九月十五、十八等日分爲五起，訂盟結拜。

陳禮南是福建泉州府同安縣人，曾在原籍聽從陳飄學結拜天地會。陳飄學轉贈天地會盟書一本。後來陳禮南因生活貧苦，前往廣東傭工。嘉慶六年（一八〇一）正月間，陳禮南到達廣州府屬東莞縣境內的中堂墟地方找尋工作，與李道著、張三弟等人認識。陳禮南因無工可作，度日艱難，起意拜會，聚衆歛錢，於是商同李道著等人結拜天地會，希圖糾結多人搶劫村莊，得贓分用，約定於正月二十四日往土名盧村地方結拜。屆期拜會，公推陳禮南爲會首。陳禮南見拜會人少，不能搶劫村莊，隨令李道著等分頭糾得黃效東等七十六人，分爲七起，不論年齒，結拜天地會。於正月二十六、二十七、二十九，二月初三、初七、初九、初十等日先後在赤嶺等處盟誓，李道著等人分別爲會首。

福建漳浦縣人蔡步雲，寄居廣東惠州歸善縣。嘉慶七年（一八〇二）四月十一日，歸善縣民陳亞本至蔡步雲家閒談，商議結拜天地會，邀得謝天生等十六人，於四月十五日在陳亞本家結拜，設五色旗，上書"順天行道"等字，每人分給一塊，收藏身邊，作爲暗號。爲號召鄉民起見，陳亞本自稱大王，蔡步雲自稱大元帥，許榮珠爲軍師，謝天生爲東路元帥，羅亞五爲西路元帥，陳應和爲南路元帥，余揚壽爲北路元帥，曹東保爲東路先鋒，陳水保爲西路先鋒，戴亞鎚爲南路先鋒，陳辛姑爲北路先鋒。衆人議定後分往稔山、白芒花等處各村莊糾人入會，製造器械。在七月間尙未起事前，陳亞本等被地方官拏獲，在起出的布旗內有"討江山"字樣。從陳亞本所領導的天地會組織及旗幟，可以看出嘉慶初年廣東天地會含有濃厚的政治意識。地方大吏奏報文書將天地會寫作"添弟會"。

江西吉安府廬陵、瑞金等縣，贛州、廣信、建昌等府，俱鄰近福建，福建無業貧民覉至駢集，進入江西的人口，爲數極夥，此外還有從閩北返回江西原籍的回流人口，由於人口流動頻繁，也加速了江西秘密會黨的發展。吳文春又名吳春仔，是江西南豐縣人，自幼在福建順昌縣仁壽地方充當篾匠生理。嘉慶十年（一八〇五）十一月，吳文春聽從杜世明糾邀加入天地會。杜世明告知衆人說：「崇仁縣西鄉水口地方有一朱洪竹，現年三十二歲，係前明後人，初生時，村房有三株紅竹，因此取名，現在封禁山外何姓木場內幫做木瓢。何姓係河口地方人，廣東、福建、江西、山東吃天地會的都是要扶助他。山東有個萬大哥，那裡人勢更強，約于明年二月十九日山東各處同日起事結盟。」（註六九）杜世明等親往江西封禁山附近一帶到處找尋朱洪竹，並未訪著。嘉慶十一年（一八〇六）四月，杜世明在江西糾邀二十五人結拜天地會時被捕獲。

溫細滿又名溫光州，籍隸江西安遠縣，與長寧縣人彭組元等人都是小販營生。嘉慶十一年（一八〇六）六月十四日，溫細滿在福建武平縣地方聽從周達濱招引加入天地會。同年六月二十七日，彭組元等人在武平縣拜溫細滿爲師，加入天地會。嘉慶十二年（一八〇七）四月，溫細滿等人先後回籍，因貧難度，令彭組元等糾人入會，四月十三日，共糾得九人結拜天地會（註七〇）。溫細滿、彭組元等人都是從福建返回江西原籍的回流人口，他們返回江西後，常糾衆拜會。

曾阿蘭是福建永定縣人，唱曲度日。嘉慶十一年（一八〇六）五月，曾阿蘭在原籍永定縣拜盧盛海爲師，加入天地會。盧盛海設立洪二和尚萬提喜牌位，並用木椅藍白布搭成假橋，將紅布一塊用秤鈎掛在假橋上，令曾阿蘭等從橋下鑽過，宰鷄取血滴酒同飲，交給曾阿蘭紅紙花帖一張，傳授口訣暗號。盧盛海往來於福建永定縣、江西會昌縣等地，曾阿蘭見盧盛海傳徒歛錢獲利，亦於同年前往江西會昌縣糾邀福建武平縣人何承佑等人入會，每人各出錢一百六、七十文，俱拜曾阿蘭爲師，加入天地會（註七一）。

廖善慶也是福建永定縣人，小本營生，往來於廣東大埔縣等地。嘉慶十一年（一八〇六）九月，廖善慶返回永定縣原籍，與王騰蛟相遇，述及武平縣人鍾碧珍是天地會即三點會中人，交友衆多，若拜鍾碧珍爲師，可免外人欺侮，如領有紅布花帖，可以傳徒歛錢。廖善慶即同王騰蛟往拜鍾碧珍爲師，各送鍾碧珍洋錢一圓。鍾碧珍設立洪二和尙萬提喜牌位，用布搭於兩旁椅背，作爲布橋，令廖善慶等人鑽過，鍾碧珍口誦「有忠有義橋下過，無忠無義劍下亡」等誓詞，並宰鷄取血滴酒同飲，然後交給紅布花帖，傳授口訣暗號。嘉慶十三年（一八〇八）二月，廖善慶等人到江西安遠縣，與廣東平遠縣人楊金郎等人商改天地會爲洪蓮會（註七二）。

闕曾亮籍隸福建永定縣，向在各處做煙生理。嘉慶九年（一八〇四），闕曾亮在原籍五溪地方拜盧盛海爲師，入添弟會。盧盛海設立洪二和尙萬提喜牌位，用布搭橋，令闕曾亮鑽過。盧盛海口誦「有忠有義橋下過，無忠無義劍下亡」等誓詞，宰鷄取血滴酒同飲，交給紅布花帖，傳授「三八二十一」口訣，暗藏“洪”字筆畫，以便同會人關照。曾阿蘭、闕曾亮二人都是永定縣人，同樣拜盧盛海爲師，加入會黨，江西巡撫先福在嘉慶十四年（一八〇九）具奏時寫作“天地會”，江西巡撫錢臻在嘉慶二十三年（一八一八）具奏時寫作“添弟會”，是天地會的同音字。嘉慶十三年（一八〇八）二月間，闕曾亮起意傳徒歛錢，前往江西長寧縣地方糾邀嚴星輝等人入會。嘉慶十四年（一八〇九），嚴星輝因江西安遠縣等地查辦楊金郎會黨案件時被捕。闕曾亮逃往各處躲避。嘉慶二十二年（一八一七）七月間，闕曾亮遇素識的張滿，兩人同往廣東和平縣地方，投拜羅四海爲師。嘉慶二十三年（一八一八）正月，闕曾亮來至江西定南廳下甲地方，因窮苦難度，起意傳徒斂錢，糾邀楊四貴等人結會，改名太平會。同年二月間，又到長寧縣黃鄉堡地方糾衆拜會（註七三）。從福建流入江西的外來人口，以及由福建返回江西原籍的回流人口，都將閩粵地區結盟拜會的風氣傳入江西。因此，江西早期的天地會、添弟會、三點會、洪蓮會等秘密會黨，就是閩粵會黨的派生現象。

從福建永定等縣外移的流動人口，爲數頗多。乾隆五十九年（一七九四）五月，鄭光彩等結拜小刀會時，加入小刀會的沈連，其原籍就在福建永定縣。沈連隻身渡台，寄居鳳山縣番薯寮莊傭工度日，因與魏東交好，被邀入會。當鄭光彩等人被拏獲時，沈連易名逃逸，求乞度日。後於嘉慶五年（一八〇〇）九月，沈連回莊探查時被捕正法（註七四）。嘉慶、道光時期，台灣小刀會仍極盛行，例如嘉慶二年（一七九七）十二月，台灣淡水港有楊肇等人倣照天地會儀式結拜小刀會。嘉慶三年（一七九八）七月，台灣嘉義縣徐章，與胡杜猴互道貧難，商謀糾夥搶劫，又恐兵役查拏，遂邀人結拜小刀會，相幫拒捕。嘉慶五年（一八〇〇）三月，嘉義縣人陳錫宗、王恩謙等人結拜小刀會，相約於五月早稻收成時舉事，後因夥黨被捕事泄，遂提前於四月初起事，陳錫宗率衆攻打鹽水港，擊斃巡檢姜文炳。嘉慶六年（一八〇一）十一月初五日，嘉義縣人郭定因陳錫宗案從內山逃出，潛匿嘉義縣屬許秀才莊白啓家內。十一月初七日夜間，白啓起意結拜小刀會，商同林烏番等八人在莊外荒埔排列酒醴香燭，公推白啓爲首，林烏番爲頭目，王諧爲軍師，拜天地立誓，歃血訂盟，言明各自招人入會，並擇於十一月十一日夜間赴州仔地方會齊，先攻鹽水港汛防，奪取鎗刀礮械備用。白啓等人先後共糾得蔡光嬰等二十六人，因人數尚少，不敢起事，僅搶劫了蔡廷光家的馬匹。十一月十五日，台灣鎮道訪聞小刀會結盟信息後，即選派兵役查拏，計拏獲首夥三十六名，俱被凌遲斬梟，另有王四湖等四人逃逸未獲（註七五）。道光三十年（一八五〇），彰化縣民林連招等倡立小刀會，是年八月，林連招等被捕，其黨夥藉機尋仇報復，率衆攻莊，焚搶殺掠，爲害地方。彰化縣民林媽盛具呈控訴小刀會荼毒地方的情形，其呈詞內容如下：

竊盛蒙縣諭舉團練局總理，守法奉公。緣有著匪林連招等倡立小刀會，糾黨強派，焚搶擄勒，閭閻受害，嗟莫勝言。道光三十年八月，縣主訪聞飭拏，當獲會首林連招一名解辦。適有督憲劉訪拏要犯林開泰黨搶拒捕，泰被鄉勇當場格斃，稟驗欲梟示眾，該匪家長求懇領埋。詎料泰子林有理、林有田、弟林天和不知斂迹，膽糾會首林顏仙、林老成、林海瑞等率夥攻莊，焚搶擄殺，報復前讎，稟縣彈壓，諭令暫移避禍。上年二月間，盛雇工挈眷，匪等偵知，招集會匪林傑、林㕦、林希等百餘猛，預伏瑞等巢穴，突出亂銃齊發。挑工林彥、林概、劉㕦、黃天來四人逃走不及，均被擄，在理父墓前斬首分形，令黃江水等堆柴燒屍滅迹。盛聞報飛稟縣主勦辦，理等如虎負嵎，兵役畏威，莫之敢攖，疊稟府道各憲暨沐協台委巡捕黃、北投汛沈，於五月二十四日帶同兵役鄉勇馳往下南勢莊圍拏，林連招等抗拒，黨林象等殺傷兵丁陳玉成，搶去軍械，橫將鄉勇張慈、洪明、沈和三人擄割耳鼻，捆拋落水溺斃，屍親生員張飛騰等叩驗在案。嗣蒙道憲委員張，會同文武帶兵赴阿罩霧莊圍獲林有理等，遭林二埤等把持包庇騙限捆送，致文武空回，僅獲燒屍之黃江水等，訊認起出林彥、林概碎骨交領確據，其劉㕦、黃天來二屍，未蒙起驗，兇要杳無一獲。匪藉埤等包庇，愍不畏法，猖獗日甚，製造火藥礮台，遍插禾稻，稱作糧食，攻莊搶擄，男女驚逃，田屋盡遭遷占，節叩各上憲，均批嚴緝。無如縣主畏威縮首，兇匪欺控莫何，愈肆荼毒，復行攻搶局勇謝山等店屋財物，叩縣勘追未追，可憐盛及局中鄉勇有田莫耕，樓身無地，生死銜冤，不得已萬里上叩（註七六）。

由前引呈詞可知林連招所倡立的小刀會，爲害閭閻，焚搶擄殺，對社會造成極大的侵蝕作用。

廣西、雲南、貴州、四川等省查辦秘密會黨案件中也有來自福建的流動人口，例如游德是福建汀州府上杭縣人，嘉慶十二年（一八〇七）八月初二日，游德在廣西向武土州會遇林瓊宴，互道貧苦，起意邀人結拜天地會，以便歛錢使用。嚴老三、嚴老五是福建人，寄居貴州興義府，與廣東人麥青素識。嘉慶十九年（一八一四）十一月，麥青往廣西百色地方販賣雜貨，路遇福建人黃焦敬，同行之際，黃焦敬談及曾得會書一本，若出外貿易，遇見添弟會中人搶劫，即照書內所載「起手不離三，開口不離本」手勢口訣行動，添弟會知係會中人，就可以保全無事，麥青即向黃焦敬借抄添弟會秘書。嘉慶二十一年（一八一六）五月初，嚴老五與麥青在嚴老三家相遇，言及生意平常，起意邀人結拜添弟會，可以恃衆搶劫，先後糾得九十二人，於五月二十五、六日在貴州興義府薛家凹孤廟內結拜，因嚴老三爲人明白，被推爲先生，嚴老五、麥青被推爲大爺。嚴老三等用竹紥關門三層，每關兩人各執長尖刀立於兩旁，將刀架在中間，又在關門內搭起一座高台，上設米斗，內安設洪英等五人牌位，五色紙旗五面，尺一把、秤一桿、劍一把、鏡子一面，中央插紅布“帥”字旗一面，嚴老五站在頭關，劉老九站在第二關，嚴老三在第三關內披髮仗劍，站在台上，入會各人俱拆散髮辮，用紅布包頭，先由頭關、二關報名，從刀下鑽過，再進第三關至嚴老三前盟誓，言明有事相助，不許翻悔畏避，各刺中指滴血飲酒，一齊磕頭結拜弟兄，將衆人姓名開列盟單焚化，衆人由火上跳過，以示同赴水火俱不畏避之意。因人數衆多，難於認識，遂以不扣外衣第二鈕釦為暗記。嚴老三又將會書內手勢口訣，傳授給衆人（註七七）。嘉慶十六年（一八一一）八月間，福建汀州府上杭縣人陳仁由貴州前往四川，從樂山縣赴雅州，行至犁頭灣地方時，被添弟會成員縛至張老五家，逼令入會，同吃血酒盟誓，經管會內名冊。由此可知閩粵地區向外遷移的流動人口遠至邊境各省，而將結盟拜會的風氣，傳佈至邊陲地帶，廣西、貴州、四川、台灣等地區的天地會、添弟會、小刀會，都是閩粵會黨的派生現象。從各會黨成員的原籍及結會地點的比較，可以瞭解秘密會黨的傳佈情形。

表一一：嘉慶道光時期福建秘密會黨傳佈表

| 年分 | 會名 | 會員 | 原籍 | 結會地點 | 備註 |
| --- | --- | --- | --- | --- | --- |
| 嘉慶四年 | 天地會 | 陳文韜 | 福建泉州府 | 福建福鼎縣 | 開山種地 |
| 嘉慶五年 | 小刀會 | 沈連 | 福建永定縣 | 臺灣鳳山縣 | 傭工 |
| 嘉慶六年 | 天地會 | 陳姓 | 福建同安縣 | 廣東海康縣 | 看相 |
| | 天地會 | 陳禮南 | 福建同安縣 | 廣東東莞縣 | 傭工 |
| 嘉慶七年 | 天地會 | 蔡步雲 | 福建漳浦縣 | 廣東歸善縣 | |
| 嘉慶十年 | 添弟會 | 黃開基 | 福建長汀縣 | 福建南平縣 | 縫紉 |
| | 百子會 | 黃祖宏 | 福建清流縣 | 福建甌寧縣 | |
| 嘉慶十一年 | 添弟會 | 李文力 | 福建晉江縣 | 福建南平縣 | |
| | 天地會 | 曾阿蘭 | 福建永定縣 | 江西會昌縣 | 唱曲 |
| | 天地會 | 何承佑 | 福建武平縣 | 江西會昌縣 | 唱曲 |
| 嘉慶十二年 | 天地會 | 游德 | 福建上杭縣 | 廣西向武土 | |

| | | | | | |
|---|---|---|---|---|---|
| | | | | 州 | |
| 嘉慶十三年 | 添弟會 | 闕曾亮 | 福建永定縣 | 江西長寧縣 | |
| | 洪蓮會 | 廖善慶 | 福建永定縣 | 江西安遠縣 | 小本營生 |
| 嘉慶十四年 | 添弟會 | 李發廣 | 福建武平縣 | 福建南平縣 | |
| 嘉慶十五年 | 添弟會 | 李文力 | 福建晉江縣 | 福建順昌縣 | |
| 嘉慶十六年 | 添弟會 | 陳　仁 | 福建上杭縣 | 四川雅州 | 小販 |
| 嘉慶十八年 | 花子會 | 俞添才 | 福建建寧縣 | 福建泰寧縣 | |
| 嘉慶十九年 | 拜香會 | 曹懷林 | 福建長汀縣 | 福建沙縣 | |
| | 仁義會 | 鍾和先 | 福建長汀縣 | 福建順昌縣 | |
| | 仁義會 | 黃開基 | 福建長汀縣 | 福建順昌縣 | |
| | 仁義會 | 李發廣 | 福建武平縣 | 福建建陽縣 | |
| | 添弟會 | 李文力 | 福建晉江縣 | 福建建陽縣 | |
| | 添弟會 | 陳蒲薩 | 福建莆田縣 | 福建建陽縣 | |
| | 仁義會 | 何子旺 | 福建光澤縣 | 福建建陽縣 | |
| | 仁義會 | 李青雲 | 福建上杭縣 | 福建順昌縣 | |
| | 仁義會 | 饒特昌 | 福建武平縣 | 福建甌寧縣 | |
| | 父母會 | 歐　狼 | 福建漳浦縣 | 福建霞浦縣 | |
| | 仁義會 | 李發廣 | 福建武平縣 | 福建甌寧縣 | |
| | 雙刀會 | 陳冬仔 | 福建建陽縣 | 福建甌寧縣 | |
| | 雙刀會 | 老　謝 | 福建汀州 | 福建甌寧縣 | |
| 嘉慶廿一年 | 添弟會 | 嚴老三 | 福建 | 貴州興義府 | 小販 |
| 嘉慶廿三年 | 太平會 | 闕曾亮 | 福建永定縣 | 江西定南廳 | 做烟 |
| 嘉慶廿四年 | 雙刀會 | 戴　仙 | 福建漳浦縣 | 廣東揭揚縣 | 堪輿卦命 |
| | 天地會 | 戴毓祥 | 福建漳浦縣 | 廣東揭陽縣 | |

資料來源：臺北國立故宮博物院、北京中國第一歷史檔案館典藏《宮中檔》硃批奏摺、《軍機處檔》奏摺錄副。

金蘭結義，結盟拜會，原本就是出外人離鄉背井後模擬家族血緣兄弟關係的異姓結拜活動。表中所列各起結會案件，是以原籍在福建各府廳縣，而結會地點，不在原籍者爲限。各會黨的會首或倡會者，其結會地點多不在原籍，可以說明秘密會黨的發展，與人口流動確實有密切的關係。同安、晉江等縣隸泉州府，漳浦縣隸漳州府，永定、長汀、清流、上杭、武平等縣隸汀州府，莆田縣隸興化府，建寧、光澤等縣隸邵武府，建陽縣隸建寧府。就各會黨成員的原籍加以觀察，表中所列會黨案件共三十四起，其原籍隸汀州府者共十九起，約佔百分之五十六，泉州府共六起，約佔百分之十八，漳州府共四起，約佔百分之十二，可以說明嘉慶年間以來，汀州府各縣向外遷移的人口，流動極爲頻繁，這一時期的結盟拜會案件，與汀州府外移人口有極密切的關係，此外，泉州、漳州各縣向外遷移的人口仍然很多。福建省境內的會黨分佈，可以從結會地點加以觀察，除台灣府外，福建內地的分佈，有其特色。福鼎、霞浦等縣隸福寧府，屬東北山區。南平、順昌、沙縣等縣隸延平府，甌寧、建陽等縣隸建寧府，泰寧縣隸邵武府，屬西北山區。表中所列福建省內地會黨分佈案件共二十起，其結會地點分佈在建寧府境內的共九起，約佔百分之四十五，分佈在延平府境內的共八起，約佔百分之四十，分佈在福寧府境內的共二起，約佔百分之十，由此可以說明嘉慶年間（一七九六～一八二〇），福建內地的秘密會黨，主要分佈於建寧、延平、福寧等府山區。至於鄰近福建的江西、廣東等省邊境地區也查獲會黨案件多起，福建向外遷移的人口，遠至四川、貴州等地區。在出外謀生的人口中，除了開山種地外，也包括傭工、看相、縫紉、唱曲、小販、做煙、堪輿卦命等行業，走卒販夫，浪跡江湖，說明了人口流動的頻繁。

廣東地區的地理特徵及其社會經濟的發展，與福建地區相當類似，嘉慶初年以來，民間結盟拜會的風氣，益趨盛行，地方大吏取締會黨，更是不遺餘力。肇慶府陽江縣平岡墟人關定進等，因在鄉間搶竊兇詐，被紳衿蔡耀等率佃戶毆打，並經陽江縣差役緝拏。關定進等冀圖報復，知悉村民仇大欽手下人多，且有膂力，附近村莊多被脅制，於是往見仇大欽，懇其糾人結拜弟兄，為其復仇洩恨。仇大欽應允，隨後糾得王者進等十一人，於嘉慶五年（一八〇〇）三月二十四日在淪水墟觀音廟內聚集，搭台拜會。仇大欽藏有天地會盟書一張，是福建漳州人何其昌所贈送，仇大欽即將舊存盟書填名改換首尾，不論年齒，群推仇大欽為會首。仇大欽慮拜會人少，又令關定進等分頭糾得施得立等八十四人，分為四起，於同年三月二十九、四月初二、初六等日先後在五馬嶺、紅奇山、白石嶺、黑石岡等處結拜，以仇大欽為會總（註七八）。

嘉慶六年（一八〇一）十月，廣東香山縣人黃名燦駕船載運柴薪赴新寧縣售賣，有平日熟識的譚亞辰到船上閒坐，邀約結拜天地會。嘉慶七年（一八〇二）五月初十日，黃名燦等六人在香山縣境牛角地方結拜，用木斗一個，內插五色小旗，鏡子一面，劍一把及剪刀等物置放桌上，再用黃紙開寫各人姓名、年歲及「情願姓洪，拜天為父，拜地為母，如有患難，兄弟相扶，負盟不義，死於刀下」等誓詞，在神前焚燒結拜，不序年齒，共推黃名燦為大哥。黃名燦等六人後來又分頭邀人入會，分別在洲門、沙嘴、三灶、蓮塘、牛仔尾等地結拜天地會，各以糾約人為大哥，俱使用“共洪和合結萬為記”暗號，刻成木戳，刷成紅白號，凡入會者每人分給二塊，一存各人家內，一帶自己身上，作為憑據，會中也使用「三八二十一，無錢亦食得」等口訣。

嘉慶五年（一八〇〇）五月，廣東新會縣人鄭嗣韜與黃思聘、伍允會等共談貧苦，鄭嗣韜憶及陳文南曾傳授天地會盟詞暗號，於是起意結會，隨後邀得黃思炳等十三年，於五月二十六日在新會縣屬牛過凹地方結拜。鄭嗣韜用木斗一個，斗內插五色旗五面，旗上書"日月清風令"五字，又插劍二口、剪刀、尺各一把，銅鏡一面，置放桌上，用黃紙開寫「衆兄弟沐浴拜請天地日月，各人以洪爲姓，患難相扶，拜天爲父，拜地爲母」等誓詞。歃血拜畢，鄭嗣韜持刀在手，口念「忠心義氣劍前過，不忠不義刀下亡」等語，然後令衆人各在刀下鑽過，日後聽其指揮，並傳授暗號，衆人分往各處結會，俱推鄭嗣韜爲總會首（註七九）。

嘉慶七年（一八〇二）七月間，惠州府永安縣人曾清浩等起意結拜天地會，遇事可以互相幫助。同年八月間，有青溪牛頭會成員內藍修文之父藍監生訪知曾清浩等人糾衆拜會，隨即率衆將起意結會的溫登元拏獲，送縣審訊，溫登元在監身故。曾清浩等心懷怨恨，起意搶殺牛頭會村莊洩忿，於是糾夥二、三千人，於同年九月二十六日祭旗起事（註八〇）。

潮州府地方，東界福建，西連惠州，西北一帶，層巒疊嶂，結盟拜會，蔚爲風氣。覺羅吉慶在兩廣總督任內曾訪知惠州、潮州一帶添弟會隨處皆有，於是親往惠州歸善等縣查辦。嘉慶七年（一八〇二）八月二十九日，覺羅吉慶具摺奏報歸善、博羅二縣民人加入添弟會者多達一、二萬人。其原摺指出，「博羅縣地方，向有潮州、嘉應、福建客籍民人耕種田畝，因爭奪水利，與土著民人多有不合，又間有被會匪殺傷人口之家，將投首之人仇殺者。」（註八一）博羅縣境內的客籍民人，就是當時外來的流動人口，除了潮州、嘉應州的游民外，也包含來自福建的流動人口，因爭奪水利而與博羅土著民人彼此不合，土客衝突，日趨嚴重，於是結盟拜會。在博羅縣境內的羊屎山地方，四面環山，地形險要，是添弟會黨夥藏匿之所。覺羅吉慶恐日久蔓延，於是飭調督撫兩標及各協營兵丁五千餘名分路勦捕，官兵先後擒斬三千餘人，附從正法民人多達七百餘人，誅戮過多，濫及無辜，是年九月間，博羅與永安等縣添弟會、天地會遂大舉祭旗起事。

賴六青是廣東長樂縣人，李阿七是揭陽縣人，彼此熟識。嘉慶八年（一八〇三）五月，溫唐五等赴賴六青家探望。賴六青憶及前在福建漳、泉各處聽說添弟會結拜儀式，於是起意商同結會，以便遇事幫助，並乘機搶劫。同年六月初十日，在長樂縣屬土名青子山地方敘拜，共七人，賴六青聲言自拜會以後，各人以"洪"爲姓，公推賴六青爲大哥。因人少不能搶劫，賴六青又令溫唐五等分頭糾人入會，先後於六月十三、六月二十四、七月初四、七月初八、七月初九、七月十三、七月十六等日，在長樂縣境內青子山、塘嶂山，揭陽縣屬大成嶺、籠充山、金山、濳門嶺，豐順縣屬埔子山等地結拜，其中溫唐五、李阿七、何阿常、曾左籠、高阿芝、張三朋爲各起會首，而以賴六青爲總會首（註八二）。

廣東東莞縣人蔡斗南與蔡廷仕是無服族兄弟，分村居住。嘉慶六年（一八〇一）二月，蔡廷仕遇素好的陳文安，言及聽從陳禮南糾邀結拜天地會。陳禮南被捕正法，蔡廷仕外出躲避。嘉慶八年（一八〇三）閏二月，蔡廷仕返家，起意糾人結會。同年三月十三日，蔡廷仕向蔡斗南買谷，欲其每斗照市價減錢三十文，蔡斗南不允。蔡廷仕即以時當青黃不接，不將稻穀在近村出糶，轉而載運出外獲利，斥其爲富不仁。蔡斗南亦斥蔡廷仕平日結交匪類，又短價勒買穀石，定當鳴官究治。蔡廷仕懷恨在心，起意搶劫蔡斗南貲財，隨後糾得三十四人，於三月十七日拜會，共推蔡廷仕爲總大哥，於三月十九日各帶刀械、扁挑、籮筐、布袋等物，前往蔡斗南家搜劫番銀、衣物、稻穀，並將蔡斗南房屋縱火焚燒（註八三）。

陳積引是廣東新寧縣人，嘉慶七年（一八〇二）六月間，有素識的伍允會勸說糾人結拜天地會，乘機搶劫村莊，陳積引應允入會，後因伍允會被下令緝拏逃走，未經結拜。同年九月初二日，有素識的梅瑞屋等先後到陳積引家內閒坐，談及貧苦。陳積引起意拜會，一共八人，每人出錢二百文交由陳積引買備香燭酒肉。九月初六日，在縣屬南岡廟內結拜。陳積引用木斗一個，內插五色小旗及鏡、劍、剪刀各物，置放桌上，用黃紙開寫「姓名、年歲及情願姓洪，拜天爲父，拜地爲母，如有患難，兄弟相扶，負盟不義，死於刀下」字樣，對神焚燒結拜，每人分給紅布一塊，作爲憑據，不序年齒，共推陳積引爲大哥。因拜會人少，不能搶劫，陳積引隨後又與梅瑞屋等商量各自分頭糾夥入會（註八四）。

曾佑卿是廣東博羅縣人，又名曾博羅，訓蒙度日。因有表兄陳淑向來在瓊州府瓊山縣境內貿易，於嘉慶九年（一八〇四）二月間前往倚靠。陳淑先已病故，曾博羅盤費用盡，不能轉回，只得沿街測字營生。三月二十六日，曾博羅遇見劉豆腐二，彼此接談，意氣相投，劉豆腐二即邀曾博羅至家住歇。四月初一日，有楊亞四等人赴劉豆腐二家閒坐，談及貧苦。曾博羅素知天地會結拜儀式，起意商同糾夥結拜，乘機搶劫財物。四月初五日，一共四十人在縣境大山水地方結拜，曾博羅傳授口訣暗號，分給劉豆腐二等人三角紅布各一塊，衆人共推曾博羅爲大哥。曾博羅因缺少路費，遂率同劉豆腐二等擁入王大美家搶取番銀十四圓、銅錢三千文，隨後被獲（註八五）。

梁修平是廣東新會縣人，廖景山是南海縣人，素相交好。嘉慶九年（一八〇四）七月初三日，廖景山糾同譚亞毓等行劫鶴山縣人陸日洪家，廖景山被拏解縣城。七月初十日，梁修平赴鶴山縣探親，聞知廖景山被捕，隨即糾得黎亞廣等共三十八人，於七月二十一日，在新會縣小橋村地方結拜添弟會，不序年齒，共推染修平爲大哥，約俟廖景山起解時邀齊搶奪（註八六）。蔡亞堂是海豐縣人，向與楊亞練等熟識。嘉慶九年（一八〇四）八月十六日，楊亞練等先後至蔡亞堂家閒坐，共談貧苦。蔡亞堂素與洋盜鄭烏豬熟識，聞知結拜添弟會好處後，起意商同糾人結拜，勾引鄭烏豬搶劫墟場。八月十八日，共糾得六十五人在菴後埔僻處結拜，共推蔡亞堂爲大哥，楊亞練爲二哥。與鄭烏豬相約於嘉慶十年（一八〇五）正月初二日夜間搶劫海豐縣梅壠墟（註八七）。關亞蘊是廣東龍門縣人，於是年正月十五日赴陳傳俊家閒坐，起意商同糾夥結拜添弟會，乘機搶劫村莊。正月十八日，共糾得四十二人，在長寧縣屬河峒地方結拜，共推關亞蘊爲大哥，陳傳俊爲二哥。正月二十一日，各持器械竄入龍門縣境內搶劫劉殿昌、劉得仁各家銀錢衣物（註八八）。

黃賢通是韶州府曲江縣人，曾在博羅縣謀生，稔知添弟會名目。嘉慶十年（一八〇五）正月初六日，黃賢通路遇王杜進等，坐談貧苦，黃賢通起意結拜添弟會。十一月十四日，共糾得五十六人，齊赴曲江縣與乳源縣連界江灣火燒山地方結拜，共推黃賢通爲大哥，黃賢通架起紅旗、雙刀，令各人鑽過。黃賢通結拜添弟會的目的，也是希圖搶劫村莊，得贓分用（註八九）。黃朱保是廣州府增城縣人，因犯命案脫逃，潛赴順德縣屬挑擔度活，與順德縣人嚴貴邱、吳亞如彼此熟識。嘉慶十六年（一八一一）十一月二十日，嚴佩玉等人赴嚴貴邱家探望。嚴貴邱談及彼此孤單，被人欺侮，起意結拜三合會。十一月二十五日，在嚴貴邱村外荒地，共六十六人，結拜三合會，共推嚴貴邱爲大哥。十二月初一日，共五十六人，在桂洲鄉外荒地結拜，共推黃朱保爲大哥。十二月初五日，共五十人，在吳亞如村外荒僻地方結拜，共推吳亞如爲大哥（註九〇）。

賴元旺是惠州府永安縣人，嘉慶十九年（一八一四）九月，賴元旺與李斯軒等共談貧苦，賴元旺憶及數年前出外算命時曾得到木戳兩個，破書兩本，內有拜會歌訣，遂起意結拜天地會。九月二十六日，共三十人，齊集於永安縣屬烏石約山僻地方結拜。賴元旺懸掛鐵劍，令衆人分飲鷄血酒，傳授暗號，分給衆人白布各一塊，書寫名字，鈐蓋木戳，作爲拜會憑據。韶州府仁化縣人鄒亞才即鄒有才，傭工度日。嘉慶二十年（一八一五）九月十八日，鄒亞才途遇素識的劉錦茂，互道貧苦，起意結拜天地會。九月二十日，共邀得五十二人，在仁化縣屬渡落古廟內會齊結拜，公推劉錦茂爲大哥。同年十月二十五日，鄒亞才在曲江縣屬籠歸墟外古廟內聚集十二人結拜天地會，公推鄒亞才爲大哥。

天地會、添弟會名目，普遍見於廣東各府廳縣，嘉慶年間以來，其他會黨名稱亦相繼出現。嘉慶五年（一八〇〇）五月，廣東學政萬承風具奏時指出惠州府陸豐縣人李崇玉等結會斂錢，取名共合義會（註九一）。嘉慶十九年（一八一四）二月，廣州、肇慶等府則有復興三合會名目的記載（註九二）。嘉慶二十四年（一八一九），御史黃大名於〈條陳廣東積弊〉一摺中指出「廣東三合會名目即從前之添弟會」（註九三）。道光十一年（一八三一），給事中劉光三亦奏稱三合會即添弟會的遺種。御史馮贊勳祖籍廣東省，深悉三合會內情，是年五月，馮贊勳奏聞三合會糾結多年，勾連五、六省，分爲五房，福建爲長房，廣東爲二房，雲南爲三房，湖廣爲四房，浙江爲五房。每房各有首領，以五色分爲旗幟，入會者授以口號，各執圖一張，「愚民多墮其局中，吏役兵丁半皆羽翼。」（註九四）廣州府屬清遠、從化等縣，韶州府屬英德等縣，俱爲三合會的活動地點。

廣東惠州、潮州、嘉應州所屬地方，雙刀會的勢力，頗爲浩大。福建漳浦縣人戴仙，原名戴毓祥，素習堪輿卦命。道光二十三年（一八四三）七月間，戴仙至廣東惠州府陸豐縣大安圩地方擺攤算命，有長樂縣人曾阿三常至大安圩，與戴仙敘談，彼此熟識。曾阿三告知戴仙，前在漳州生理時，曾拾得天地會歌訣圖一張，帶於身邊，遇事有人相助，戴仙即用布照樣畫寫一張。道光二十四年（一八四四）八月，戴仙至揭陽縣地方，假冒曾阿三姓名，捏稱天地會大哥，與當地會黨首領林阿隆、黃大頭等聯爲同黨。潮陽縣人黃悟空也是天地會的會員，是年四月初五日，因挾族人黃銀生爭水之嫌，糾同會內黃寬書等將黃銀生殺死逃避。八月二十六日，黃悟空商同林大眉、黃阿隆等分頭糾人入會，因天地會名稱沿用已久，恐難吸收會員，遂改名雙刀會。八月二十八日，共糾得十一人，在林大眉居住的港內鄉外涵元空廟內設壇結拜，共推黃悟空爲大哥。壇上供設洪令牌位。黃悟率衆跪拜，另紮篾圈爲門，架起雙刀，衆人由刀下鑽過。黃悟空傳授口訣暗號，每人分給會單一紙，宰雞滴血入酒分飲後各散。其後黃悟空因拜會人少，又製得紅布三角洪令小旗，上寫“靝黖岃”字樣，意即“天地會”三字，作爲憑信，交給林大眉等十人，分頭糾人入會，先後共糾得一百八十人，分作五起，於九月初八、九、十三、十八、二十六等日，在港內、港尾、浦東、港邊、竈浦等處結拜，以林大眉、黃阿隆、李阿宅、黃阿五、黃阿璧爲各起大哥，而以黃悟空爲會總。戴仙聞知黃悟空拜會後亦商同林阿隆、黃大頭糾人結拜，遂取出會圖，添寫「雄兵百萬，英雄盡招」等字樣，並倣照黃悟空會單，刊刻木板及三省玉記圖章等，共糾得一百五十二人，分作四起，於九月二十八等日，在揭陽縣屬楊厝菴等處結拜，以林阿隆等爲大哥，戴仙爲會總，模倣雙刀會儀式結盟拜會，分給會單（註九五）。

周佩居是廣東香山縣人，道光二十四年（一八四四）十一月二十六日，周佩居至素識的高名遠家閒坐，談及彼此孤單，恐人欺侮，起意商同拜會，以便遇事可以互相幫助。隨後糾得黃孔懷等六十八人，於十二月初二日在香山縣屬草旅山地方結拜，共推高名遠爲大哥，設立洪令牌位，高名遠率衆跪拜，另結篾圈爲門，門口架起紙刀兩把，令衆人從刀下鑽過。次年九月，高名遠等五十八名被捕，據高名遠供稱：「憶及舊時外出生理，路過不識地名山洞邊拾得布包一個，內有天地會名目會簿一本，起意商同糾夥拜會，遇事互相幫助，兼可恃衆搶劫。」高名遠結盟拜會後，改立隆興會。據供：「因天地會名目已久，恐難煽惑，遂改名隆興會。」（註九六）。

嘉慶、道光時期，廣東境內的各種會黨，活動較爲頻繁的地區，主要是分佈於惠州府永安、海豐、博羅、歸善、陸豐、龍川等縣，潮州府揭陽、豐順等縣，廣州府順德、龍門、新會、新寧、東莞等縣，韶州府仁化、曲江、乳源等縣，嘉應州長樂等縣，瓊州府瓊山等縣，肇慶府陽江等縣，其中以天地會、添弟會的勢力最盛，其餘三合會、三點會、雙刀會等多從添弟會或天地會衍化而來。

福建與廣東接壤，粵人除了進入漳州等地謀生外，也湧入福建西北內陸墾荒種地。進入福建的廣東流動人口，多爲生計所迫的貧民，出外人爲了立足異域，有的糾邀同鄉結盟拜會，有的糾邀客籍移民結拜弟兄，有的加入當地會黨，以求自保，從閩粵流動人口倡立會黨的經過，有助於了解從傳統社會游離出來的流動人口自我調適的共同模式。例如李青林是廣東人，前往福建建陽縣謀生，嘉慶十九年（一八一四）六月，李青林結拜仁義會，有江西人劉祥書等人聽從入會（註九七）。

李江泗是廣東龍川縣人，在廣東加入三點會即雙刀會，後來到福建邵武縣開張雜貨店。李魁又名鄒李魁，也是廣東龍川縣人，十餘歲時，前往福建邵武縣搭廠種茶，與李江泗是同鄉，彼此素好。道光十三年（一八三三）八月，李江泗至李魁山廠，告知前在廣東加入三點會即雙刀會，同會之人，有事互相幫助，今寄居異地，欲糾人結會，以免被人欺侮，邀李魁入會，李魁允從，與江西贛州府人王萬太等四人同至李江泗家，拜李江泗為師。李江泗用紅紙寫“五祖之位”四字，貼在壁上，作為牌位，又用五色紙五面及剪尺戥等各一件，插放米斗內供奉。李江泗自立上首，設一竹圈，其圈上紮縛木柄兩把，令李魁等先向牌位叩拜，各由圈內鑽過，立誓入會，「後如有異心，死於刀下」。李江泗將各人姓名開單焚化，宰鷄取血，並在衆人左手食指上用針取血滴入酒內，各飲一口。李江泗傳授開口不離本，起手不離三歌訣，如有人問姓，答云：「本姓某，改姓洪」，接遞物件，只用三指。每日上午，髮辮自右盤左，下午自左盤右，胸前鈕釦解開兩顆，折入襟內，以為同會暗號。李江泗患病時，告知李魁，三點會原係添弟會，又名三合會，歌本所載五房吳天成等名目及紅布所寫“彪𧇊𩨃𣃵𠜾”等字，是結會舊套。同年九月，李江泗病故。嗣後，李魁因有歌訣，多次糾人結拜三點會（註九八）。閩浙總督鍾祥具摺指出邵武等府的三點會，就是從前閩粵各省辦過添弟會的“餘孽”，變易其名而來。

秘密會黨在本質上就是異姓弟兄的金蘭結義，其中兄弟會的名目，頗能反映秘密會黨的四海皆兄弟的精神。道光六年（一八二六）四月間，台灣彰化廣東莊被漳、泉民人大肆焚搶，淡水廳屬粵籍客家各莊，憤圖報復，遂引發分類械鬥。銅鑼灣廣東莊巫巧三等人起意結拜兄弟會，又名同年會，議明日後與人爭鬥，同心協力，互相幫助。兄弟會成員多達四百餘名，迭次攻打漳、泉各莊，其中蘆竹濫、南港、貓裏、後壠、中港等處被害尤烈，殺傷多人（註九九）。

江西與福建、廣東接壤，江西南部的贛南盆地，與廣東連界，從廣東湧入江西贛南盆地的流動人口，接踵而至。江西秘密會黨的發展，與廣東人口的流動，也有密切的關係，嘉慶年間以來，江西天地會、添弟會、三點會等會黨盛行的地點，多鄰近福建、廣東，可以說明江西早期會黨就是閩粵人口流動的產物。楊金郎原籍在廣東東北部北邊嘉應州瀕臨武平水支流北岸的平遠縣，從平遠縣溯流而上，越過邊界，即進入江西省境內，楊金郎即寄居鄰近原籍的江西長寧縣。吳復振是廣東惠州府龍川縣人，龍江縣城瀕臨東江上游龍川江西北岸，溯流而上，亦可進入江西長寧縣。嘉慶十年（一八〇五）八月，楊金郎聞知盧盛海是天地會首領，加入天地會後可免外人欺侮，領得紅布花帖後又可另行傳徒斂錢，楊金郎等人前往江西會昌縣拜盧盛海爲師。次年三月，吳復振亦至會昌縣拜盧盛海爲師。楊金郎、吳復振等人入會時，盧盛海俱設立萬提喜即洪二和尙牌位，用布搭於兩旁椅背作爲布橋，令楊金郎等鑽過，盧盛海口誦「有忠有義橋下過，無忠無義劍下亡」等詩句，又傳授“三八二十一”暗藏“洪”字等口訣暗號。同年九月，楊金郎回到廣東，在和平縣收縣民廖月似等爲徒（註一〇〇）。後來廖月似收廣東平遠縣人闕祥、江西安遠縣人朱石崇等人爲徒。北京中國第一歷史檔案館藏有盧盛海等結拜盟誓單，其內容如下：

自古稱忠義兼全，未有過於關聖帝君者也。溯其桃園結義以來，兄弟不啻同胞，患難相顧，疾病相扶，芳名耿耿，至今不棄。似等仰尊帝忠義，竊勞名聚會。天地神明五穀帝主韓朋、日朋〔月？〕星光財帛星君韓福、玉皇上帝司命五帝鄭田、觀音佛母五雷神將李昌國四位大將軍，上天神母二劍神將玄天上帝福德龍神關天成、李色弟、方大洪、張元通、林永招五房大哥，迦蘭音薩三十六名天罡將，五顯大帝七十二名地煞星，岳王爺七鹽米二將軍，本坊福德土地萬提喜大哥，後五房大哥，暨歷代大哥，傳鐵鼻大哥，傳黃清大哥，傳盧盛海，傳曾昌漢大哥，傳邱琮沅大哥，傳周達濱大哥，傳兄弟劉梅占。何周德即夜在厶處招集聚會，眾姓兄弟花名于左。今據濱等非敢以邪慝爲心，忘〔妄〕生異志，愿同心同力，凡持身處世，不敢有負神恩，忘背恩義。自盟之後，兄弟情同骨肉，勝似同胞，吉凶則彼此相應，貴賤則甘苦同情，是非則神靈默佑，愈久愈昌，不敢口吐詩句，自言不敢以大壓小，以強欺弱，不敢謀騙兄弟財產、奸淫義嫂，不敢臨身退縮，借公挾私。不照狀書施行，諸神共誅。如依此盟，天神共降，富貴綿綿，福壽祿全，子孫昌盛，奕世書香，伏望神祇鑒察。順天年月日（註一〇一）。

異姓弟兄結盟拜會以後，情同骨肉，勝似同胞，吉凶相應，甘苦同情，就是桃園結義的宗旨。楊金郎在廣東結會時，聞知三點會的成員周達濱被拏正法，畏罪逃避（註一〇二），又轉往江西安遠縣。福建永定縣人廖善罄即廖玉章等拜武平縣人鍾碧珍爲師，加入三點會。嘉慶十三年（一八〇八）二月，廖善罄等人逃至江西安遠縣，與楊金郎、朱石崇等談及三點會奉官查禁，於是商改三點會爲洪蓮會，並編寫禁約，入會領約者，稱爲放洪（註一〇三）。同年三月間，江西破獲邊錢會。黃廝子是撫州府崇仁縣人，求乞度日，有素識的鄒麻子起意結會，黃麻子等四十三人俱各允從。三月十六日，在樂安縣會齊，寫立關帝神位，傳香跪拜。因鄒麻子年長，共推為老大，其餘依齒序分為一肩至七肩，將錢一文，分作兩半，一邊交老大收藏，一邊存會內能幹者收執，作為聚散通信的憑據，故取名邊錢會。凡是乞丐入會時，出米一升，竊賊亦許入會，或出鷄一隻，或出錢一、二百文。會中設立禁約，不許強劫放火。擔子會也是撫州府境內的乞丐異姓結拜結織，嘉慶十九年（一八一四）五月十三日，盧太文等四十四人在撫州府東鄉縣窟下墟山窩內歃血結拜擔子會。會中成員，晝則為乞丐，夜則行竊勒詐。

廣東惠州府境內的和平縣，位於九連山之東，龍川縣西北，北隔定南水就是江西定南廳境。僧宏達是廣東和平縣人，到江西定南廳塔下寺披剃為僧，與來自和平縣的吳亞妹因係同鄉，彼此熟識，常相往來。嘉慶十九年（一八一四）閏二月，吳亞妹至塔下寺，談及曾入三點會，勸令僧宏達入會，以免受人欺侮，遇貧乏時，同會弟兄彼此出錢照應。僧宏達應允入會，兩人先後糾邀劉長生等三十人，於閏二月二十三日晚間齊集於定南廳銅鑼垳空屋內舉行結拜儀式。吳亞妹將條桌兩張用凳墊高，上擺穀桶，內插白紙小旗兩面，秤、尺、剪刀各一把，紅布一幅，紙牌一個，上面書寫洪二和尚萬提喜名號，又貼紅匾，上面書寫“忠義堂”三字，下面書寫“雲白連天”四字，桌下放磚三塊，吳亞妹點起香燭，手執菜刀，站在桌旁，令僧宏達等人從桌下鑽過，稱為鑽橋。吳亞妹口誦「有忠有義橋下過，無忠無義刀下亡」等詩句，並傳授口訣暗號，宰雞取血，各刺指血滴入酒內同飲，俱拜吳亞妹為師，每人各送給吳亞妹錢二、三百文至四、五百文不等（註一〇四）。

江西龍南縣屬於贛州府，相距九連山不遠，從廣東連平州北越九連山，即入江西贛州府龍南縣境。連平州人邱利展到江西龍南縣謀生，與龍南縣人鍾錦龍彼此熟識。嘉慶十九年（一八一四）三月，鍾錦龍聽從邱利展糾邀，結拜三點會，聲稱入會以後，遇事互相幫助，可免被人欺侮。邱利展排列案桌，上設香燭紙旗，及洪二和尚萬提喜牌位，又用白布在椅上搭作橋式，令鍾錦龍等人從橋下鑽過立誓，宰雞滴血入酒同飲。邱利展傳授口訣暗號，並給與鍾錦龍俚詞紅布一塊，其紅布俚詞內有「五祖分開一首詩，身上洪英無人知，自此傳得衆兄弟，後來相見團圓時」等語。同年四月間，鍾錦龍先後結拜三點會多次，入會者衆多（註一〇五）。

從廣東南雄縣北上越過大庾嶺，即進入江西崇義縣境。謝羅俚是廣東人，到江西崇義縣開張雜貨舖，與崇義縣境內義安墟人鍾體剛彼此交好。嘉慶十九年（一八一四）七月，謝羅俚與鍾體剛等人起意結拜添弟會，並藉拳棒符書招人入會，以便遇事相助，而且可以欺壓鄉愚。同年八月初一、九月初一、十月十五等日，鍾體剛糾邀葉秀發等人在義安墟眞君廟內三次結會，設立祖師馬朝柱牌位，公推鍾體剛爲老大。江西巡撫阮元指出歷次查辦會黨所設牌位均係萬提喜即洪二和尚之名，而鍾體剛所立牌位是湖北羅田縣白蓮教要犯馬朝柱，且盟誓中有「無論兵役，同心抵拒」等語（註一〇六）。

江西贛州府所屬廳縣，由於結會風氣盛行，而彼此模倣。長寧縣生員郭秀峰和羅曰彪素不相能，嘉慶六年（一八〇一），郭秀峰斥罵其妻彭氏賭博，以致彭氏自縊身故。嘉慶十五年（一八一〇），羅曰彪調戲劉宗德之妻，兩人先後被褫革發落。後來郭秀峰易名投充刑書，又經長寧縣查出斥革。嘉慶十八年（一八一三），郭秀峰因莊屋在三標墟，恐鄉居被人欺侮，而起意結盟立會，遇事相助。同年十二月十三日，共糾得四十一人，在郭秀峰莊屋內齊集結拜，取名忠義會，不序年齒，共推郭秀峰爲老大，郭秀峰傳授暗號，相見時以手揣摸左耳爲認識暗號，將雞頭斬下立誓，遇有事犯案及與外人爭鬥不相扶助者即如雞頭一樣，並取雞血滴酒分飲各散。斥革生員羅曰彪聞知忠義會人多勢衆，恐郭秀峰恃衆欺侮，亦起意糾人結拜，以圖抵敵，隨後邀得黃鷹揚等四十人，於嘉慶十九年（一八一四）三月初四日在三標墟五顯廟內聚集結拜，取名五顯會，共推羅曰彪爲老大，亦斬雞頭立誓。因會中以羅、黃、胡三姓之人最多，羅曰彪即將三姓漢字內頭腳及偏旁各字作爲同會相認口號，亦即取"羅"姓的"四"，"黃"姓的"八"，"胡"姓的"月"，頭腳偏旁三字作爲會員相認的口號（註一〇七）。郭秀峰和羅曰彪都是江西長寧縣人，同時又是被斥革的生員，彼此素不相睦，兩人在地方上都喜愛結交"不逞之徒"，因此，郭秀峰所倡立的忠義會和羅曰彪所倡立的五顯會，都是地方性的械鬥組織。

道光年間，江西贛州、南安、吉安等府所查獲的添弟會、添刀會、三點會等案件，更是層出不窮。各會黨的倡立者，含有頗多的客籍游民，其中來自廣東者尤夥，例如戴奉飛是廣東興寧縣人，在江西南康縣謀生。嘉慶二十三年（一八一八），江西長寧縣人李詳誥投拜戴奉飛爲師，在南康縣地方結拜添弟會。道光元年（一八二一），江西南昌府有王明顯等人結拜邊錢會，龍泉縣地方有張華斗等人結拜添弟會（註一〇八）。同年，雩都縣水頭里地方，有謝拒本等糾人結拜洪連會。道光四年（一八二四）六月間，江西南安、吉安等府破獲添刀會案件。御史熊遇泰指出贛南一帶，會黨燒香結盟，每人帶刀一柄，名爲添刀會，又名千刀會，聚黨至數百人，出沒無常。道光五年（一八二五）冬間，興國、雩都、瑞金地界，一日之內，疊劫商販至五十餘起。御史王贈芳亦奏稱吉安府屬泰和、萬安等縣，會黨多與私梟合而爲一，或名添刀會，或名添弟會，又稱千刀會，均自南贛延入吉安。道光九年（一八二九）十一月，暫理江西巡撫韓文琦具奏時指出南安府上猶縣地方有鄒學洪、吳潮文等人加入添地會，會中揭貼所寫，多係添弟會內流傳俚語，不成文理（註一〇九）。道光十年（一八三〇）十一月，〈寄信上諭〉內亦指出南安一帶，向有添弟會名目，時常約期拜會，千百成群，劫掠搶奪，又名添刀會，每人隨身帶刀一把，油紙一張，散佈村落蹊徑之間，遇有攜帶財物者，四集圍捆，劫掠一空。添弟會的本質原是一種異姓弟兄結拜組織，增添弟兄，以便遇事相助，會中成員各人帶刀一把，每添弟兄一人，即添刀一把，故稱添刀會，又名千刀會，以示兄弟衆多。因此，添刀會的名稱當是由添弟會演變而來的（註一一〇）。

道光年間，江西三點會的案件，層見疊出，屢經破獲。贛州府信豐縣人黃百幅，測字度日，道光二年（一八二二）九月初，黃百幅與同縣黃沅瀧、鍾心瀧、張北斗等人在南康縣會遇上猶縣人毛元奇，毛元奇告知「係添弟會即三點會內人」，拜師入會，可免外人欺侮。九月初九日，黃百幅等人聽從糾邀，拜毛元奇爲師，結拜三點會。毛元奇將花帖分給黃百幅、鍾心瀧等人，以便自行傳徒。其後毛元奇於另傳徒弟王貞才時被通緝逃避，而將其祖師所傳的長方三角木戳二顆及符書一本交給黃百幅收存。張北斗被拏獲後，發遣新疆回城爲奴。道光六年（一八二六）七月十九日，信豐縣人陳土養等人在定南廳地方拜溫塊老爲師，加入三點會。次年五月，黃百幅、鍾心瀧在信豐縣地方，各自糾人結拜三點會。同年六月，陳土養、郭文瀾在信豐縣地方，各自糾人結拜三點會。道光八年（一八二八）二月，黃百幅等八十二名被拏獲，搜出符書一本，內載扎付式樣，書明“招集人才”字樣，扎尾有“周四年”等字，註明“順天”、“天運”年號，因屢經查禁，改用“周”字，取“天運周流”之意。另外起出長方木戳一顆，上刻“萬大哥行令”五字。三角木戳一顆，上刻“同心協力”四字。黃百幅在安遠地方出生，小名安遠，遂自稱安遠公，黃沅瀧爲將軍，鍾心瀧則任副總府，張貴任守備，設官分職，但在起事以前，已被破獲，當黃百幅等三十六名被拏獲後，供稱俱係添弟會的成員（註一一一）。

道光十二年（一八三二）六月，御史鮑文淳奏請嚴辦江西三點會，軍機大臣遵旨寄信江西巡撫周之琦嚴拏究辦。隨後拏獲三點會要犯張義老、黃老萬等人，周之琦親提研鞫。張義老又名曾大漢，籍隸清江縣，先因在籍行竊，及兩次聽從鄒接麻子等人結會案內擬軍發配浙江。嘉慶二十五年（一八二〇），遇大赦釋回，求乞度日。道光十年（一八三〇）五月，張義老與聶新子等各談貧苦，起意結會，隨後邀得黃廣六等二十六人結會，共推張義老爲老大，黃廣六善走，被推爲老滿頭，其餘分一肩至十肩名目，立有禁約，不許強劫、放火、姦淫婦女，若有違犯，聽老大責罰。又公出錢文，各打銀戒指一個，暗作記認，以爲入會憑據。結拜時，凡是乞丐，出米一升，竊賊出雞一隻，及錢二、三百文不等。五月初四日，張義老等在清江縣山僻地方寫立關帝神位，傳香結拜後各散。同年七月初五日，陳毛俚等人也在清江縣山僻孤廟內結拜三點會。黃老萬是南昌府豐城縣人，又名黃萬仔，傭工度日，道光十一年（一八三一）十一月十五日，在臨川縣孤廟內設立神位，結拜三點會，分一肩至六肩，會中禁約，與邊錢會相近。

三點會的要犯張北斗發遣回城爲奴後，因在阿克蘇遣所隨同官兵作戰出力，於道光十一年（一八三一）六月免罪釋回，發給印照回籍。次年四月，張北斗抵達原籍，因貧苦難度，起意結會斂錢使用。同年五月初四日，張北斗會遇王老二，告知入會後的好處，王老二聽信入會，在信豐縣崇仙墟廢篷內結拜三點會，拜張北斗爲師，並致送錢一千文。王老二入會，照舊傭趁營生。道光十三年（一八三三）六月初五日，王老二亦因乏工窮苦，糾邀二十六人在信豐縣龍下堡地方結拜三點會，各送給王老二錢二、三百文至五、六百文等（註一一二）。道光二十四年（一八四四）正月，廬陵縣人胡世逢在蕭騰芳飯店閒坐，與楊家樑等各道貧難，起意行竊，同夥十三人，各攜小刀，行竊東和縣事主黃利東家的銀錢首飾衣物，旋被拏獲，楊家樑等被正法，胡世逢等發遣新疆給官兵爲奴。道光二十七年（一八四七）七月，胡世逢潛逃回籍，與董光華會遇閒談，董光華告知曾入三點會，勸令胡世逢入會，胡世逢允從，即在山僻空廟內結拜。嗣後胡世逢仍因貧苦難度，先後多次糾人結拜三點會，斂錢使用（註一一三）。

江西寧都州橫石村口有眞君廟一座，建自乾隆五十八年（一七九三），道光九年（一八二九）重修。橫石村人蕭愛子，平日挑賣零油營生，常往來於福建光澤縣售賣。蕭愛子素不安分，村人有事，均須具報，由蕭愛子作主，否則尋事欺侮，因此，有蕭都管綽號。道光十一年（一八三一）五月，蕭都管因鄉村時有竊賊，起意邀同蕭祥占等二十九人，各出錢文，設立鐵尺會，如遇會中成員被竊，彼此幫同捉賊搜贓，給還失主，竊賊經毆打釋放，以免報官查辦。若會外人失竊，則瞞著事主，捉賊毆打，詐出贓款分用。蕭都管陸續在荒貨擔上買得鐵尺八根，於同年八月十二日在橫石村眞君廟會齊拜神後，同赴蕭都管族衆大廳飲酒結拜。蕭都管自留鐵尺一根，其餘七根分給出錢較多的蕭祥占等七人。會中置有田產，設立名冊號簿，貯放之所，稱爲金櫃，通信之人，稱爲走關。每年八月十二日，各出錢一千文，在眞君廟拜會，所以又稱爲眞君會。

撫州府宜黃縣譚坊地方，有鄒良俚、鄒松俚兄弟二人，平日爲人強橫，賭博訛詐，鄉人畏懼，兄號梁王，弟號松王。家中供有天罡星神牌位，遇有村鄰患病請治時，鄒良俚兄弟即約會族人七、八人至十數人，臨時用紙書寫天罡神牌位，用架扛抬，各執鐵叉，問明病人常走道路，沿途吶減收魂，不准行人擋道，外人稱之爲天罡會，或鐵叉會，俟病人痊愈，則宴請酒飯酬謝，並不收斂錢財（註一一四）。江西道監察御史金應麟具摺指出鄒姓兄弟名下各有六、七百人，兄弟出入，必乘大轎。天罡會內編有仁義禮智信字號，刻有印信，遇有事件，先呈頭目，持其印票往召，各字號如約而至。若有緊急者，封上加插雞毛，急於風火，嚴如軍令。每月皆有會期，屆期，頭目升堂，會中人各帶軍器防身，頭目先剖決是非曲直，或罰或責，無不聽命，然後設宴共飮，叫跳喧呼，至夜方散，地方官畏其人多，不敢究辦（註一一五）。

贛州府雩都縣地方出現的長江會，亦橫行鄉里，地方官也不敢過問。雩都縣人曾輝要以裁縫爲生，道光十六年（一八三六），曾輝要赴京抱控，略謂雩都縣所屬龍頭壩市有蕭輝章等多人結拜天地會，改名長江會，在鎭上把持市面，暴寡凌弱，地方官不肯究辦。道光十五年（一八三五）六月十四日，長江會的會首蕭輝章家遺失牛隻。竊賊袁泳榜誣陷素有嫌隙的堂姪曾興萓偷牛，蕭輝章率衆捆去曾興萓，拆毀房屋，搶走傢具。曾興萓之母曾劉氏赴蕭輝章家哀求，仍不允釋放。六月十八日，蕭輝章將曾興萓及袁泳榜一併捆在河壩樁柱，用火燒斃，屍骨成灰。曾劉氏令曾衍造赴縣呈報，未予受理。閏六月初八日，曾輝要同堂弟曾衍迪赴贛州府江西巡撫前呈告，被批回雩都縣辦理。蕭輝章請托訟棍劉鴻舉賄囑代書易應兆改換原稿，以致雩都縣久未拏人究辦（註一一六）。長江會欺壓善良，地方官未加取締，遂肆無忌憚。

由於社會普遍的貧窮，乞丐在江西下層社會中佔著相當高的比率。浙江道監察御史易鏡清具摺指出江西廣信府屬上饒、廣豐等縣、福建建寧府屬崇安、浦城等縣，浙江處州府屬龍泉、慶元等縣三省毗連地區，犬牙相錯，崇山邃谷。乾隆年間，因朱毛俚起事時倚此爲根據地，後經封禁，成爲流丐棲息之所。道光年間，有一種流丐盤踞其中，組成花子會，都是各處無賴之徒，藉乞食爲名，成群結黨，擾害居民，百姓畏其兇惡，不得已聽其詐索，交付規錢，即可相安無事，否則尋釁栽害，勒詐不休，必倍出其費而後已。會中有大會首、副會首、散頭目等組織，以所糾人數多寡分別頭目大小。散頭目向居民歛取的銀錢，先交副會首，再轉交大會首。在縣治附郭城鎮居民入會者，雖較罕見，但在四鄉村鄰的窮民，多受其誘脅入會，以致無處無丐，無丐非會。每年五月十三日，在各古廟僻野聚會一次，蒸搗糯米爲食，俗稱餈巴，所以花子會又名餈巴會。會中召集成員的方式是以竹筷纏紮雞毛，上繫銅錢一枚，分頭傳示，會員一見，立即趕往指定地點。其銅錢分爲紅黑白三色，以紅色最爲緊急，百里之外聞信後，限一日內必至。又有喫水放水之稱，會員中若有暗中爲官差作眼線被拏後立斃其命。此會轉入他會時，則有鑽圈跳圈之號，居民畏其人衆報復，不敢告發，地保鄉約得規包庇，地方官因流丐強索，事涉細微，並不置意，以致善良受其魚肉（註一一七）。

關爺會恃衆搶劫，也是一種訛詐集團。道光二十七年（一八四七）正月間，江西長寧縣人謝詞封與凌成榮等談及贛州一帶向有天地會，彼此幫扶，可以免人欺侮，結夥訛詐，可以得贓分用，於是起意糾人結會，因天地會歷奉拏辦，恐致張揚敗露，所以改名關爺會，以圖掩飾，蔽人耳目。正月二十六日，共二十四人，在謝詞封家會齊，謝詞封用紅紙寫立關爺會牌位，又做成布旗五面，每面書寫"忠義堂"三字，插入米斗之中，買備香燭雞酒供奉，登記入會者姓名，然後向神牌跪拜，不序年齒，謝詞封自居爲總老大，凌成榮、僧道禪、易永盛各爲散老大。謝詞封站立上首，口念「有忠有義，無得欺兄騙弟，如有欺騙，立見消亡」等語。會中規定總散老大有事呼喚，會員不許不至，會中各以髮辮左盤爲記。因會員不多，於五月二十四日又糾集七十二人結拜關爺會。五月二十九日，謝詞封傳集會員入城搶劫（註一一八）。江西道監察御史金應麟具摺時已指出，「江西一省會匪衆多，從前遇案懲辦，尙知畏法，自近今數年以來，大吏意在更改舊章，掃除醜類，地方官懼其人多勢大，難於遍拿，遂至多方隱諱，沈擱不辦，其毗連閩省之處，互相推諉，任共橫行，以至日積日多，肆無忌憚，即有良善，亦被脅從。」（註一一九）江西會黨盛行，裹脅日衆，各會黨強調對內的互相幫助，對外卻結夥訛詐，恃衆搶劫，對整體社會而言，却產生嚴重的負面作用。

嘉慶年間，從廣東進入廣西的流動人口，與日俱增，更助長了廣西結盟拜會風氣的盛行。嘉慶十年（一八〇五）正月間，廣東人何有信，因劃傷州民陸技伸幼女身死逃往廣西。翌年八月，何有信聽從梁大有在廣西南寧府宣化縣方仕倫家結拜天地會，共二十三人，相約遇事互相幫助（註一二〇）。李元隆、楊開泰等人，籍隸廣東，向在廣西營生。嘉慶十二年（一八〇七）三月，李元隆等人欲復興天地會，在廣西平樂縣隴家嶺地方糾邀九十餘人結拜天地會。周宗勝是廣東南海縣人，於嘉慶十一年（一八〇六）四月間前往廣西上林縣傭工度日，與李桂等人熟識。嘉慶十二年（一八〇七）五月初八日，周宗勝與李桂起意結拜天地會，以便遇行劫打降時可以有人相助。隨後邀得陳老二等三十人，於五月十三日同至上林縣東山嶺關帝廟內結拜天地會，每人各出錢二百文，俱交李桂買備雞酒香燭等物，共推李桂爲大哥，周宗勝爲二哥。李桂將同會三十人按照會名分爲天、地兩號，李桂管天號，周宗勝管地號，俱爲會首，其餘會員各自第二起至第十五止，用紅紙條寫明號序，捲作二十八筒，令陳老二等二十八人隨手拈定名次，李桂、周宗勝二人同時上前拈香，其餘依次隨後跪拜，各人割破指尖出血，同雞血滴酒分飲盟誓，李桂傳授「出手不離三，開口不離本」十字暗語，遇事彼此幫助，不許悔盟（註一二一）。

林瓊宴是廣東始興縣生員，嘉慶十二年（一八〇七）七月，林瓊宴前往廣西向武土州堪輿爲業。同年八月，林瓊宴在向武土州把荷墟會遇福建汀州府上杭縣人游德，各道貧苦，游德勸令林瓊宴加入天地會，交給紅布腰憑二塊。嘉慶十三年（一八〇八）三月，林瓊宴糾邀三十九人在奉議州瓦窰結拜天地會，林瓊宴自爲師傅，派張經伯爲　哥。同年五月，糾邀十七人在駝寧地方拜會。七月至十二月間，又結會五次，林瓊宴俱自稱師傅。在歷次結會儀式中，林瓊宴俱供設腰憑，稱爲師　憑據（註一二二）。

鍾亞茂是廣東南海縣人，前往廣西上林縣、宜山縣一帶幫工度日。嘉慶九年（一八〇四）七月，鍾亞茂與同姓不宗的鍾和超向宜山縣承辦官硝的宋　私買硝觔，欲圖轉賣放利，宋青不允，彼此爭鬧。宋青將鍾和超拏送縣城枷責，鍾和超等人因此挾恨，欲圖報復，惟人少不果。嘉慶十三年（一八〇八）二月，鍾和超在上林縣劉老玉店內　住，有縣民朱常腳等人至店閒談，鍾和超起意結拜天地會，遇事彼此幫助，以免被人欺侮，並可搶劫財物分用。隨後糾得十九人在劉老玉店房後園結拜天地會，因朱常腳力大強橫，不論年齒，被推爲大哥，鍾和超爲師傅（註一二三）。

顏滿元也是廣東南海縣人，向在廣西貴縣賣茶生理。嘉慶三年（一七九八），顏滿元的長子顏超從廣東南海縣到廣西尋覓生理，往來於來賓縣等地挑賣雜貨。廣東南海縣人顏亞貴，也寄居廣西貴縣，販馬生理。嘉慶十三年（一八〇八）二月，顏亞貴到來賓縣樟木墟陳老九歇店遇見挑賣雜貨的顏超，同店住宿，因兩人都是同鄉同姓，交談投契，各道貧苦。顏超因藏有《桃園歌》，勸令顏亞貴加入天地會，將來自有好處。顏亞貴即向顏超索看歌本，並詢問歌詞根由，顏超告以廣東石城縣丁山腳下有洪啓勝、蔡德忠、方大洪、吳天成、吳德帝、李色開，已糾多人欲行起事。顏超將《桃園歌》抄給一分，又傳授結拜天地會暗號，並交給拜會白扇一柄，稱爲清風扇。同年四月，顏亞貴邀得李太芳等二十三人，在來賓縣那錢村後古廟內結拜天地會，顏亞貴自爲師傅，派李太芳爲大哥（註一二四）。北京中國第一歷史檔案館藏有顏亞貴的《桃園歌》，其內容如下：

天地否，奉六合，復明去清。伏以天地開張，萬事吉昌。是夜本月在于△△處△△村△△社下居住香主弟子△△，攜帶眾信弟子天地結拜。請到明朝先鋒，請到劉關張三位在桃園結義。和合而順天，結爲忠義，永無更改，齊心協力，奪回眞主江山。今有本處來賓縣南△△里△△村眾信弟子，誠心辦齊五色果酒，三牲禮物，在于靈神案下焚香禱告。敬請皇天后土，山川社稷，過往天神，日月三光，風雲雷雨，眾位天神，值日功曹，敬請劉關張三位大將軍，周倉、關平二位大將軍，請到甘肅省太平府太平縣瑞溪社如來佛祖，白面金身；又請鬼谷先生，千里眼、順風耳；又請南無大慈大悲，救苦救難觀世音菩薩、長眉觀世音、

> 救苦救難，斬紅觀世音，變化無窮；請到橋頭工地、福德正神；請到廣東惠州府石城縣丁山腳下上房始祖洪啓勝，長房蔡德忠，二房祖方大洪，三房祖吳天成，四房祖吳德帝，五房祖李色開；請到本處山神土地，地脈龍神，外至兄弟萬萬千千百百，十三省俱是一體。當天結拜，即是同胞骨肉，永無更改，一父所生，一母所養。父不得傳子，子不得傳父，兄不傳弟，弟不傳兄，夫妻面前不可說，不可路〔露〕出根機。如有路〔露〕出根機者，刀下死，劍下亡，死男絕女永不昌，或雷打火燒七孔流血。不得自心肥己，不得吞騙兄弟，不過注賭。兄弟父母，即是自己父母；兄弟妻子，如我嫂子相稱。結拜之後，須要寄得妻、托得子，且不分你我，手捉〔足〕相持〔待〕，前時仇不得記會在心。兄弟有難，須要拔刀相救，不得臨陣退縮。不可得罪兄弟父母，若有得罪兄弟父母者，重責四十板。不得以大押〔壓〕小，不得以力爲強。神靈鑒察，兄弟須要忠心義氣，有福同享，有官同做，子孫也享榮華，福有攸歸（註一二五）。

《桃園歌》所強調的精神，就是劉關張桃園結義的忠心義氣，異姓弟兄結拜後，患難相救，有福同享，具有強烈的內部互助作用。

蔣聲雋是廣西來賓縣生員，教讀度日，與顏超熟識。嘉慶十二年（一八〇七）八月，顏超勸令蔣聲雋結拜天地會，傳授暗號，交給白紙扇一把，並抄給《桃園歌》。次年三月，蔣聲雋糾邀來賓縣武生范友蘭等二十六人結拜天地會。同年七月，范友蘭糾邀林亞選等二十人結拜天地會。李文達也是來賓縣人，與顏超熟識。嘉慶十三年（一八〇八）四月，顏超至李文達家借住，顏超取出《桃園歌》借給李文達及其子李太忠閱看，勸令李文達父子結拜天地會，並送給清風扇一柄。李太忠隨後邀得李含芳等十三人結拜天地會，李太忠因有清風扇，自爲師傅，派李含芳爲大哥（註一二六）。

古致昇原籍廣東，向在廣西平南縣賣藥營生。嘉慶十三年（一八〇八）二月，古致昇在平南縣丹竹墟會遇廣東人蘇顯名，敘談後，知係同鄉，古致昇感歎賣藥利微，且時常被人欺侮，欲另謀生理。蘇顯名即勸令糾人結拜天地會，可以斂錢使用，又可搶劫獲利，凡遇鬥毆，則有人相助。古致昇詢問如何充當師傅及令人信從？蘇顯名即傳授暗號，用紅布書寫"江洪汨淇溙"字樣作爲腰憑，會員相遇，便知互相照應。其拜會儀式是豎竹架兩層作門，竹門內用木斗貯米，紅布圍蓋，安設香燭，大哥居左，師傅居右，各拿順刀一把，斜架作叉，令衆人鑽刀拜神立誓，用雞血滴酒同飲，入會者每人出錢五百一十六文。同年四月，古致昇糾邀三十三人，在平南縣境古廟內按照蘇顯名傳授儀式結拜天地會，因周勝海力大強橫，被推爲大哥，古致昇自爲師傅（註一二七）。

除天地會外，廣西梧州、思恩等府添弟會案件，亦屢經破獲。嘉慶十三年（一八〇八）十月初八日，廣西容縣人張日華途遇黎樹，聞知韋老六起意結拜添弟會，以便遇事相幫。十月初十日，一共四十人，在牛頭嶺三界廟結拜，共推黎樹爲大哥，韋老六自爲師傅，一同跪拜。黎樹、韋老六將刀架起，令衆人鑽刀，然後傳授暗號，並將雞血滴入酒內分飲。

羅亞耀籍隸廣東花縣，來至廣西凌雲縣河口街開設雜貨舖生理。嘉慶十四年（一八〇九）七月內，有廣東高明縣人黃老三、孫亞萬、楊亞勝至雜貨舖閒談，黃老三道及在廣東時稔知結拜添弟會可以保守家財，出外無人欺侮。羅亞耀念及自身是異籍人遠至方地貿易，需人照應，於是起意糾人拜會，遇事得有幫助。同年七月二十日，並糾得十八人，在河口社壇僻掙地方結拜添弟會。八月二十二日，饒四成與廣東龍川縣人翁裕昌等共二十二人在縣境久簍山結拜添弟會（註一二八）。嘉慶十六年（一八一一）八月十五日夜間，廣西宣化縣人曾庭榮、曾庭相兄弟糾邀四十八人在縣屬那問嶺結拜添弟會，會員中盧得盛等是廣東欽州人，黃世蓉等是廣東靈山縣人，都在廣西宣化縣耕傭小販度日。

姚大羔是廣東平遠縣人，到廣西武緣縣地方裁縫生理。嘉慶十五年（一八一〇）五月內，吳通貴與姚大羔共談貧苦。姚大羔告知前在廣東時稔悉添弟會結拜好處，遇事有人幫助，又可搶劫得財，邀令入會，吳通貴應允。隨後共邀得十五人，於六月初三日，在興隆土司保峒吳通貴家結拜添弟會，每人出錢一千二百文，共推姚大羔爲大哥，林幗祥爲二哥，領衆拜會，拿刀架叉，令衆人從刀下鑽過，分飲雞血酒，並分給衆人三角木戳等拜會憑據。同年九月二十二日、十一月初一日，又糾衆拜會。姚大羔等人被拏獲後供出迭次訛詐銀兩，並起出會簿、三角木戳、紅布等拜會憑據（註一二九）。姚大羔歷次結拜添弟會，目的在訛詐他人銀兩分用，因此，添弟會成爲一種訛詐團體。

廣西融縣添弟會的活動，亦極頻繁。嘉慶十六年（一八一一）十月十八日，融縣人龍超一等二十七人在融縣南平空廟內結拜添弟會，共推莫矜聰爲大哥，薛老五爲師傅，龍時雨爲次師傅。龍超一入會後，仍在本鄉傭工度日，生活清苦。嘉慶二十一年（一八一六）六月初七日，龍超一與龍騰雲等各道貧苦，起意結會。隨後邀得三十四人，於六月十一日在冒嶺村空地結拜添弟會，共推龍騰雲爲大哥，鍾亞青爲師傅（註一三〇）。嘉慶二十年（一八一五）三月初三日，融縣人龍老四與素識的崔老七各道貧苦，崔老七熟知添弟會口號，起意結會。三月初六日，共十八人，在西瓜沖空廟內結拜添弟會，共推龍老四爲大哥，崔老七爲師傅（註一三一）。三月十六日，龍老四又邀得龍騰高等十八人結拜添弟會。同年十一月初二日，遷江縣人黃有爲會遇巫老三，談及孤身山外，恐人欺侮，巫老三即起意結會。十一月初六日，共二十四人，在黃有爲家中結拜添弟會，共推黃有爲做大哥，巫老三爲師傅（註一三二）。嘉慶二十一年（一八一六）三月，廣西梧州府蒼梧縣人麥老二與梧州協右營兵丁黎朝龍等共四十三人在縣屬老筑峽地方結拜添弟會，共推麥老二爲大哥，黎朝龍爲師傅（註一三三）。同年六月二十九日，融縣人黃有連結拜添弟會，兵丁亦有入會者。

梁老三是廣東南海縣佛山鎮人，向在廣西營生。嘉慶二十年（一八一五）七月，梁老三邀得歐發祥等七人在廣西恭城縣結拜忠義會，因歐發祥出錢較多，派爲大哥。湖南衡陽縣人李泳懷亦在恭城縣小貿營生，與梁老三熟識，談及孤身無靠，梁老三告以曾在縣境結拜忠義會，入會以後，可免外人欺侮，會中弟兄如有疾病事故，各出錢一百零八文資助。同年十月，李泳懷等十二人齊至縣境空廟內結拜忠義會。梁老三擺設案桌，用紙書寫“忠義堂”三字，粘貼桌邊，又供設關帝神位，旁插紅旗五面，並點油燈數盞，外用蔑圈三個，每圈派出先已入會的老蓮和尚等六人各執鐵尺、尖刀，在旁把圈。梁老三自稱總大哥，頭帶紅布，髩插紙花，身披長紅布一條，立於桌旁，並令李泳懷戴用紅布，隨同劉老二等人從圈內鑽過，稱爲過三關，然後跳火盆，稱爲過火燄山，並用針在左手刺血滴入雞血酒內同飲，將各人姓名開寫表文，連同所設神位、紙旗、蔑圈一併燒燬。在李泳懷腰憑內寫有“彪壽和合”四字，其歌句爲「紅不連藕藕連枝，小弟皆因出世遲，頭髮未乾心未曉，萬望二兄指教師」等二十八字，梁老三先後結會八次（註一三四）。

姚廣是廣東人，前往廣西小貿營生。嘉慶二十五年（一八二〇）二月初九日，姚廣至思恩縣人韋芳桂家探望，談及孤身在外，恐人欺侮。韋芳桂告知先年出外，曾在藥擔上買得鈔寫會簿一本，內有殘缺表文一紙及拜會歌詞。姚廣即起意糾人結會。二月十五日，共十三人，在思恩縣屬下岩洞地方結拜添弟會（註一三五）。鄧望受原籍廣東，到廣西賀縣地方小貿度日。嘉慶十八年（一八一三）四月初二日，鄧望受會遇趙宗義等人，各以異鄉出外，人孤力單，共道貧難，鄧望受起意糾人結拜添弟會。四月十二日，共三十二人，在和平沖山洞結拜，鄧望受為師傅，趙宗義為大哥。道光元年（一八二一）三月，鄧望受等二十三名被拏獲到案（註一三六）。練老晚是廣東人，到廣西陽朔縣小貿度日。道光元年（一八二一）四月初一日，練老晚會遇湖南人傅老八，共談貧苦，練老晚起意結會。四月初八日，共二十三人，在陽朔縣結拜添弟會，練老晚為師傅，傅老八為大哥（註一三七）。劉玉隴等人都是廣東人，到廣西西林縣地方耕傭度日。嘉慶二十五年（一八二〇）四月初一日，劉玉隴會遇劉小常，談及孤身出外，恐人欺侮。劉小常告知藏有拜會抄簿、表文，起意結會。四月初五日，共十人，結拜添弟會。以上各起添弟會案件，其會員原籍分佈頗廣，例如姚廣所倡立的添弟會，其成員中張老四是雲南人，資觀保是湖南人，韋芳桂是廣西人。鄧望受結拜添弟會，其會員包括廣東、江西、湖南、廣西等省的流動人口。

雲南、貴州與廣西等省接壤，從廣西、廣東等省進入雲貴地區的流動人口，自雍正初年以來，與日俱增，嘉慶年間以來，雲貴地區的秘密會黨案件，迭有破獲。凌國珍是廣東程鄉縣人，販賣魚鹽生理。嘉慶十三年（一八〇八）六月，凌幗珍出門販賣鹽魚，行抵廣東廉州司毛坪地方，與廣東海豐縣人管彥英相遇，彼此往來熟識。管彥英告以客商出外貿易，須防會黨搶劫，他有書詞一本，若照抄誦讀，凡遇會黨，只須照書內口號手勢行動，會黨知係同會之人，即可保全身家。凌幗珍隨即借抄一本，給與管彥英銀四兩，然後赴廣西買賣。凌幗珍因生意折本，又值廣西嚴挐會黨，凌幗珍稔知貴州荔波同鄉人多，容易糾結入會，遂由廣西進入貴州，於嘉慶十七年（一八一二）二月初七日行抵荔波縣。羅載揚是廣東鎮平縣人，行醫度日。嘉慶十五年（一八一〇）八月，由原籍赴廣西融縣行醫。嘉慶十六年（一八一一）十二月，因無人延請看病，貧苦難度，素知拜會劫搶即可救貧，但因廣西挐辦會黨，難以拜會，隨即起身到貴州行醫，並順便覓人入會。嘉慶十七年（一八一二）二月十四日，行抵荔波縣。二月十六日，羅載揚與凌幗珍相遇，因係同鄉，起意結會，隨後糾邀六十一人，分拜凌幗珍、羅載揚爲師傅（註一三八）。

林閏才是廣東翁源縣人，自幼拜寄高要縣人王姓爲義子，王姓是天地會的會員，林閏才聽從入會，藏有紅布號片一塊。嘉慶元年（一七九六），林閏才移居廣西西隆州八達地方，小本生理。嘉慶十六年（一八一一）二月，廣東嘉應州人鍾名揚至西隆州算命，會遇林閏才，敘說結會好處，遇事彼此相幫，不受人欺，出外搶劫，人多夥衆，不懼官司追捕，可以斂錢分用，並言及住居古墇地方的張效元，也是廣東翁源縣人，於是起意復興天地會。同年十月，共糾得十人，在張效元家內結拜天地會，共推林閏才爲總大爺，鍾名揚爲先生。鍾名揚寫立五祖牌位，在張效元後園設案供奉，桌上插刀兩把，地挖火坑，令入會者跳火鑽刀，至牌位前盟誓，當天焚化表文，共飲血酒。林閏才熟知鍾名揚常赴雲南師宗縣一帶算命，認識人多，令其前往糾人入會。嘉慶十七年

（一八一二）二月二十九日，共四十九人，在師宗縣屬馬街後山結拜天地會，同時遣人往接林閏才至師宗縣會面（註一三九）。會員張效元移居廣西古嶂地方後，熬酒生理，先後多次結會。雲南巡撫孫玉庭奏摺錄副俱書寫“添弟會”字樣。嘉慶十六年（一八一一）十月二十九日，廣東人張文秀、李仁富、張伏舟等各挑水煙至廣西斗蘭寨販賣，糾邀汪劉生等入會，於十一月初四日，共六人，在汪劉生屋後結拜添弟會。同年十二月，廣西西隆州人羅道士至雲南寶寧縣賣藥，糾邀田萬和等結拜添弟會。嘉慶十七年（一八一二）三月初八日，廣西西林縣人岑肇基等在雲南寶寧縣糾邀荀占林等八人結拜添弟會。雲南巡撫孫玉庭具摺指出「粵省會匪岑肇基等各自分頭糾人結會，致滇省邊界民人聽從入會。」（註一四〇）孫玉庭檢查起獲會簿，是白紙朱字，詩詞聯句，俱屬粗鄙，內有「忠義堂前分大小，各存義勇奪乾坤」等句，會簿末有「招得弟兄千百人，有爵土以封之」及「聽令老萬山」等語。

貴州平潭縣人楊正才呈詞內指出雲南寶寧縣南甲地方，天地會人數衆多，嘉慶十七年（一八一二）三月初四日夜間，黃鳳朝等七十六人在南甲荒郊曠野搭台結拜天地會，台口座中一人，稱爲會長，台下五隊，十人對扣長刀對站，進台者鞠躬鑽刀，叩見台口會長，序話發誓，刺血爲盟，聲言替明朝復仇，議出十人爲一小首，百人爲一大首，父不傳子，弟不通兄（註一四一）。會中十大頭目之首黃鳳朝是廣西南寧府隆安縣人，寄居雲南寶寧縣屬麻賴地方，翁老六是廣東人，此外分別隸屬於四川、貴州湄潭、雲南寶寧等縣。

楊憨頭是廣東曲江縣人，曾拜廣東高要縣人王姓爲師，加入添弟會。嘉慶二十年（一八一五）十月，楊憨頭徙居雲南開化府文山縣新寨塘，與文山縣人楊贊相好，一同居住。楊憨頭爲人兇悍，附近村民飽受欺凌，每逢年節，均須致送食物。楊憨頭見村民易於欺壓，起意復興添弟會。嘉慶二十一年（一八一六）二月，糾得二十七人，每人各出銀一兩，或出錢米，多寡不等，共推楊憨頭爲大爺，朱仕榮爲先生。其結會儀式是在夜間舉行，由朱仕榮寫立五祖牌位，供奉桌上，桌前插刀兩把，地下挖掘小坑，入會之人俱跳火坑，從刀下鑽至牌位前跪拜盟誓，當天焚化表文，各飲雞血酒一杯。楊憨頭以從前王姓傳會時，每人各給紅布一塊，易於遺失，所以規定將髮辮向左邊繞去挽住，作爲會中記號（註一四二）。其會簿及祝文，俱爲白紙黑字，詩句聯對，文理粗鄙，大致爲勸人齊心，有事共相幫助等語。

麥青原籍廣東，寄居貴州興義府。嘉慶十九年（一八一四）十一月，麥青住廣西百色地方販賣雜貨，路遇福建人黃焦敬，借抄添弟會舊會書。福建人嚴老三、嚴老五亦寄居貴州興義府，與麥青熟識，嘉慶二十一年（一八一六）五月，嚴老三起意結會，至麥青家抄回會書，一共糾得九十二人，於五月二十五、六等日，先後在薛家凹孤廟結拜添弟會，因嚴老三爲人明白，共推爲先生，嚴老五、麥青爲大爺。衆人姓名開列盟單焚化，並由火上跳過，以示同赴水火之意。因人數衆多，恐難於認識，即以不扣外衣第二鈕釦爲暗記，會書內隱語有「三八二十一，合來共一宗」等句（註一四三）。

由於廣西、廣東流動人口進入雲貴地區後，各自結盟拜會，彼此模倣，以致雲貴地區拜會風氣，日益盛行。嘉慶二十一年（一八一六）八月初九日，貴州開東縣人王開機邀得二十五人在古州廳屬塵頭嶺地方結盟拜會，公推王開機爲會首，會中議立條款，用紅綾書寫，凡在會之人，不許自相欺凌，遇有事故，共相資助，若犯會中條款，重則捆縛投擲河內，輕則砍去手指腳趾。並將銅錢三枚砍爲六半邊，設立坐令、平令、行令三項名稱，掌坐令者號召傳人，掌平令者定斷處治，掌行令者奔走通信。因會中以半邊錢爲憑據，故取名邊錢會，又因所行者都是義氣之事，所以又稱爲孝義會。道光十五年（一八三五）六月二十四日，貴州黎平府人李順成與素識的楊長畏共十人，因在外寄居，恐被人欺侮，起意結會，共推李順成爲大哥。李順成將銅錢三枚砍去一缺，用紅藍線穿紮，由李順成等三人各執一枚，日後有事，即用邊錢傳知衆人聚集相助。同年閏六月二十八日，郭興旺等人亦因貧苦難度，起意興立邊錢會。

平四是雲南寶寧縣人，小本營生。道光十年（一八三〇）十二月間，平四赴廣西百色地方貿易，與廣西人劉阿大同店住歇，窺見劉阿大身帶紅布一塊，上寫"⿰青氣⿰木氣⿴囗氣⿰酉氣"等字，聞知係添弟會內號片，平四即求劉阿大傳授入會，得有號片。平四旋因生意折本，回至寶寧縣原籍。道光十一年（一八三一）三月二十五日，共糾得黃亞岡等三十八人結拜添弟會（註一四四）。平四因聞知拜會有許多好處，出門行路互相幫護，不受人欺，倘若貧窮，可以商同搶劫，得贓使用，所以糾人結拜添弟會，藉描寫號片斂錢。會中願領紅布號片者，需各出錢一千文。

貴州黎平府開泰、永從兩縣，結盟拜會活動亦極頻繁。道光十一年（一八三一）正月間，開泰縣人馬紹湯赴廣西懷遠縣所屬古宜地方找尋生意，會遇廣東船戶吳老二，彼此閑談，吳老二談及廣東舊有添弟會，改名三合會，曾抄有會簿歌訣，如遇會黨搶劫，照依書內口號手勢行動。如遇人問姓，先說本姓某，易姓洪，對方知係同會之人，就可以保全。吳老二取出會書一本借抄，馬紹湯見書內載有八角圖形，四面幾層俱有細字，圖內有"彪⿸虍壽⿸虍合⿸虍和⿸虍同"五字，及長、二、三、四、五房姓名。吳老二告知廣東係屬二房，名洪太宗，以紅旗爲號。至詩句內「三八二十一，合來共一宗」，是隱合一“洪”字，衆人見面以此二語爲暗號。「三合河水出高溪」，是因添弟會改名三合會之意。同年二月間，寄居永從縣的思南府人蔣倡華前往古宜地方，與馬紹湯會遇閒談，起意邀人結會。馬紹湯返回開泰縣，四月初四日，邀得三十二人結拜三合會，因馬紹湯是起意結會之人，又有歌訣詩句，稱爲大哥。馬正邦爲人伶俐，兼有記性，稱爲先生。其結拜儀式是先在獅子岩洞內搭方桌高台，安設木斗，內供始祖洪起勝、太子洪英牌位，用紅紙條寫“紅旗飄飄”歌句，桌上四房各插五色紙旗，桌後燒火一盆，在洞外編紥關門三層。馬紹湯手執長刀，立於第三關門邊，將刀架在關門上，令衆人挨次過關，從刀下鑽過進洞，在牌位前點插香燭盟誓，日後有事，彼此相幫，不許翻悔，都在火上跳過，各刺中指滴血入酒分飲，又飲水一口，稱爲三合水，並念「三合河水出高溪」歌詞四句，叩頭結拜，以示同赴河水，俱不畏避之意。會中除傳授口號手勢外，並言明日後出門，捲起左手衣袖，垂下右手衣袖作爲暗記。蔣倡華返回永從縣從糾邀鄧貴欣等七人，於同年三月二十四日結拜三合會。蔣倡華因人少，得錢無多，又令鄧貴欣等多糾夥黨再行結拜，四月十五日，共糾得二十九人結拜三合會（註一四五），蔣倡華倡立會黨的目的，也是希圖騙錢。會中成員如幸老二等七人，都有搶竊訛詐前科。

徐玉潰是貴州黎平府人，寄居古州廳屬地方。道光十五年（一八三五）二月間，徐玉潰出外貿易，與廣東人曾大名相遇，結伴同行。曾大名是廣東添弟會黨，曾抄有秘密書本，可以結會，並告知結會時須設立洪起勝、太子洪英牌位。如遇人問姓，先說本姓，後說姓洪，即知是同會之人。又授以會本內歌句：「開口不離本，舉手不離三」；「對面不相逢，只怕半邊風」；「三八二十一，合來共一宗」；「紅旗飄飄，英雄盡招，海外天子，來附明朝」；「五房留下一首詩，深山洪英少人知，有人識得親兄弟，後來相會團圓時」；「一匹青草嫩悠悠，兄弟相會在路途，今朝吃了洪家飯，走盡天下無憂愁」等歌訣詩句。曾大名講解傳會方法後，即將會書交由徐玉潰收藏。徐玉潰因有會書，起意拜會，希圖搶劫。六月十六日，共二十三人，在岑艦坡地方拜會。用竹片紮成關門三層：第一層爲水關，第二層爲火關，以示同赴水火，俱不畏避之意。第三關供奉洪起勝、太子洪英牌位。桌上安設木斗，點燃七星燈一盞，插五色紙旗二十五桿，黃紙傘一柄，紅紙帥字旗一桿，旁紮草人一個。衆人俱從關門鑽進，各將草人刀砍一下，日後有事不來幫助，即如草人一樣。徐玉潰稱爲先生，李幅生、楊柏、楊老六三人稱爲大哥。歃血瀝酒後，即將關門、牌位等物燒燬。同年六月二十六日，石太和會遇楊老六，亦起意興會，希圖恃衆搶劫，先後邀得二十五人，於六月二十八日在歸夜山結拜添弟會。是年二月間，貴州黎平府人王大任、儲當忠結伴赴廣西貿意，搭坐梁亞崽船隻，在舟閒談。梁亞崽告知添弟會暗號歌訣詩句及結會方法。後來因生理折本，各自返回黎平府。王大任因貧難度，起意結會，斂錢使用。七月初十日，共十七人，在姚癸卯家屋後月團洞門結拜添弟會。八月十一日，儲尙忠亦因貧苦難度，邀得二十四人，在洞門荒山沖結拜添弟會（註一四六）。

湖南因與廣東、廣西等省接壤，兩廣會黨隨著流動人口的湧入而傳佈於湖南境內，湖南早期的各種會黨，無論是會黨名目、會黨性質及其內部組織，都與閩粵系統的各種會黨，極爲相近，湖南早期會黨就是閩粵會黨的延長。山西道監察御史蔣雲寬具摺奏稱：

湖南一省，北接川、湖，南通嶺嶠，民風素稱愿樸，從前教匪、會匪滋事之時，雖壤地接連，從無傳染習教之事。乃近聞廣東、廣西兩省添弟會匪浸尋闌入，日聚日多，遂致誘眾結盟，紛紛散布。而永州一府與兩廣切近，其所屬之道州、寧遠、江華、永明等縣爲尤甚。其所結之會名爲擔子會，又稱情義會，即添弟會之改名也。每會之人共推一人爲首，不序年齒，焚疏歃血，誓言遇事互相幫助，不許離心。嘉慶二十二年，曾經永明縣令楊耀曾查拿一次，獲犯李幗瓏等二十餘人；江華縣令劉遐齡查拿一次，獲犯劉東貴等七十餘人，均經審擬奏結在案。無如人非一起，會非一地，雖經兩次查辦，猶未能大加懲創（下略）（註一四七）。

蔣雲寬是湖南永州人，對當地的會黨活動，頗有所聞，他認爲會黨的盛行，不但地方受其擾害，日久必至釀成重患。乾嘉年間，湖南地區，人口流動頻繁，永明、江華等縣歷來習俗，不肯容留外省客民，進入該地的兩廣人民，與本地人，俗尙各殊，土客之間，互不相融，結盟拜會就成爲粵籍客民自我保護最常見的模式。嘉慶十六年（一八一一），湖南巡撫廣厚抵任後經細心察訪後具摺指出湖南向來並無會黨案件，惟永州府屬永明、江華等縣界連兩廣，嘉慶十八年（一八一三），有黃得隴等人在江華縣結盟拜會（註一四八）。黃得隴籍隸瀏陽縣，寄居江華縣，種山度日。嘉慶十八年（一八一三）八月，黃得隴會遇廣西賀縣人張長么，共道貧苦，談及異鄉孤單，恐人欺侮，黃得隴起意糾人結拜添弟會。張長么告以曾在廣東，稔知添弟會所傳口訣、圖記。同年九月初二日，共三十五人，在黃得隴家結拜添弟會（註一四九）。蘇倖是廣東連州人，在江華縣霧江沖地方墾種山地。嘉慶二十年（一八一五）十月初五日，蘇倖等八人加入廣東人林昌所起意倡立的添弟會，其結會儀式是先開寫盟表，設立神位，用蔑插地作圈，林昌用紅布包頭，兩手執刀斜架作叉，立於圈旁，令蘇俸等各從圈內鑽過，名爲過關。林昌口誦：「五色果子在中央，有人看守有人嚐，有忠有義吃天祿，無忠無義半路亡」等歌訣。嗣後林昌、蘇俸等人又多次結會（註一五〇）。

梁老九是廣東南海縣佛山鎮人，曾在廣西恭城縣與其叔梁老三多次結拜忠義會。嘉慶二十一年（一八一六）十一月初六日，梁老九邀得李幗林等十二人前往湖南永明縣清明田地方結拜忠義會。十一月十六、二十二等日，又在永明縣邀人結會。據會中成員李泳懷等供稱聽從結會的原因，是爲了互相幫助，藉可騙錢使用，所設令旗是爲同會之人疾病事故傳知弟兄幫助，腰憑是爲總大哥憑驗，所寫的歌句，不過欲使弟兄和合，並未暗藏他意（註一五一）。嘉慶二十二年（一八一七）五月十三日，田慶等二十四人，在保靖縣禾耦坪地方結拜公義會，希冀互相幫助，免人欺侮（註一五二）。嘉慶二十三年（一八一八）十月十六日，廣東連州人潘其輝等十七人在道州養牛坪結拜添弟會（註一五三）。嘉慶年間，湖南會黨開始活躍起來，其倡會者及成員，多屬於流動人口，其中籍隸廣東者尤夥。

道光年間，湖南會黨盛行的地點，仍然多見於鄰接廣東、廣西、貴州、江西等省的各府州縣，道州、永明、江華等州縣鄰近兩廣，會黨較活躍，例如仁義會就是出現於這一帶的異姓結拜組織。道州人龔大，向在永明縣小貿營生。道光六年（一八二六）五月十三日，龔大與江華縣人張跳、寧遠縣人謝鬼鐵、零陵縣人杜八喜、寶慶府人謝老四等共五十九人，在永明、江華、道州連界的上江墟空廟內結拜仁義會，希冀弟兄同心協助，不使別人欺侮。在龔大念誦的歌訣內有「一夜槍柄一夜光，撥開烏雲過東方，有忠有義常常過，無忠無義劍下亡」等句（註一五四）。道光年間的仁義會，與嘉慶年間的忠義會，性質相近，都是出外人自保意識下的產物，但忠義會是以廣東、廣西人爲基本成員，而仁義會卻以湖南人爲基本成員，忠義會容納了部分湖南等異籍之人，而仁義會卻幾乎青一色的是湖南人。

張掰是廣東番禺縣人，道光十年（一八三〇）八月內，張掰在廣東樂昌縣會遇英德縣人范孝友，談及添弟會改名三合會，並借看歌本。同年十月，張掰因貿易來至湖南藍山縣。道光十一年（一八三一）正月二十八日，糾邀李金保等四人結拜三合會。二月十八、四月初二、五月十三等日，李金保等人又多次糾衆結拜三合會，希圖搶劫（註一五五），湖南添弟會或三合會就是直接或間接傳自兩廣地區。據報祁陽縣於道光二十六年（一八四六）訪獲會黨王宗獻等一百七十餘名，道光二十七年（一八四七），桂陽州臨武縣、衡州府常寧縣先後拏獲添弟會首夥一百一十餘名（註一五六）。其中張老二是湖南湘潭縣人，於道光二十七年（一八四七）二月間由廣東來至臨武縣演拳賣技，與臨武縣人唐幗通會遇，談及在廣東望海山地方遇一遊方僧人，告知廣東向有添弟會名目，可以斂錢，恃衆搶劫，唐幗通起意拜會。同年三月初五日，共糾得七十四人，在臨武縣社下地方結拜添弟會（註一五七）。張老二是湖南人，但是當他從廣東返回湖南後，即將添弟會傳入湖南，由此可以說明流動人口與秘密會黨的傳佈，確實有密切的關係，可將各會黨成員的原籍及結會地點列出對照表如下：

表一二：嘉慶道光時期廣東秘密會黨傳佈表

| 年　　分 | 會　名 | 姓　名 | 原　　籍 | 結會地點 | 備　　註 |
|---|---|---|---|---|---|
| 嘉慶十年 | 天地會 | 楊金郎 | 廣東平遠縣 | 江西會昌縣 | |
| 嘉慶十一年 | 天地會 | 何有信 | 廣東 | 廣西宣化縣 | |
| | 天地會 | 吳復振 | 廣東龍川縣 | 江西會昌縣 | |
| 嘉慶十二年 | 天地會 | 楊開泰 | 廣東 | 廣西平樂縣 | |
| | 天地會 | 李元隆 | 廣東 | 廣西平樂縣 | |
| | 天地會 | 周宗勝 | 廣東南海縣 | 廣西上林縣 | 傭工 |
| 嘉慶十三年 | 天地會 | 顏　超 | 廣東南海縣 | 廣西來賓縣 | 挑賣雜貨 |
| | 天地會 | 顏滿元 | 廣東南海縣 | 廣西來賓縣 | 賣茶 |
| | 天地會 | 鍾亞茂 | 廣東南海縣 | 廣西上林縣 | 幫工 |
| | 天地會 | 林瓊宴 | 廣東始興縣 | 廣西奉議州 | 堪輿 |
| | 天地會 | 顏亞貴 | 廣東南海縣 | 廣西來賓縣 | 販馬 |
| | 天地會 | 蘇顯名 | 廣東 | 廣西平南縣 | |
| | 天地會 | 古致昇 | 廣東 | 廣西平南縣 | 賣藥 |
| | 三點會 | 闞　祥 | 廣東平遠縣 | 江西會昌縣 | |
| 嘉慶十四年 | 添弟會 | 羅亞耀 | 廣東花縣 | 廣西凌雲縣 | 開設雜貨舖 |
| | 添弟會 | 黃老三 | 廣東高明縣 | 廣西凌雲縣 | |
| | 添弟會 | 翁裕昌 | 廣東龍川縣 | 廣西凌雲縣 | |
| 嘉慶十六年 | 添弟會 | 盧得盛 | 廣東欽州 | 廣西宣化縣 | |
| | 添弟會 | 黃世蓉 | 廣東靈山縣 | 廣西宣化縣 | |
| | 天地會 | 林閏才 | 廣東翁源縣 | 廣西西隆州 | 小本生理 |
| | 天地會 | 鍾名揚 | 廣東嘉應州 | 廣西西隆州 | 算命 |
| | 天地會 | 張效元 | 廣東翁源縣 | 廣西西隆州 | 熬酒生理 |
| | 添弟會 | 張文秀 | 廣東 | 廣西 | 挑賣水烟 |
| | 天地會 | 韋老六 | 廣東 | 雲南寶寧縣 | |
| 嘉慶十七年 | 添弟會 | 林閏才 | 廣東翁源縣 | 雲南寶寧縣 | 小本生理 |

| | | | | | |
|---|---|---|---|---|---|
| | 天地會 | 凌幗珍 | 廣東程鄉縣 | 貴州荔波縣 | 販賣魚鹽 |
| | 天地會 | 羅載揚 | 廣東鎮平縣 | 雲南師宗縣 | 行醫 |
| | 天地會 | 鍾名揚 | 廣東嘉應州 | 雲南師宗縣 | 算命 |
| 嘉慶十九年 | 三點會 | 僧宏達 | 廣東和平縣 | 江西定南廳 | 游僧 |
| | 三點會 | 吳亞妹 | 廣東和平縣 | 江西定南廳 | |
| | 三點會 | 邱利展 | 廣東連平州 | 江西龍南縣 | |
| | 仁義會 | 李青林 | 廣東 | 福建建陽縣 | |
| | 添弟會 | 謝羅俚 | 廣東 | 江西崇義縣 | 開設雜貨舖 |
| 嘉慶二十年 | 添弟會 | 蘇　俸 | 廣東連州 | 湖南江華縣 | 墾種山地 |
| | 添弟會 | 林　昌 | 廣東連州 | 湖南江華縣 | |
| 嘉慶廿一年 | 添弟會 | 楊憨頭 | 廣東曲江縣 | 雲南文山縣 | 墾種山地 |
| | 添弟會 | 麥　青 | 廣東 | 貴州興義府 | 販賣雜貨 |
| | 忠義會 | 梁老九 | 廣東南海縣 | 湖南永明縣 | |
| 嘉慶廿三年 | 添弟會 | 潘其輝 | 廣東連州 | 湖南道州 | |
| | 添弟會 | 戴奉飛 | 廣東興寧縣 | 江西南康縣 | |
| 嘉慶廿五年 | 添弟會 | 姚　廣 | 廣東 | 廣西思恩縣 | |
| | 添弟會 | 劉玉隴 | 廣東 | 廣西西林縣 | |
| 道光元年 | 添弟會 | 練老晚 | 廣東 | 廣西陽朔縣 | |
| 道光六年 | 兄弟會 | 巫巧三 | 廣東嘉應州 | 臺灣淡水廳 | |
| 道光十一年 | 三合會 | 吳老二 | 廣東 | 貴州懷遠縣 | |
| | 三合會 | 張　掵 | 廣東番禺縣 | 湖南藍山縣 | 貿易 |
| 道光十三年 | 三點會 | 李江泗 | 廣東龍川縣 | 福建邵武縣 | |
| | 三點會 | 李　魁 | 廣東龍川縣 | 福建邵武縣 | 種茶 |
| 道光十五年 | 三點會 | 鄒四橋板 | 廣東龍川縣 | 福建邵武縣 | 種茶 |
| | 三點會 | 鄒閏生 | 廣東龍川縣 | 福建邵武縣 | |

資料來源：臺北國立故宮博物院、北京中國第一歷史檔案館典藏《宮中檔》、《軍機處檔》硃批奏摺及錄副。

嘉慶、道光時期，廣東的外流人口，與日俱增，秘密會黨的蔓延，與廣東地區人口流動的頻繁，實有密切的關係。表中所列各起結會案件，是以原籍在廣東，而結會地點不在廣東的外流人口爲限。各會黨名目，充分反映嘉慶、道光時期廣東秘密會黨的特色，會黨案件中的“添弟會”，或爲增添弟兄的“添弟會”本支，或爲“天地會”本支而經地方大吏繕寫奏摺時換以同音的“添弟會”，天地會、添弟會、三點會、三合會就是當時廣東地區較盛行的秘密會黨，隨著廣東外流人口足跡所至，這些會黨也傳佈到鄰近省分。表中所列會黨案件共計五十起，其中天地會及添弟會共三十七起，約佔百分之七十四，三點會、三合會共七起，約佔百分之二十，可以說明閩粵地區以外的天地會、添弟會主要是閩粵會黨系統的派生現象。各會黨成員的原籍，主要分佈於廣東廣州府所屬的南海、花縣、番禺等縣，嘉應州的平遠、鎮平、興寧等縣，惠州府連平州及龍川、和平等縣，韶州府翁源、曲江等縣，南雄州始興縣，肇慶府高明縣，廉州府靈山縣等地，都是廣東人口流動較頻繁的地區，其外流人口尤夥。他們離鄉背井，出外謀生，前往鄰近的廣西宣化、平樂、上林、來賓、平南、凌雲、思恩、西林、陽朔等縣及奉議、西隆等州，或往江西會昌、龍南、南康、崇義等縣及定南等廳，或到福建邵武、建陽等縣及台灣等府，有的進入湖南江華、永明、藍山等縣及道州等地，有的遠及雲南寶寧、師宗、文山等縣及貴州荔波、懷遠、興義等府縣，他們或在山區墾荒種地，或浪跡江湖堪輿算命，行醫治病，傭趁幫工，或肩挑負販出售雜貨、水烟、茶葉、魚鹽、藥品、馬匹，或小本生理開設雜貨舖，熬酒出售等等，販夫走卒，生計維艱，出外人會遇同鄉，談及貧苦孤單，受人欺侮，爲求立足異域，多起意結拜弟兄，倡立會黨，希冀患難相助，聚衆斂錢，恃衆搶劫，結盟拜會遂成爲貧苦小民自力救濟的共同模式，秘密會黨的發展，閩粵流動人口確實扮演了極爲重要的腳色。

【註釋】

註 一：趙文林、謝淑君等著《中國人口史》（北京，人民出版社，一九八八年六月），頁六三二。

註 二：羅爾綱撰〈太平天國革命前的人口壓迫問題〉，《中國近代史論叢》，第二輯，第二冊（台北，正中書局，民國六十五年三月），頁四三。

註 三：《宮中檔雍正朝奏摺》，第六輯（台北，國立故宮博物院，民國六十七年四月），頁一三七，雍正四年六月初十日，兵部尚書法海奏摺。

註 四：李之勤撰〈論鴉片戰爭以前清代商業性農業的發展〉，《明清社會經濟形態的研究》（上海，人民出版社，一九五六年六月），頁二八〇。

註 五：《宮中檔雍正朝奏摺》，第五輯（民國六十七年三月），頁五八七，雍正四年二月初四日，福建巡撫毛文銓奏摺。

註 六：《宮中檔雍正朝奏摺》，第六輯，頁一五，雍正四年五月十四日，福建巡撫毛文銓奏摺。

註 七：《宮中檔雍正朝奏摺》，第六輯，頁四六，雍正四年五月二十日，福建陸路提督吳陞奏摺。

註 八：《宮中檔雍正朝奏摺》，第六輯，頁七三，雍正四年五月二十九日，兩廣總督孔毓珣奏摺。

註 九：《宮中檔雍正朝奏摺》，第七輯，（民國六十七年五月），頁三八，雍正四年十一月二十八日，福建巡撫毛文銓奏摺。

註一〇：郭松義撰〈清代人口問題與婚姻問題狀況的考察〉，《中國史研究》，一九八七年，第三期（北京，中國社會科學出版社，一九八七年八月），頁一二四。

註一一：趙文林、謝淑君著《中國人口史》，頁四七七。

註一二：張捷夫撰〈關於雍正西南改土歸流的幾個問題〉，《清史論叢》，第五輯（北京，中華書局，一九八四年四月），頁二七三。

註一三：張捷夫選〈清代土司制度〉，《清史論叢》，第三輯（一九八二年二月），頁一九六。

註一四：《起居注冊》（台北，國立故宮博物院），康熙五十一年二月二十九日，論旨。

註一五：《清史稿校註》（台北，國史館，民國七十八年二月），列傳七十九，高其倬傳，第十一冊，頁八八六〇。

註一六：《宮中檔雍正朝奏摺》，第六輯（民國六十七年四月），頁六〇三，雍正四年九月十九日，雲貴總督鄂爾泰奏摺。

註一七：《宮中檔雍正朝奏摺》，第五輯（民國六十七年三月），頁三七五，雍正三年十一月十四日，廣西提督韓良輔奏摺。

註一八：《宮中檔雍正朝奏摺》，第六輯，頁三七一，雍正四年七月二十六日，雲南布政使常德奏摺。

註一九：張捷夫撰〈論改土歸流的進步作用〉，《清史論叢》，第三輯，頁二〇二。

註二〇：《辭海》（台北，中華書局，民國七十一年），頁二〇一九。

註二一：莊吉發校注《謝遂"職貢圖"滿文圖說校注》（台北，國立故宮博物院，民國七十八年六月），頁五六三。

註二二：《宮中檔乾隆朝奏摺》，第四輯（民國七十一年八月），頁四六一，乾隆十七年十二月初二日，湖廣總督永常奏摺。

註 二 三：呂佺孫纂輯《皇朝食貨志》（台北，國立故宮博物院，國史館），屯墾一，民墾。

註 二 四：《皇朝食貨志》，屯墾四，民墾。

註 二 五：《宮中檔雍正朝奏摺》，第一輯（民國六十六年十一月），頁一九七，雍正元年四月二十一日，巡視南城監察御中董起弼奏摺。

註 二 六：《宮中檔雍正朝奏摺》，第二輯（民國六十六年十二月），頁五八二，雍正二年閏四月十七日，署理廣西巡撫韓良輔奏摺。

註 二 七：《皇朝食貨志》，屯墾二十七，民墾。

註 二 八：陳支平著《清代賦役制度演變新探》（福建，廈門大學出版社，一九八八年六月）頁三。

註 二 九：王慶雲著《熙朝紀政》（光緒戊戌年重校縮印本），卷三，頁一二。

註 三 〇：《明史》（台北，鼎文書局，民國六十四年六月），卷七八，〈食貨二〉，頁一九〇二。

註 三 一：全漢昇撰〈宋明間白銀購買力的變動及其原因〉，《中國經濟史研究》（香港，新亞研究所，一九七六年），中冊，頁二〇七。

註 三 二：莫東寅撰〈地丁錢糧考〉，《中和月刊史料選集》（台北，文海出版社，民國五十九年十二月），第二冊，頁六五五。

註 三 三：史夢蘭纂修《樂亭縣志》（台北，國立故宮博物院，光緒丁丑刊），卷一二，〈賦役〉，頁一一。

註 三 四：《起居注冊》（台北，國立故宮博物院），康熙五十一年二月二十九日，諭旨。

註 三 五：郭松義撰〈論攤丁入地〉《清史論叢》，第三輯（北京，中華書局，一九八二年二月），頁五七。

註 三 六：《軍機處檔・月摺包》，第二七四九箱，一五九包，八二〇四二號，道光二十八年五月初二日，福建巡撫徐繼畬奏片。

註 三 七：李國祁著《中國現代化的區域研究：閩浙台地區，一八六〇～一九一六》（台北，中央研研院近代史研究所，民國七十一年五月），頁四五六。

註 三 八：劉鴻喜著《中國地理》（台北，五南圖書出版公司，民國七十三年十一月），頁一一五。

註 三 九：《清朝文獻通考》（台北，新興書局，民國五十二年十月），卷一九，戶口一，頁考五〇二七。

註 四 〇：《宮中檔雍正朝奏摺》，第十七輯（民國六十八年三月），頁七八〇，雍正九年三月十二日，江西按察使樓儼奏摺。

註 四 一：黃翥撰〈棚民抗清述略〉，《清史論叢》，第六輯（北京，中華書局，一九八五年六月），頁一四九。

註 四 二：《宮中檔雍正朝奏摺》，第一輯（民國六十六年十一月），頁一九九，雍正元年四月二十一日，江西巡撫裴徫度奏摺。

註 四 三：《宮中檔雍正朝奏摺》，第三輯（民國六十七年一月），頁八九七，雍正三年二月二十六日，江西巡撫裴徫度奏摺。

註 四 四：《宮中檔雍正朝奏摺》，第二輯（民國六十六年十二月），頁四三九，雍正二年三月二十八日，江西巡撫裴徫度奏摺。

註 四 五：《宮中檔雍正朝奏摺》，第一輯，頁四九五，雍正元年七月十八日，山西道監察御史何世璂奏摺。

註 四 六：郭松義撰〈清代的人口增長和人口流遷〉，《清史論叢》，第五輯（北京，中華書局，一九八四年四月），頁一〇五。

註 四 七：《宮中檔乾隆朝奏摺》，第三十三輯（民國七十四年一月），頁六四九，乾隆三十八年十二月初七日，江西布政史李瀚奏摺。

註 四 八：《宮中檔雍正朝奏摺》，第六輯（民國六十七年四月），頁一四，雍正四年六月初四日，江西巡撫裴𢗅度奏摺。

註 四 九：《清高宗純皇帝實錄》，卷三一一，頁二八，乾隆十三年三月癸丑，上諭。

註 五 〇：《宮中檔乾隆朝奏摺》，第一輯（民國七十一年五月），頁二五〇，乾隆十六年七月二十五日，江西巡撫舒輅奏摺。

註 五 一：《清史稿校註》，〈地理志〉一五，頁二四五〇。

註 五 二：劉鴻喜著《中國地理》，頁二二五。

註 五 三：《宮中檔乾隆朝奏摺》，第十五輯（民國七十二年七月），頁七九九，乾隆二十一年十月二十日，湖南巡撫陳弘謀奏摺。

註 五 四：《宮中檔乾隆朝奏摺》，第六輯（民國七十一年十月），頁七一九，乾隆十八年十一月十二日，署理湖南巡撫范時綬奏摺。

註 五 五：張朋園著《中國現代化的區域研究：湖南省，一八六〇～一九一六》（台北，中央研究院近代史研究所，民國七十二年二月），頁一五。

註 五 六：《宮中檔雍正朝奏摺》，第六輯（民國六十七年四月），頁三四七，雍正四年七月二十二日，兩廣總督孔毓珣奏摺。

註 五 七：《宮中檔雍正朝奏摺》，第八輯（民國六十七年六月），頁二五，雍正五年四月十三日，署廣東巡撫常賚奏摺。

註 五 八：《宮中檔》，第十三箱，一包，二七二六號，道光元年二月初二日，兩廣總督阮元奏摺。

註 五 九：《硃批奏摺》（北京，中國第一歷史檔案館），第六三一卷，一二號，嘉慶八年七月二十二日，閩浙總督玉德奏摺。

註 六 〇：《硃批奏摺》，第六三二卷，九號，嘉慶五年八月二十五日，閩浙總督玉德奏摺。

註 六 一：《硃批奏摺》，第六三〇卷，一號，嘉慶四年十月十二日，福建巡撫汪志伊奏摺。

註 六 二：《宮中檔》（台北，國立故宮博物院），第二七二三箱，九四包，一七九九八號，嘉慶二十年二月三十日，福建巡撫王紹蘭奏摺。

註 六 三：《軍機處檔·月摺包》，第二七五一箱，三二包，五二九〇九號，嘉慶二十二年九月初七日，盧蔭溥奏摺。

註 六 四：《宮中檔》，第二七二四箱，八八包，一六三三〇號，嘉慶十九年八月十九日，閩浙總督汪志伊奏摺。

註 六 五：《宮中檔》，第二七二三箱，九三包，一七六一四號，嘉慶二十年一月二十六日，閩浙總督汪志伊奏摺。

註 六 六：《宮中檔》，第二七二三箱，九一包，一六八三二號，嘉慶十九年十一月初八日，閩浙總督汪志伊奏摺。

註 六 七：《清仁宗睿皇帝實錄》，卷三〇八，頁三，嘉慶二十年七月丙戌，諭旨。

註 六 八：《軍機處檔·月摺包》，第二七四九箱，一五九包，八二〇四一號，道光二十八年三月二十八日，福建巡撫徐繼畬奏摺。

註 六 九：《硃批奏摺》，第六四九卷，五號，嘉慶十一年七月初九日，護理江西巡撫布政使先福奏摺。

註 七 〇：《硃批奏摺》，第六四五卷，三號，嘉慶十二年十一月初六日，江西巡撫金光悌奏摺。

註 七 一：《宮中檔》，第二七二四箱，七八包，一三三五七號，嘉慶十四年二月十七日，江西巡撫先福奏摺。

註 七 二：《宮中檔》，第二七二四箱，八四包，一五〇五一號，嘉慶十四年八月初七日，江西巡撫先福奏摺。

註 七 三：《硃批奏摺》，第六四五卷，六號，嘉慶二十三年五月二十二日，江西巡撫錢臻奏摺。

註 七 四：《明清史料》，戊編，第二本，頁一五八，嘉慶五年十一月二十三日，刑部〈爲內閣抄出台灣總兵愛等奏〉移會。

註 七 五：《宮中檔》，第二七一二箱，五五包，七三九六號，嘉慶七年二月十三日，閩浙總督玉德等奏摺。

註 七 六：《軍機處檔·月摺包》，第二七八〇箱，二二包，八七四九〇號，咸豐二年十一月十三日，都察院左都御史花沙納奏摺附件，〈林媽盛呈詞〉。

註 七 七：《軍機處檔·月摺包》，第二七五一箱，一〇包，四九〇六六號，嘉慶二十一年八月初六日，貴州巡撫文寧奏摺錄副。

註 七 八：《硃批奏摺》，第六四二卷，五號，嘉慶五年六月初六日，兩廣總督覺羅吉慶奏摺。

註 七 九：《宮中檔》，第二七一二箱，六三包，九二六八號，嘉慶七年九月二十四日，兩廣總督覺羅吉慶奏摺。

註 八 〇：《硃批奏摺》，第六三九卷，一六號，嘉慶七年十二月初一日，廣東巡撫瑚圖禮奏摺。

註 八 一：《宮中檔》，第二七一二箱，六二包，九三二五號，嘉慶七年九月二十八日，兩廣總督覺羅吉慶奏摺。

註 八 二：《硃批奏摺》，第六四二卷，八號，嘉慶八年九月二十九日，兩廣總督倭什布奏摺。

註 八 三：《硃批奏摺》，第六四二卷，二號，嘉慶八年六月二十四日，兩廣總督倭什布奏摺。

註 八 四：《硃批奏摺》，第六四二卷，四號，嘉慶八年二月十六日，署理兩廣總督瑚圖禮奏摺。

註八五：《硃批奏摺》，第六四二卷，一三號，嘉慶九年十一月二十二日，兩廣總督倭什布奏摺。

註八六：《硃批奏摺》，第六四二卷，一二號，嘉慶九年八月二十二日，兩廣總督倭什布奏摺。

註八七：《硃批奏摺》，第六四二卷，二三號，嘉慶十年六月初六日，兩廣總督那彥成奏摺。

註八八：《硃批奏摺》，第六四一卷，七號，嘉慶十年八月二十六日，兩廣總督那彥成奏摺。

註八九：《硃批奏摺》，第六四二卷，一四號，嘉慶十一年七月十三日，兩廣總督吳熊光奏摺。

註九〇：《硃批奏摺》，第六六二卷，一號，嘉慶十七年四月二十二日，兩廣總督蔣攸銛奏摺。

註九一：《清仁宗睿皇帝實錄》，卷六八，頁二二，嘉慶五年五月丙午，諭旨。

註九二：《大清十朝聖訓》（台北，文海出版社，民國五十四年四月），仁宗，卷一〇一，奸宄，頁一。

註九三：《清仁宗睿皇帝實錄》，卷三六四，頁一五，嘉慶二十四年戊辰，寄信上諭。

註九四：《清宣宗成皇帝實錄》，卷一八八，頁三，道光十一年九月癸丑，諭旨。

註九五：《軍機處檔・月摺包》，第二七五二箱，七三包，七三四四六號，道光二十五年二月二十八日，兩廣總督耆英等奏摺錄副。

註九六：《軍機處檔・月摺包》，第二七五二箱，一二七包，七六〇二八號，道光二十五年九月二十八日，兩廣總督耆英等奏摺錄副。

註 九 七：《宮中檔》，第二七二四箱，八八包，一六三三〇號，嘉慶十九年八月十九日，閩浙總督汪志伊奏摺。

註 九 八：《硃批奏摺》，第六六一卷，九號，道光十五年十一月十七日，閩浙總督程祖洛等奏摺。

註 九 九：《軍機處檔・月摺包》，第二七四七箱，二五包，五七五一六號，道光六年十一月二十五日，閩浙總督孫爾準奏摺錄副。

註一〇〇：《宮中檔》，第二七二四箱，八四包，一五二〇一號，嘉慶十四年八月二十五日，護理江西巡撫布政使袁秉直奏摺。

註一〇一：蔡少卿著《中國近代會黨史研究》（北京，中華書局，一九八七年十月），頁四〇八。

註一〇二：《宮中檔》，第二七二四箱，八四包，一五二〇一號，嘉慶十四年八月二十五日，護理江西巡撫布政使袁秉直奏摺。

註一〇三：《宮中檔》，第二七二四箱，八四包，一五〇五一號，嘉慶十四年八月初七日，江西巡撫先福奏摺。

註一〇四：《宮中檔》，第二七二三箱，八六包，一五六四四號，嘉慶十九年六月初八日，江西巡撫先福奏摺。

註一〇五：《宮中檔》，第二七二三箱，九一包，一六九二五號，嘉慶十九年十一月十七日，江西巡撫阮元奏摺。

註一〇六：《宮中檔》，第二七二三箱，九一包，一七〇六九號，嘉慶十九年十一月二十九日，江西巡撫阮元奏摺。

註一〇七：《宮中檔》，第二七二三箱，九九包，一九四一一號，嘉慶二十年七月二十五日，江西巡撫阮元奏摺。

註一〇八：《硃批奏摺》，第六四五卷，八號，道光元年十月十二日，護理江西巡撫布政使邱樹棠奏摺。

註一〇九：《硃批奏摺》，第六四五卷，一二號，道光元年十一月二十五日，暫理江西巡撫韓文綺奏摺。

註一一〇：戴玄之撰〈天地會名稱的演變〉，《南洋大學學報》，第四期（新加坡，南洋大學，一九七〇年），頁一五六。

註一一一：《軍機處檔·月摺包》，第二七四七箱，二七包，五八一五九號，道光七年十二月初三日，江西巡撫韓文綺奏摺錄副。

註一一二：《軍機處檔·月摺包》，第二七四三箱，八八包，六八九九五號，道光十四年八月初六日，江西巡撫周之琦奏摺錄副。

註一一三：《軍機處檔·月摺包》，第二七八〇箱，二一包，八七二七九號，咸豐元年十月二十六日，署理江西巡撫王植奏摺錄副。

註一一四：《軍機處檔·月摺包》，第二七六〇箱，六五包，六五一一三號，道光十三年九月十八日，江西巡撫周之琦奏片錄副；同檔，第二七四三箱，七八包，六七四二〇號，道光十四年三月二十一日，護理江西巡撫桂良奏摺錄副。

註一一五：《軍機處檔·月摺包》，第二七六〇箱，五八包，六三九七〇號，道光十三年六月十二日，江西道監察御史金應麟奏摺。

註一一六：《軍機處檔·月摺包》，第二七六八箱，九五包，七〇一三七號，道光十六年二月二十九日，耆英奏摺錄副。

註一一七：《軍機處檔·月摺包》，第二七六八箱，九四包，六九九三一號，道光十六年二月初六日，浙江道監察御史易鏡清奏摺。

註一一八：《軍機處檔·月摺包》，第二七四九箱，一四八包，七九八二五號，道光二十七年十一月十八日，江西巡撫吳文鎔奏摺錄副。

註一一九：《軍機處檔·月摺包》，第二七六〇箱，五八包，六三九七〇號，道光十三年六月十二日，江西道監察御史金應麟奏摺。

註一二〇：《軍機處錄副奏摺》，（北京，中國第一歷史檔案館），第八八五九卷，一四號，嘉慶十二年六月初一日，兩廣總督吳熊光奏摺錄副。

註一二一：《宮中檔》，第二七二四箱，六六包，一〇〇〇四號，嘉慶十三年二月十八日，廣西巡撫恩長奏摺。

註一二二：《宮中檔》，第二七二四箱，八〇包，一四〇〇八號，嘉慶十四年四月二十九日，廣西巡撫恩長奏摺。

註一二三：《宮中檔》，第二七二四箱，七五包，一二四五五號，嘉慶十三年十一月十三日，廣西巡撫恩長奏摺。

註一二四：《宮中檔》，第二七二四箱，七六包，一二六九五號，嘉慶十三年十二月初八日，廣西巡撫恩長奏摺。

註一二五：蔡少卿著《中國近代會黨史研究》，頁四〇九。

註一二六：《宮中檔》，第二七二四箱，七八包，一三三二〇號，嘉慶十四年二月十三日，廣西巡撫恩長奏摺。

註一二七：《宮中檔》，第二七二四箱，七四包，一二一三四號，嘉慶十三年十月初四日，廣西巡撫恩長奏摺。

註一二八：《硃批奏摺》，第六三六卷，九號，嘉慶十五年二月二十四日，廣西巡撫錢楷奏摺。

註一二九：《天地會》（七），頁二九六，嘉慶十六年六月十二日，廣西巡撫成林奏摺錄副。

註一三〇：《軍機處檔·月摺包》，第二七五一箱，三二包，五三〇二二號，嘉慶二十二年七月二十八日，廣西巡撫慶保奏摺錄副。

註一三一：《軍機處檔·月摺包》，第二七五一箱，七包，四八三〇八號，嘉慶二十一年六月初四日，廣西巡撫慶保奏摺錄副。

註一三二：《軍機處檔·月摺包》，第二七五一箱，三二包，五三〇一八號，嘉慶二十二年七月二十八日，廣西巡撫慶保奏摺錄副。

註一三三：《軍機處檔·月摺包》，第二七五一箱，二〇包，五〇八九六號，嘉慶二十二年二月初八日，廣西巡撫慶保奏摺錄副。

註一三四：《軍機處檔·月摺包》，第二七五一箱，三七包，五三九〇八號，嘉慶二十二年四月二十一日，湖南巡撫巴哈布奏摺錄副。

註一三五：《硃批奏摺》，六三八卷，八號，道光元年四月十一日，廣西巡撫趙愼畛奏摺。

註一三六：《天地會》（七），頁三九七，道光元年八月二十七日，廣西巡撫趙愼畛奏摺錄副。

註一三七：《天地會》（七），頁三九九，道光元年十一月十七日，廣西巡撫趙愼畛奏摺錄副。

註一三八：《天地會》（七），頁四二〇，嘉慶十七年六月十一日，貴州巡撫顏檢奏摺錄錄副。

註一三九：《天地會》（七），頁四二七，嘉慶十七年十月二十九日，雲貴總督伯麟奏摺錄副。

註一四〇：《天地會》（七），頁四三三，嘉慶十九年二月初九日，雲南巡撫孫玉庭奏摺錄副。

註一四一：《軍機處檔·月摺包》，第二七五一箱，三一包，五二七五六號，楊正才呈詞。

註一四二：《軍機處檔·月摺包》，第二七五一箱，七包，四八三八二號，嘉慶二十一年六月二十七日，雲貴總督伯麟奏摺錄副。

註一四三：《天地會》（七），頁四四八，嘉慶二十一年九月十三日，貴州巡撫文寧奏摺錄副。

註一四四：《天地會》（七），頁五〇四，道光十二年五月初四日，雲貴總督阮元奏摺。

註一四五：《天地會》（七），頁四八三，道光十一年九月初四日，貴州巡撫嵩溥奏摺錄副。

註一四六：《天地會》（七），頁五一六，道光十六年正月二十四日，貴州巡撫裕泰奏摺；《軍機處檔・月摺包》，第二七六八箱，九五包，七〇一三二號，道光十六年二月二十七日，貴州巡撫裕泰奏摺錄副。

註一四七：《天地會》（七），頁四七六，嘉慶二十四年五月初九日，山西道監察御史蔣雲寬奏摺錄副。

註一四八：《宮中檔》，第二七二三箱，九〇包，一六七一八號，嘉慶十九年十月二十七日，湖南巡撫巡廣厚奏摺。

註一四九：《天地會》（七），頁四三九，嘉慶十九年二月二十三日，湖南巡撫陳預奏摺錄副。

註一五〇：《天地會》（七），頁四六九，嘉慶二十四年六月十三日，湖南巡撫吳邦慶奏摺錄副。

註一五一：《軍機處檔・月摺包》，第二七五一箱，八包，四八四六四號，嘉慶二十二年六月二十四日，湖南巡撫巴哈布奏摺錄副。

註一五二：《軍機處檔・月摺包》，第二七五一箱，三三包，五三〇九四號，嘉慶二十二年八月二十二日，湖南巡撫巴哈布奏摺錄副。

註一五三：《天地會》（七），頁四七九，嘉慶二十四年九月初三日，湖南巡撫吳邦慶奏摺錄副。

註一五四：《軍機處檔・月摺包》，第二七四七箱，三二包，五九〇四四號，道光六年十一月十八日，湖南巡撫康紹鏞奏摺錄副。

註一五五：《天地會》（七），頁五〇六，道光十二年五月十九日，湖南巡撫吳榮光奏摺錄副。

註一五六：《軍機處檔・月摺包》，第二七四九箱，一四三包，七八八一九號，道光二十七年八月二十日，湖南巡撫陸費瑔奏摺錄副。

註一五七：《軍機處檔・月摺包》，第二七四九箱，一五一包，八〇六六〇號，道光二十七年十二月二十四日，湖廣總督裕泰奏摺錄副。

# 第四章　民族革命與秘密會黨的發展

## 第一節　太平天國之役與秘密會黨的活動

乾嘉年間以降，秘密會黨已經走上民族革命的途徑，各會黨多標榜種族意識，以反清復明相號召，逐漸匯聚成為下層社會一股民族革命的暗流，拜上帝會就是承襲乾嘉年間以降秘密會黨的思想及其勢力而創立的反滿組織。

道光年間（一八二一至一八五〇），兩廣地區，會黨盛行，各州縣結盟拜會的風氣，方興未艾，其中廣西因地形更錯雜，各種會黨的活動，最為頻繁。道光元年（一八二一）二月，兩廣總督阮元齎摺差人返回廣州，阮元捧讀硃筆諭旨，其硃諭原文云：

> 朕聞粵西界連湖南、廣東、雲南等省，陸路則深林密箐，山嶺崎嶇；水路則汊港繁多，四通八達，易藏奸宄，難淨根株。推其由實因結會之風，迄今未熄，又各處名目不一，蓋仍係天地會耳。匪黨糾約多人，到處搶掠，甚有明目張膽，自起名號，積年煽誘者；有懦弱無能被脅引者；並有殷實之戶，希圖一經入會，可免劫掠，甘心入教者。此中胥役兵丁皆不能免，故黨結日眾，包庇日深，盜案充熾矣（註一）！

廣西山嶺崎嶇，水路發達，聚散容易，有利於會黨的活動。由於廣西客籍游民眾多，結盟拜會的風氣，迄未稍熄。道光十年（一八三〇）十一月，給事中劉光三具摺時，亦指出廣東會黨蔓延的情形，其原奏云：

> 廣東舊有匪徒結會，該州縣間有出力查拏，不過設法驅逐，以鄰邑爲壑，而根株未除，蔓延日甚，其最爲民害者，則有三點會，所謂開口不離本，舉手不離三等號，粵東士民莫不周知，此等會匪不獨無賴棍徒，悉爲羽翼，即各州縣胥役兵丁，大半相與交結，表裏爲奸，雖素不謀面，而猝然相遇，見手口之號，無不呼爲兄弟，一切搶劫之事，無所不爲。即如廣州府屬香山等處，每逢稻穀將熟之時，該會匪輒豫料某某種稻若干，應收租若干，勒令給伊錢文，較租金十分之一二，名曰打單。不遂所欲，即約會無數匪徒，將所種田禾，盡行芟刈踐踏，以洩其忿，土人苦之，謂打單錢急於國課，請旨查辦（註二）。

給事中劉光三已指出會黨手口暗號對結盟拜會的盛行，具有重要意義，開口不離本，舉手不離三，諳悉暗號，就是弟兄，會黨蔓延既廣，而且迅速，對廣東社會造成了嚴重的侵蝕作用。御史馮贊勳籍隸廣東省，深悉廣東會黨內情。道光十一年（一八三一）五月，〈寄信上諭〉謂：

> 御史馮贊勳奏，廣東瀕海通洋，向有匪徒拜盟結黨，伊祖籍該省，習聞會匪之風。近又訪獲圖樣一紙，聞匪徒糾結多年，勾連凡五六省，名曰三合會，其黨分爲五房，福建爲長房，廣東爲二房，雲南爲三房，湖廣爲四房，浙江爲五房。每房各有頭目，以五色爲旗幟，入會者授以口號，各執圖一張，愚民多墮其局中，吏役兵丁，半皆羽翼，請飭嚴密訪拏等語。會匪結黨聚眾，久干例禁，如該御史所奏，勾結五六省，執有旗幟，授以口號，尤應嚴行查辦。著各該省督撫通飭所屬，不動聲色，密訪嚴拏，務將爲首

> 匪徒緝獲，按律懲辦，散其餘黨，以絕根株而安良善，如不認眞察辦，將來儻致養癰貽患，惟該督撫等是問，將此各諭令知之（註三）。

由引文可知廣東省境內除三點會以外，三合會的蔓延情形，亦極嚴重。道光年間，廣東地區較活躍的會黨，主要爲三點會、三合會、天地會、雙刀會、鐵尺會等，名目繁多。道光十六年（一八三六）五月，稽查銀庫河南道監察御史李紹昉具摺指出廣西會黨的由來，主要就是由於廣東會黨蔓延所造成的。其原摺略謂：

> 臣籍隸廣西，風聞泗城府屬之西隆州有邊地名百隘者，與雲南之廣南府，貴州之興義府地界相連，又爲各省採買滇銅運道必經之路，三省通衢，五方雜處，地界交錯，距城窵遠，匪徒易於叢集。近日廣東會匪犯案後，多竄匿於此，勾通土惡，結黨成群，名爲大貨手，大爲鄉里過客之害（註四）。

廣西地形複雜，又因五方雜處，廣東會黨逸犯，較易藏匿，以致會黨盛行。除秘密會黨活動頻繁外，青蓮教或金丹教，亦極盛行，各會黨與金丹教的關係，頗爲密切。道光二十八年（一八四八）春，耆英在兩廣總督任內曾拏獲江西南康縣人董言臺、任振坤等，據供稱先在江西地方聽從皈依金丹教，禮敬無生老母，同時又糾邀多人結拜天地會，改名關爺會。據關爺會總老大謝嗣封供稱，「因天地會歷奉拏辦，恐致張揚敗露，遂改爲關爺會，以圖掩飾。」（註五）董言臺等後來逃往廣東，又糾邀李紫榮等人入金丹教。此外，湖南衡陽縣人蔣萬成等人亦由湖南潛往廣東傳金丹道。據蔣萬成等人供稱，道光二十六年（一八四六）、二十七年（一八四七），在湖南衡陽縣先後拜清泉縣人劉振林爲師，傳習金丹教，復又結拜天地會（註六）。沈懋良著〈江南春夢庵筆記〉云：

廣西舊有添香會，首曰洪德元，以三八二十一爲口號，隱寓洪姓也。道光二十五年，德元死，秀全代有其眾，改姓洪氏（註七）。

引文中“三八二十一”是乾隆年間以來天地會傳授的一種暗號，確實是取“洪”字的意思。黃鈞宰著〈金壺七墨〉敘述尤詳，原書云：

廣西土瘠民貧，獞猺雜處，林深箐密，久爲逋逃淵藪。有洪德元者，種山課徒，善占卦篤及日者術。英吉利初犯廣東之歲，德元私習邪教，傳授鄉里，誘取財物。初無異志，及英夷和議大定，諗知武備廢弛，官兵懦怯不足畏，乃隱有揭竿之心，於是更立名目，益務詭秘，分析洪字，以三八二十一爲號，出入楚粵之交，廣收徒眾，每歲徵銀五兩，名爲香火，實則供其饔飧浪遊之費，見者皆稱爲洪先生云。方是時兩粵匪徒，眾類繁多，而德元藏跡愈深，歸之者愈多。廣東花縣人鄭秀泉者，與兄仁發、仲達，同父異母，皆以種山自給。秀泉少嘗讀書，粗識文義，顧體質肥鈍，了無異人處。同學友馮雲山，才識明練，常爲秀泉演說古今成敗事，教以煽惑人心，故二人深相結。一日秀泉病死，而胸腹不冷，七日復甦，自是言語怪誕。問以往事，茫不記憶，但歷稱耶穌神異，上帝命勸世人，皈依耶穌，免禍得福，動輒僵臥一室，禁人窺伺，私攜乾糧，歷數日而後出，出則謂與上帝議事，不食亦不饑也，其荒唐詭譎如此。雲山又從而衍之，謂人心機詐，大難將至，不拜上帝，則蛇虎螫人。立教之初，不強取，不多求，愚民稍稍從之。至是聞德元傳教廣西，與雲山徒步往投，一見大喜，相倚如左右手。歲餘，德元病死，秀泉與其妻子謀，匿德元屍而沉之，詭云昇天，而己冒洪姓，代領其眾，勢益張（註八）。

〈江南春夢庵筆記〉與〈金壺七墨〉的記載，雖然詳略不同，但這兩種記載似同出一源。〈清史稿·洪秀全傳〉記載說：

洪秀全，廣東花縣人，少飲博無賴，以演卜游粵湘間，有朱九疇者，倡上帝會，亦名三點會，秀全及同邑馮雲山師事之。九疇死，眾以秀全爲教主。官捕之急，乃往香港，入耶穌教，藉抗官。旋偕雲山傳教至廣西。居桂平時，秀全妹婿蕭朝貴及楊秀清、韋昌輝，皆家桂平，與相結納。貴縣石達開亦來入教。秀全嘗患病，詭云病死七日而蘇，能知未來事，謂上帝召我，有大劫，惟拜上帝可免。凡會中人，男稱兄弟，女稱姊妹，欲人皆平等，託名西洋教，自言通天語，謂天父名耶和華，耶穌其長子，己爲次子，嗣是輒臥一室，禁人窺伺，不進飲食，歷數日而後出，出則謂與上帝議事，眾皆駭服，復造寶誥眞言請僞書，密爲傳佈，潛蓄髮，藏山箐間，嗾人分赴武宣、象州、藤縣、陸川、博白各邑誘眾入會（註九）。

引文中“朱九疇”，當作“朱九濤”。朱九濤與洪德元傳說相近，說明〈清史稿·洪秀全傳〉內存在著洪德元的事蹟。所謂「上帝會，亦名三點會」，「有大劫，惟拜上帝可免」云云，說明拜上帝會雖然託名基督教，但最主要的還是承襲中國秘密社會的傳統，一方面承繼秘密會黨的勢力，一方面吸收民間秘密宗教的思想。

洪大全，原名焦亮，原籍廣東南海縣，自幼跟隨胞叔洪雲秀在湖南衡陽縣讀書。咸豐二年（一八五二）二月十八日，洪大全在廣西被清軍儘先守備全玉貴拏獲，經欽差大臣賽尙阿派員將洪大全解送京師。同年四月十五日，將洪大全押解到刑部。四月十七日，奉旨命軍機大臣會同刑部嚴行審訊。國立故宮博物院典藏〈軍機處檔・月摺包〉含有洪大全供詞清單，原供述及拜上帝會倡立的經過云：

我湖南衡州府衡山縣人，年三十歲，父母俱故，並沒弟兄妻子。自幼讀書作文，屢次應試，考官不識我文字，屈我的才，就當和尚。還俗後，又考過一次，仍未取進，我心中忿恨，遂飽看兵書，欲圖大事，天下地圖都在我掌中。當和尚時，在原籍隱居，兵書看得不少，古來戰陣兵法，也都留心。三代以下，惟佩服諸葛孔明用兵之法，就想一朝得志，趨步孔明用兵，自謂得天下如反掌。數年前遊方到廣東，遂與花縣人洪秀全、馮雲山認識。洪秀全與我不是同宗，他與馮雲山皆知文墨，屢試不售，也有大志。先曾來往廣東、廣西，結拜無賴等輩，設立天地會名目。馮雲山在廣西拜會，也有好幾年。凡拜會的人，總誘他同心合力，誓共生死。後來愈聚愈多，恐怕人心不固，洪秀全學有妖術，能與鬼說話，遂同馮雲山編出天父天兄及耶穌等項名目，稱爲天兄降凡，諸事問天父，就知趨向。生時就爲坐小天堂，就被人殺死也是坐大天堂，藉此煽惑會內之人，故此入會者固結不解，這是數年前的作用，我盡知的。我是道光三十年十二月間等他們勢子已大，我才來廣西會洪秀全的。那時他們又勾結了平南縣監生韋正即韋昌輝，廣東人蕭潮潰、楊秀清等，到處造反，搶掠財物，抗官打仗。拜會的人，有身家田產妻室兒女，都許多從他，遂得錢財用度，招兵買馬，膽智越大。又將會名改爲上帝會。我來到廣西，洪秀全就叫我爲賢弟，尊我爲天德王，一切用兵之法，請教於我。他自稱爲太平王，楊秀清爲左

> 輔正軍師東王，蕭潮潰爲右弼又正軍師西王，馮雲山爲前導副軍師南王，韋正即韋昌輝爲後護又副軍師北王（以下略）（註一〇）。

洪大全在供詞內已指出洪秀全等所倡立的會黨稱爲天地會，後來才將天地會改爲上帝會。毛以亨撰〈太平天國與天地會〉一文指出：

> 洪大全口供謂洪秀全在兩廣設立天地會，與馮雲山等編出天父下凡諸妖言，故知其不能成事。此爲洪秀全之上帝會實爲天地會之一派之有力證據，而其所稱妖術，則深爲諸派所不滿。案洪氏在永安時，雖分封五王，然祇自稱爲太平王，似仍不敢違反天地會據山爲王，共扶大明江山之旨，其拉攏兩廣天地會各派之用意甚明。入湖南後，其檄文詔書大申反清復明之旨，而天兄天父之說，竭力避免，故天地會各派歸之者有五、六萬人（註一一）。

引文中指出洪秀全的拜上帝會，是兩廣天地會的一派，亦即將拜上帝會視爲閩粵天地會系統中的一個會黨，承襲了廣義天地會的許多共同要素。湖南衡州等府查拏會黨劉幗節等審擬辦理，經湖廣總督程矞采繕摺具奏，其原摺稱：

> 緣劉幗節即劉幗傑、單章詳、王羔厚、陳增蒽，籍隸新田、衡山、東安、衡陽等縣，劉幗節先與已獲正法之封桃山等認識。咸豐元年六月間，劉幗節來至衡陽地方，與封桃山相遇，封桃山告知廣東舊有添地會，現改名尚弟會，凡入會者互相幫助，並可恃眾搶劫。有左家發糾人結拜，邀令劉幗節入會，劉幗節應允，出錢一千文，交與封桃山，轉交左家發收用，傳授歌訣八句，歌云："金丹始祖洪啓勝，洪英傳授與丹隆。大明國璽高溪義，五祖留記教萬宗。太

> 極天圖高懸掛，天書寶劍插斗中。要知原來眞正義，八牛下世坐山宗”等語。並告以會中人相見，祇以髮辮由左盤右，將線垂下，便可認識。又會中有黃、紅、白三家名色：廣東老萬山之朱九濤爲黃家；李丹爲紅家；張添佐爲白家，紅、白二家均聽黃家統屬等語（下略）（註一二）。

引文中“廣東舊有添地會，現改名尙弟會”等語，就是指天地會改名上帝會而言，與洪大全的供詞，彼此相符，湖廣總督程矞采奏摺將天地會改書“添地會”，上帝會改書“尙弟會”，代以同音字。咸豐元年（一八五一）閏八月十七日，左家發等人被湖南衡陽、清泉兩縣獲解衡州府審訊，經湖廣總督程矞采將審擬辦理情形繕摺具奏，國立故宮博物院典藏〈月摺檔〉含有程矞采奏摺的抄件，將左家發入會結黨原委照錄於下：

> 緣左家發即劉開三，又名劉沅隴、文廷信即文幅惺、劉青錢、蕭二即蕭定本、許秀山、謝發祥、王得榜、丁迪美、周帯僖、李洸相、周茂榮、伍榮耀、黃顯雲、黃家保、黃家友、封桃山、王訓七、盛先發、李受古、唐立莿、黃潮僖、夏紹銀、周先告、羅永松、傅運林各籍隸衡陽、清泉、桂陽、祁陽、衡山等州縣。左家發素業眼科醫理，道光三十年七月間，左家發由衡山縣搭船出外行醫，會遇同船之廣東人李丹及湖北人張添佐，值李丹染患目疾，倩令醫愈，遂相契好。李丹因述及廣東舊有添地會，現改爲尚地會，凡入會者，互相幫助，兼可恃眾搶劫，按股分贓，勸令左家發入會，張添佐亦在旁慫恿，左家發應允即拜李丹爲師。李丹隨即給三圈印票數十紙，稱爲門牌，告以內有上蓋、中蓋、下蓋之分。上蓋爲天盤，中蓋爲地盤，下蓋爲人盤，粘貼門首，即知爲同會之人，能免劫數。如有人領買上蓋

者，須錢三千四百文，可保一族；中蓋二千四百文，可保一家；下蓋一千四百文，可保一身。凡發牌曰發貨，領牌曰開恩，囑令遇便勸人領買入會。又稱伊會中另分黃、紅、白三家，廣東老萬山之朱九濤爲黃家，住處設有忠義堂，李丹爲紅家，張添佐爲白家，紅、白二家仍聽黃家統屬，牌內印信，即係黃家之印。又傳授歌訣八句，歌云："金丹始祖洪啓勝，洪英傳授與丹隆。大明國璽高溪義，五祖留記教萬宗。太極天圖高懸掛，天書寶劍插斗中。要知原來眞正義，八牛下世坐山宗。"時常念誦可免災。又稱會中人相見，祇以髮辮由左盤右，將線垂下，便可認識等語，左家發一一聽記，將門牌收藏各散。李丹旋即回粵，張添佐亦改名赤松子，潛往岳州及湖北一帶，藉名賣藥，暗相糾結，彼此僅通信息，均未來衡。左家發於咸豐元年二月回籍，既〔即〕向素好之文廷信、劉青錢、蕭二、許秀山、謝發詳、王得榜、丁迪美告知前情，邀令入會，轉授歌訣，並各給與門牌一紙，囑令輾轉邀人出錢入會。文廷信等當各邀允已獲之周芾僐、李洸相、周茂榮、伍榮耀、黃顯雲、黃家保、黃家友、封桃山、王訓七、盛先發、李受古、唐立莉、黃潮僐、周先告、夏紹銀、羅永松、傅運林先後入會，各出錢一、二千暨六、七百文，左家發即傳授歌訣，囑令念誦，並分給門牌，告以上中下三蓋名色。又囑留心，如有可搶之處，即約會搶劫，得財分用而散。六月不記日期，左家發接得李丹自廣西蒼梧一帶遣令在逃之彭定槐寄給信函，以朱九濤係屬明裔，現在廣東海邊拾得前明國璽，已稱爲太平王，封伊爲平地王，張添佐爲徐光王，令其糾人謀逆，伊已在粵糾得多人，囑令左家發趕緊糾邀，就近在衡起事，一俟定期，即有人前來接應，並封左家發爲衡州大總管等語（註一三）。

引文內“尙地會”，《宮中檔》作“尙弟會”，所謂“廣東舊有添地會，現改爲尙地會”云云，即指廣東天地會改爲上帝會而言。黃家朱九濤，紅家李丹，白家張添佐似爲上帝會三位倡始人，而以忠義堂爲堂主，紅、白二家俱聽黃家約束。張添佐改名爲赤松子，似爲金丹教信徒。天地會、金丹教都奉洪啓勝爲始祖，結盟拜會時設立洪啓勝太子洪英牌位。日本學者市古宙三撰〈朱九濤考〉，小島晉治撰〈太平天國與農民〉、鈴木中正撰〈中國史上的革命與宗教〉等文都已指出青蓮教又叫做齋教，是清代白蓮教的一派（註一四）。青蓮教是道光年間盛行的一種民間秘密宗教，又稱金丹大道，即金丹教，教中設壇扶乩，假託鬼神之詞，以令人信服（註一五）。拜上帝會經過洪秀全、馮雲山等人的改造，既承襲天地會的傳統勢力，又揉合金丹教的神秘色彩，同時假託基督教的宗教思想，而倡立的政治組織，以一新耳目，號召人心。由此也可以說明到廣東傳習金丹教的湖南衡陽縣人蔣萬成、江西南康縣人董言臺所稱先後拜清泉縣人劉振林爲師傳習金丹教，後又結拜天地會等語是可以採信的。

道光末年，兩廣地區，會黨案件，層見疊出。廣東、湖南、江西等省流動人口進入廣西後，或耕種山陽，或傭工負販，或向無恆業，客寄營生，爲立足異域，彼此結盟拜會。道光二十七年（一八四七）九月，在平樂等縣謀生的羅三鳳等人，因異鄉託業，恐人欺侮，起意糾人結拜弟兄，希圖遇事彼此得有幫助，先後邀得廖漢庭等一百五十餘人，各出錢二、三、四百文不等，交羅三鳳買備香燭雞酒，不序年齒，共推羅三鳳爲首，於十月初七日，在山廠結拜，焚香立誓，一人有事，彼此齊心幫助，均聽羅三鳳使令。羅三鳳見拜盟人數衆多，遂與海九等人起意復興天地會，共推羅三鳳、海九爲總大哥，廖漢庭等人爲副大哥（註一六）。

通政使司通政使羅惇衍曾指出廣東盜風素熾，比年以來，橫行尤甚。其頭目有陸和、李和、李法善、黎東狗、單眼德、大鯉魚、大頭羊等名目，號爲八千子弟，與廣西勾通一氣，槍砲器械，各極精良（註一七）。羅惇衍所列名目，其中多爲會黨，大頭羊即張釗，大鯉魚即田芳。此外尚有張家祥、凌十八、梁二十、何名科等數十股，各擁衆數千人。兩廣會黨成員除廣東、廣西人外，主要爲湖南人，皆用紅布包頭，所豎旗幟，上有"替天行道"等字樣。〈清史稿‧洪秀全傳〉記載說：

> 初，粵西歲饑多盜，湖南雷再浩，新寧李沅發復竄入爲亂，粵盜張家福等各率黨數千，四出俘劫，秀全乘之，與楊秀清創立保良攻匪會，練兵籌餉，歸附者益眾（註一八）。

在太平軍發難前後，兩廣會黨已連年起事，此仆彼起。當洪秀全等率衆起事後，各地會黨受到種族意識的刺激，如響斯應，聲氣相通，而爲太平軍作驅除。賽尙阿具摺時奏稱：

> 兩粵匪徒，紛紛不一，而會匪最爲狡悍，會匪中以現在永安者爲極大之股，次則凌十八股，及何明科、梁二十股，凌逆現踞東省地面，與官兵抗拒，梁逆已爲東省擊斃，何逆率其餘黨，復竄西省滋擾，前經永安各路官軍屢獲賊黨，訊供有勾約外匪接應，定十月間攻取藤縣，即往會合之說。因查何明科本係會匪，現由容縣、北流等處竄來，顯欲由桂平、藤縣一路，與永安會匪合夥接應（註一九）。

凌十八之父名凌玉超，籍隸廣東信宜縣，移徙廣西平南縣種藍靛度日。凌玉超生子六人：長子即凌十八，名才錦；次子二十，名帖錦；三子二十四，名標錦；四子二十八，名揮錦；五子二十九，名進錦；六子三十，名扶錦，兄弟六人，俱爲會黨重要頭目。賽尙阿具摺時已指出馮雲山、洪秀全等一股，與凌十八一股，俱是“會匪”（註二〇）。凌十八自道光二十九年（一八四九）即在廣西金田地方拜上帝，往來信宜，蹤跡靡定，道光三十年（一八五〇），信宜縣知縣將其房屋焚燬，凌十八等即率衆投入太平軍的陣營。何名科是廣東信宜縣人，兄弟三人，何名科居長，二弟何名招，三弟何名怡，向來耕種度日。道光三十年（一八五〇）秋間，何名科、何名怡分糾夥黨，到處劫掠。同年十月間，何名科與梁二十合夥，共三千餘人在容縣滋擾。咸豐元年（一八五一）八月間，何名科與梁二十帶同梁十八、李大頭四等轉回廣東信縣滋擾，攻城戕官。九月二十七日，在貴縣被擒（註二一）。

道光三十年（一八五〇）正月間，廣東三合會李士奎等起事，天地會羅大綱自廣西平南攻永安州，劫掠長壽墟。二月間，靶子會李沅發竄擾湘桂，廣西參將瑪隆阿陣亡。六月間，廣西天地會覃香晚等率衆千餘進擾貴縣龍山墟，旋自貴縣竄入宣武。七月間，廣西三合會陷太平府、寧明州，繼克左州、修仁、荔浦等地。廣東三合會陸和等於清遠各隘口設廠，截船收稅，與艇匪張釗等勾通。八月間，廣西三合會陷龍州，同知王淑元等死之。貴縣復義堂天地會張亞珍等率衆五千人陷遷江，大勝堂會黨潘大則陷永康州。九月間，廣東三合會陸和等堅守清遠，與清軍相抗（註二二）。

咸豐二年（一八五二）正月二十二日，廣東南雄縣人曾河闌途遇張大萌等人，談及彼此孤單，慮人欺侮。曾河闌憶及舊藏天地會會簿一本，太極八卦圖木戳一個，起意商同糾夥拜會，遇事互相幫助，兼可恃衆搶劫。因天地會名目沿用已久，缺乏號召力，而改名齋公會，並用黃布刷立會單，蓋用太極八卦圖記，交由張大萌等分投糾夥，並揚言齋公會勢強人衆，入會可免搶劫。張大萌等輾轉邀得饒四姊等共五百五十二人，每人出錢一百文，交由曾河闌買備香燭雞酒，不序年齒，共推曾河闌爲大哥，張大萌等爲頭目，於正月二十三、六、九等日在南雄州屬大嶺背湖口墟空廟中先後歃血盟誓，曾河闌傳授開口不離本，出手不離三暗號（註二三）。由曾河闌等結拜齋公會，可以說明天地會與齋教確實有密切關係。曾大萌等人在短短數日之內，竟能糾邀五百餘人入會，可見兩廣地方群衆運動風氣的盛行。據喬用遷奏稱，廣西各處會黨，都是隨地糾聚，並聽人自投入夥，由廣東前往入夥者，稱爲廣馬，在廣西糾合者，稱爲土馬，立有大勝、福義等堂名，各股會黨，勾通一氣，蔓延日廣，勢力猖獗。由於各地會黨同時並起，分散清軍力量。

太平軍在金田起事以前，湖南地區的會黨已極活躍。道光末年，湖南新寧縣人雷再浩等人所領導的棒棒會，人數愈聚愈衆，盤踞湖南與廣西兩省交界地方。湖南永州府所屬各州縣，因鄰近兩廣，會黨尤其盛行。道光二十六年（一八四六），祁陽縣添弟會首夥王棕獻等共一百七十餘名。道光二十七年（一八四七），臨武縣及常寧縣先後拏獲添弟會首夥唐幗通、郭志祿等一百一十餘名（註二四）。道光三十年（一八五〇）十二月初十日，太平軍在金田正式發難後，湖南各地會黨的活動，益趨積極，並有接應太平軍的奏報，以致糾夥拜會案件，迭有破獲。

道光三十年（一八五〇）七月間，湖南衡陽縣人左家發出外行醫，拜廣東人李丹爲師，加入尙弟會，即上帝會。咸豐元年（一八五一）二月，左家發返回衡陽縣原籍，糾邀素好的文廷佶等二十餘人結拜尙弟會（註二五）。同年七月，湖南清泉縣人寧狗俫因與左家發素識，亦聽從糾邀而加入尙弟會。同年八月間，祁陽縣人雷和芳、雷和茂等人在衡陽縣結拜尙弟會（註二六）。咸豐二年（一八五二）二月十六日，太平軍自永安突圍。二月二十九日，圍攻桂林。四月初六日，進攻全州。四月二十五日，攻佔湖南道州。六月二十七日，取嘉禾。六月二十九日，據桂陽州。七月初三日，佔郴州。七月十二日，北破永興，進撲長沙（註二七）。太平軍所至，會黨紛紛響應。咸豐二年（一八五二）三月二十九日，內閣學士兼禮部侍郎銜勝保具摺指陳時務時已指出：

廣西賊匪起事以來，未嘗挫衄，視官兵如兒戲，且聞潛蓄奸謀，久而後發，雖云烏合，實已鴟張。其始猶怵天威，偶得城邑，旋即遁去。自李星沅出，而賊始肆，周天爵出，而賊更肆，賽尚阿出，而賊益橫行無忌公然署僞官，散僞檄，狂悖之情，令人髮指。兵法曰：久暴師，則國用不足。夫鈍兵挫銳，屈力殫貨，兵家之大忌也。今師老財匱，而賊勢未衰，自出永安，猖獗尤甚，桂、梧、平、潯，在在堪虞，且以小醜跳梁，乘全勝之威，合天下之力，不足以制之，將何以伸撻伐而絕覬覦？此廣西之憂也。賊伏永安數月，養精蓄銳，謀定而後出，必有注意之所，非梃而狂走如從前川楚教匪比。梧州一府，爲兩省咽喉，若賊據梧州，分掠桂平等處，俾我師備多力分，潛結東粵奸徒，直犯肇廣，旁煽南贛，遠結漳泉，近糾海寇，則自嶺以東，將不可問，且粵東匪徒狡然思逞者，亦眾矣！此廣東之憂也。桂林接壤湖南，平日奸徒本通聲息，若據桂林，浮湘水而下，盜衡水，犯長沙，即唐賊黃巢躪中原之路，此湖南之憂也（註二八）。

廣西、廣東、河南接襄，聲息相通，會黨活躍，彼此勾通一氣。賽尚阿具摺時已指出太平軍自竄越湖南境內，各處土匪附從及遙爲勾應者，轉較廣西爲多。咸豐元年（一八五一）五月間，東安縣人蔣璿因與人爭訟，屢被欺侮，並希圖搶劫，兩次糾人結盟拜會。同年七月間，湘鄉縣人熊聰一、王詳二等起意結拜弟兄，希圖搶劫，商定取名綑柴會，又名股子會。七月二十二日，共邀得五十五人，在會員王昌梓屋後空坪結拜，不序年齒，共推熊聰一爲大哥（註二九）。僧景灼向在東安縣雲集菴內披剃爲僧。是年八月間，在僧葆沅經卷箱內檢出書本等件，因見書內畫有斗台佛像，於是起意設立供奉，邀人結拜弟兄，取名爲斗台會，希圖恃衆搶劫。八月二十六日，共邀得四十二人，至菴會齊，拈香結拜，宰雞飲酒，不序年齒，共推僧景灼爲大哥（註三〇）。

咸豐二年（一八五二）四月間，太平運進攻全州時，東安縣人唐亨等即聚衆起事，太平軍內羅沅鈺、陳揚廷因與唐元亨素識，先期潛至唐元亨家，邀令黨衆響應。唐元亨與同縣人蔣璸商允分邀夥黨，約定在東安縣起事。蔣璸因其兄蔣璿先曾邀人結盟拜會被官方查拏，心懷忿恨，欲圖爲其兄報復，隨與唐元亨等分途邀得千餘人，每人發給紅布一塊爲號，分派蔣尊式、蔣倌顯爲先鋒，蔣清訊、李正一爲軍師，鄧添廡爲將軍，蔡耀廷等管理銀錢，陳揚廷、唐士雷打探消息，並引導太平軍，唐元亨、羅沅鈺爲正副元帥，蔣璸爲營總。以黃、白、紅、青、藍五色旗幟，分爲中軍前後左右五隊，派唐開江管紅旗，蔣榮楚管青旗，陳鵬飛管白旗，蔣臣運管藍旗，唐元亨、蔣璸居中軍，管黃旗。蔣璸將其仇人唐國友擒殺祭旗起事，四月二十五日，佔領東安縣屬石板橋、白牙市一帶，然後攻打東安縣城，其所豎旗幟，都是太平天國及太平黃旗（註三一）。湖廣總督程矞采具摺時，亦稱是年四月二十九日，「忽有土匪勾通粵匪」，約共千餘人，執持器械，蜂擈永州府寧遠縣，旗幟上寫有“太平”等字（註三二）。湖南會黨與廣西會黨，彼此勾通，以致太平軍直驅湖南境內。其中瀏陽縣東鄉會黨首領周國虞即周國愚的響應，頗值得重視。據鄒焌奏稱，東鄉會黨起自道光初年，始號忠義堂，凡法術、書數、醫卜、星相以及粗曉天文、地理有一藝之長者，均收入夥。監生周國虞爲首，綽號虞王，以東鄉離城四十里的煤田即梅田、三坪洞、大西洞等處爲巢穴。周國虞膂力強悍，徒手能敵百人，能騰身空際，飛簷走壁。又有封刀、封銃諸邪法，藉以煽惑愚民。其入會者，先令出制錢一千文，報名登簿，邀入暗室，飲符水一碗，令以頭入瓦甕內盟誓，永不改悔。初起時，每年唱戲飲酒，聚會十餘日，每日數十席不等，因地方官查辦停止，近年愈形詭秘。徵義堂記認，隨時更換，往年暗以紅繩作汗衫紐辮，近又更用他物。徵義堂附近有一山，四周峭壁，有小徑盤曲而上，其巔寬平，可容數千人，每年按簿稽名，各繳穀石、硝磺，分囤各頭目家。又有房屋一所，用鹽作磚，以備急時食用。凡鳥鎗大砲、刀矛、器械之屬，無不完備。會黨腹心，散佈縣署及省城督撫衙門，以充當書差兵役，暗通消息，省城一舉一動，徵義堂無不周知。鄒焌具摺指出，「其盤踞縣署交通公事者，假匪徒以爲羽翼，而匪徒亦假衙役以爲爪牙，朋比爲奸，官民受制。」（註三三）徵義堂會黨衆多，散佈極廣，太平軍進入湖南後，周國虞即率衆同時起事，與太平軍先期勾通，約期同時進攻省城。咸豐二年（一八五二）七月二十八日，太平軍猛撲長沙，周國虞等即於同日在瀏陽縣起事。太平軍內李八，與徵義堂馬二素相熟識，李八遣信差李亨道、唐理雲即唐理仁潛至徵義堂勾結，周國虞因見太平軍聲勢浩大，故率衆加入拜上帝會（註三四）。後來李亨道、唐理雲爲東鄉團長廩生王應蘋等拏獲，周國虞即率衆焚燬獅山書院，殺戮王應蘋，劫掠城鄉典當及各富戶，官民相率逃散。當太平軍尚未進圍長沙時，有徵義堂會黨三百名冒充瀏陽鄉勇，自願投效守城，與陝甘兵同往石馬鋪防堵，太平軍甫至，鄉勇盡行逃歸，將所穿勇衣轉交太平軍，陝甘兵丁被殺者數千名，太平軍穿著勇衣，遂得混至城下。除徵義堂會黨外，還有許多其他會黨相繼響應，例如瀏陽縣有雙慶會，希圖聚衆歛錢。武岡州因饑荒而有阻米會。地方大吏指出湖南地區凡設立會黨或教派，都是盜賊所倚爲護符。「所謂紅會者，即紅簿教，係白晝持械搶劫之盜也；所謂黑會者，即黑簿教，係黑夜穿踰偷竊之賊也，因有明暗之不同，故加以紅黑之異號，此等匪類，較之齋匪茹素念經，其貽害尤爲可惡。」（註三五）湖廣總督程矞采與湖南巡撫駱秉章密加查訪後，亦稱湖南地區，會教名目，洵屬不少，除徵義堂、忠義堂、紅簿教、黑簿教、結草教、斬草教、捆柴教外，另有茶會、鐵板、十行、草鞋、亞乂等項名目，人數多寡不同，「半係游民痞匪，藉思惑衆歛錢，所立會教之名，不過隨意編造，即如草鞋一教，查係乞丐所爲，積習相沿，非必盡行恃衆倚強，藉端搶掠，若不及早查拏懲辦，勢必日久蔓延。」（註三六）

廣西全州、興安交界五排地方，萬山盤繞，路徑叢雜，與湖南新寧、城步、武岡等州縣連界，人口流動頻繁。楊三通、李白毛、侯定耀、鄧大發等人，籍隸湖南、廣西各州縣，游蕩度日，先後至五排地方居住。咸豐二年（一八五二）八月間，楊三通等聞知太平軍攻撲長沙省城，料想官兵攻勦吃緊，不能兼顧他處，於是起意乘機起事。楊三通與李白毛等商允創立孝義會，邀人結拜弟兄，先後邀得三十六人，在雞籠山偏僻地方拜會，歃血盟誓，楊三通自爲總頭目，分爲前後中左右五營，派李白毛、鄧大發、侯定耀、陳紹勳、任發欣五人爲五營大頭目，吳三才等三十人爲散頭目。楊三通編造“玉寶明鏡”四字篆文木印一方。另造“彪[虎殳][虎同][虎和][虎合]”字樣作爲五營暗號，並先刻成“[虎和]”字小木印一方，令散頭目三十人輾轉邀人入會，一俟糾約多人，即焚劫西延州同衙門起事（註三七）。

當太平軍進入湖南後，天地會黨首領胡有祿、朱洪英等亦在楚粵邊界展開激烈的戰鬥。胡有祿是廣西武宣縣人，朱洪英又名朱聲洪和朱勝紅，是湖南東安縣人，兩人為戚好，各有夥黨萬餘人，多為各省游民，及所遣散的鄉勇，其驍勇善戰，並不亞於太平軍，攻城掠地，聲勢浩大。道光二十六年（一八四六）七月，胡有祿率衆進攻湖南寧遠。次年，其兄胡有福，與三合會首領羅大綱等攻撲廣西陽朔縣城。咸豐二年（一八五二）八月，胡有祿在廣西南寧起事，向北發展，相繼攻陷楚粵邊界各縣城。咸豐四年（一八五四）八月，朱洪英攻陷灌陽縣城。胡有祿與朱洪英二人於是建號昇平天國，胡有祿自稱定南王，朱洪英則稱鎮南王（註三八）。胡有祿、朱洪英率衆先後攻撲道州、寧遠、江華、永明、東安、桂陽、嘉禾等州縣。湖北提督博勒莽武具摺稱，「粵匪之肆行竄擾，實緣土匪之勾結接濟，以致滋蔓難圖。」（註三九）但所謂“土匪”，多係湖南本地的會黨，由於湖南各地會黨的勾結接濟，以致滋蔓難圖。候補鹽運使但明倫條陳軍務時已指出：

> 逆賊自粵西而楚南、楚北，張貼偽示，因之土匪乘機勾結莠民，為之嚮導，引之劫掠，此長髮賊之所由日多也。近聞各處傳播偽示，尤為悖逆，若非土匪私與之通，何能混入城中，公然張貼（註四〇）。

候補鹽運使但明倫所述“土匪”與太平軍私通，並為嚮導，就是太平軍所以能長驅深入湖南的主要原因。咸豐二年（一八五二）十二月，湖南巡撫張亮基具摺時亦稱：

> 湖南各州縣，盜賊會匪，在在充斥。前此粵賊一人永州，

即有衡、永、郴、桂各處土匪，潛赴賊營，爲之導引，以故數千里外山峒之寇，深入內地，毫無格沮，歧途僻逕，恍若熟游，而賊匪每次被勦竄出，所剩長髮眞賊無多，旬日之間，嘯聚又已逾萬。此等奸民，無事則拜會結盟，夥竊糾搶，擾害地方，有事則勾引逆賊，號召匪徒，乘機響應，推原其故，皆由吏治廢弛已久，地方文武見匪不辦，以致徒黨日繁，漸難收拾（註四一）。

湖南流動人口衆多，結盟拜會風氣盛行，以致太平軍進入湖南後，即聚衆響應，導引太平軍。咸豐五年（一八五五）正月，湖南巡撫駱秉章對湖南會黨接應太平軍的情形作了更詳盡的分析，其原奏略謂：

當兩廣賊匪滋擾之時，湖南積匪之在賊中者，多潛回鄉里，分遣黨羽，糾人從逆，寧遠、嘉禾等縣，鍾在湖南本省爲腹地，而東距廣東邊界，西距廣西邊界，皆不過百數十里。平時各縣窮民之挑販粵鹽者，奸民之夥隨幫匪者，朝楚暮粵，實繁有徒，永州府、貴揚〔陽〕州、郴州各屬，又素爲會匪、齋匪卵育之區，頻年以來，屢釀巨案。糾人入會，名曰放台；通信赴會，名曰調碼，其習俗與兩粵無殊。無事之時，蹤跡詭秘，莫測端倪。有事之時，積習潛通，群起響應（註四二）。

肩挑負販的市井小民，朝楚暮粵，結盟拜會，放台調碼，隱語暗號，彼此熟諳。因此，太平軍入楚後，各地會黨即群起響應，爭相效命。此即太平軍自永安突圍後進入湖南攻城掠地，勢如破竹，拉朽摧枯的主要原因。

福建界連江西、廣東等地，會黨林立，當太平軍轉戰於湖南、江西各地期間，福建地區的會黨，亦乘機起事，暗中勾結太平軍。

其中漳州府屬龍溪、海澄及泉州府屬同安等縣的小刀會，在陳慶眞等人的領導下，率先起事。陳慶眞等人被拏獲嚴訊，閩浙總督裕泰等將審擬經過繕摺具奏，其所錄供詞要點如下：

陳慶眞等五十六犯，分隸同安、龍溪、海澄、安溪、詔安等縣。陳慶眞向與現獲之王泉合出資本，在暹羅國收買洋貨，販至廣東銷售，往返經營，歷有年所。旋因虧本，於道光二十五年間歇業回家。三十年夏間，陳慶眞因前在廣東稔知三點會即添弟會歌訣口號，起意改立小刀會名目，結夥斂錢，並圖搶劫，遇事復得互相幫助，與王泉商允，遂各分糾現獲之劉標、林溫鳴、黃旦、曾飛瀧、葉周、胡象、李吉忠，並在逃之不識姓名二人，劉標亦轉邀現獲之劉然入會，連陳慶眞等一共十二人，於六月間不記日期，潛赴廈門斾杆腳地方，即在該處五祖廟內令入會之劉標等十人，各出錢六百九十三文，交陳慶眞買備雞酒香燭，供設神前。陳慶眞復與王泉用木柄尖刀兩把，用手架起，令劉標等各從刀下鑽過立誓，並將各人左手中指用鍼刺血滴酒共飲，又將各人姓名年庚開單焚化。陳慶眞復授以紅旂飄飄兄弟招招及開口不離本舉手不離三等口號歌訣，令劉標等各自記誦。入會之後，逢人問姓，答以本姓某，改姓洪。接遞物件，止用三指。盤辮不拘左右，須將髮梢垂下兩三寸，褲腳左長右短。胸前鈕扣，解開兩顆，折入襟內，以爲入會記認（註四三）。

由前引入會儀式及隱語暗號，可知廈門小刀會吸收了閩粵系統會黨的各種要素。因地方官查辦嚴緊，陳慶眞不敢復往廈門。道光三十年（一八五〇）十月間，陳慶眞探知同安、龍溪、海澄三縣交界處石鼓堂地方，地處偏僻，可以潛藏，於是與王泉商允分邀王靖等十四人入會。陳慶眞因入會無多，又與王泉揚言，不入會者，即糾衆搶擄，因此，同安、龍溪、海澄三縣鄉民爲保身家，多加入小刀會。陳慶眞等人陸續邀得陳北等十九人，先後至石鼓堂空廟內結拜小刀會。陳慶眞、王泉又用紅白布剪成尖角小旂，紅旂上寫"天上聖母"字樣，白旂上寫"天庭各色"等字，每人分給紅、白布旂各一塊收藏。

從英屬海峽殖民地返至廈門的華人，其定居廈門者甚少，陳慶眞即其少數者之一。其弟陳慶星在英國領事館擔任通譯，兄弟俱爲小刀會重要首領。道光三十年（一八五〇）十二月初二日，興泉永道張熙宇會同水師參將陳勝元等督帶兵役前往包圍陳慶眞住所，捉拏陳慶眞本人、廚工李芳圃及周德等三人，解送同安縣衙門審訊（註四四）。據福建巡撫徐繼畬具摺指出，正在分別訊辦間，突有英國領事蘇哩文（G. G. Sullivan）照會張熙宇，以陳慶眞等生長英屬息力地方，應作爲英國民人，歸領事辦理。因未獲覆音，蘇哩文親至道署坐索。張熙宇雖以條約情理反覆說明，但蘇哩文堅執不從，並率英人多名在大堂外索取，聲勢洶洶。張熙宇等隨令其暫回領事館，聽候派員交送，暗中卻將陳慶眞杖責垂死，然後與李芳圃、周德一併交送蘇哩文收領。當蘇哩文領回後，陳慶眞業已傷重身故（註四五）。

太平軍自武昌東下後，福建小刀會即群起響應，到處張貼告示。咸豐三年（一八五三）四月初六日，小刀會黨突入漳州府屬海澄縣城，焚燬衙署，奪犯戕官，署漳州鎭曹三祝及汀漳龍道文秀等人於四月十一、十二等日先後被擒殺。四月十二日清晨，小刀會黨數百人豎梯擁入安溪縣城，監犯乘變逸出，焚燬文武衙門，署理知縣陳鳳音避居民舍，印信被搶，安溪縣城遂告失守。隨後同安、廈門亦相繼失守。四月十五日，小刀會黨又陷永安縣城。

四月二十九日，小刀會黨攻撲延平府城及大田、德化、永春等州縣，此外如石碼、龍溪、漳浦、平和、詔安、永安、沙縣、邵武、建陽、順昌、崇安、尤溪、金門、仙遊及台灣等府州縣，都有小刀會豎旗起事，戕殺文武案件，希圖接應太平軍。黃嘉謨撰〈英人與廈門小刀會事件〉一文曾分析閩省小刀會起事的原因，原文略謂：

> 迹其源始，起於海澄縣民江源自南洋歸來，攜有洋小刀數百柄，遍贈其同類友好，結為小刀會，自與其弟江發為首領，在地方上稱強。適同安縣人黃德美（一作黃得美），在龍溪縣境置有田地，常受強佃抗租，越境控追，地方官不為伸理。黃德美乃約同其族叔（一說為德美養子）黃位（一作黃威）加入小刀會，仗恃該會勢力對付強佃，江源兄弟的勢力也由此而日趨盛大。海澄知縣汪世清聞報，即行逮捕江源、江發兄弟，並依法處死。黃德美大為激憤，乃與黃位密謀起事，誓為江源兄弟復仇（註四六）。

江源兄弟等糾衆結拜小刀會的動機，其初不過是抵制強佃抗租，只是地方性的民間衝突事件，但由於地方官處理不善，對訴訟案件未能妥善解決，知縣汪世清見小刀會勢力日益強盛，故將小刀會首領江源兄弟逮捕處死，黃德美遂乘汪世清外出鄰境的機會，率領黨夥於深夜中攻佔海澄，接著陸續攻陷石碼、長泰及漳州府等處，焚署戕官，勢極兇橫（註四七）。御史陳慶鏞具摺時，曾對福建小刀會的猖獗，作了較詳細的分析，原奏略謂：

> 福建下游賊匪，始由海澄發難，所至地方，文武逃遁，致賊得以占踞空城，其賊船攻犯廈門，由官兵之素預小刀會者，與為內應。同安縣知縣李湘洲，有走匿情事。現在同安西界，多半從賊，廈門為全省精華，急須選擇紳士，召

募馬巷義民三四千人，一從劉五店徑渡五通；一從同安前往官潯，到處設法解散，即以紳耆爲嚮導，並知會水師兵船，駛入廈港，賊必聞風逃回，海澄各處，仍令紳士勸諭，使之互相疑忌，自當迎刃而解。其上游賊匪，大都起於邵武、建陽、順昌、崇安、將樂、沙縣等處。其賊匪有衣扣髮辮各暗號，並有燒紙坐臺大小會，及鐵板令、草�令、過江龍各名目。其汀州之江湖會匪，亦略如坐臺之會，聞有著名會目廖彥如充當縣役等事。其在邵武入會者，與江西寧都賊眾，嘯聚於長汀、瑞金交界之黃竹嶺地方，尤虞勾結（註四八）。

福建界連廣東、江西，會黨盛行，歷久不衰，除小刀會以外，還有紅會、江湖會、紅錢會、鬧公會、紅會，各會黨主要分佈於漳州、泉州、汀州、延平、建寧等府各州縣，暗中勾結，甚至勾通衙蠹，同惡相濟（註四九）。廈門小刀會經官兵擊敗後，下海潛逃，竄擾臺灣沿海，在雞籠口登岸滋擾。咸豐四年（一八五四）五月初十日，小刀會船九隻在香山港口游奕。六、七月間，小刀會船數隻先後駛至蘇澳龜山大坑罟等處游奕，後來在噶瑪蘭被官兵擊敗後，又於閏七月二十四日由蘇澳竄入雞籠口內，登岸滋擾。經義民首林文察帶領義勇等擊退小刀會，其餘船隻逃至嘉義縣下湖洋面窺伺（註五〇）。沙縣位於福建上游，僻處叢山，會黨猖獗，咸豐八年（一八五八）四月間，攻陷富口，進逼縣城。經官兵擊敗後，縣城內外，又倡立烏龍會，日肆滋擾（註五一）。道咸年間，閩浙地區會黨盛行的主要原因，實由於太平軍勢力方興未艾，清軍不堪作戰，各地會黨聲氣相通，乘機勾通，以圖大舉。

兩江是指江南與江西，江南即江蘇、安徽兩省，兩江總督兼轄江西省。其中江西吉安府屬龍泉、永新、永寧、蓮花廳及袁州府屬宜春、萍鄉等處，都與湖南接壤，龍泉界連郴州，永寧界連衡州，永新、蓮花廳、宜春、萍鄉都界連長沙府。當太平車攻陷江華、永明、嘉禾三縣及郴州、桂陽二城時，江西沿邊州縣俱已震動。南安府上猶、崇義、大庾等縣則近接廣東仁化等縣，咸豐二年（一八五二）八月間，仁化會黨曾向北發展，進入大庾縣境。同年十月間，廣東會黨又由翁源，始興交界地方進入江西龍南、信豐等縣境內。江西寧都等處，與福建上游邵武等縣接壤，瑞金等地，會黨盛行。江西因與福建、廣東及湖南等省接壤，所以會黨極爲活躍。道光二十七年（一八四七）正月間，江西贛州府長寧縣，有凌成榮等人結拜關爺會（註五二）。同年七月間，吉安府廬陵等縣又有胡世逢等結拜三點會案件。胡世逢會遇三點會頭目盧光華，告知同會中人彼此幫扶，可免外人欺侮。胡世逢拜盧光華爲師，在山僻空廟設立洪二和尙牌位，用桌搭橋，點燃香燭，令胡世逢從橋下鑽過，傳授開口不離本，出手不離三及三八二十一暗藏“洪”字口訣。道光二十八年（一八四八）六月、二十九年（一八四九）十月、三十年（一八五〇）十一月，胡世逢先後多次邀人結拜三點會（註五三）。咸豐元年（一八五一）九月間，江西寧都州人李運紅從荒貨擔上買得舊書一本，內有邊錢會傳徒口訣，於是起意結會斂錢，並圖有事彼此相封，先後與崇仁縣人盧金標、宜黃縣人管幅保商議結拜邊錢會，九月二十日，盧金標等八人，各出錢一千文，送交李運紅買備香燭雞酒，同赴山僻空廟，設立洪二和尙牌位，用布搭橋，令盧金標等從橋下鑽過。李運紅口念“有忠有義橋下過，無忠無義劍下亡”。然後宰雞取血滴酒同飲。李運紅又傳授“開口不離本，出手不離三”及“三八二十一”暗藏“洪”字口訣。髮辮盤在頭上，從左至右，以便同會中人互相認識。盧金標等各向李運紅領得傳徒紅布花帖一張而散。此後李運紅陸續傳徒一百五十餘人，盧金標等人亦分途糾邀多人入會。咸豐二年（一八五二）十月間，李運紅與盧金標等談及會內人數衆多，廣西太平軍進攻湖南，江西撫州營兵均已調防在外，起意糾集同會乘機起事。會中設置都督大元帥旗幟，假託太平天國名號，揑造諭旨，令居民各出錢米幫助，免致擾害，張貼告示，號召民衆起事。因崇仁縣地方富饒，所以約會盧金標等人於十月二十五日在崇仁縣鳳岡墟地方發難。屆期共四百餘人，分帶鳥槍等械，前赴鳳岡墟會齊，李運紅率同盧金標等向居民夏之雋等訛得錢米食用，復圍住鳳岡司衙署，勒令派出銀錢米穀，巡檢孔繼賡不從，會黨即擁入署內，將房屋概行打燬，並將衣飾搶掠一空，後來進攻大羅村、南城、南豐、宜黃、樂安等處（註五四）。江西巡撫張芾具奏時已指出邊錢會「假托粵西逆匪名號，張貼僞示，希圖煽惑衆心。」（註五五）江西上猶縣鵝形山等處會黨，由首領劉洪義率領，於咸豐三年（一八五三）四月初九日在湖南郴州桂東縣二都溪源蕉源地方滋擾（註五六）。署理江西巡撫張芾也指出江西會黨滋事，「即有廣西會匪在內主謀」（註五七）。

太平天國定都南京後，佔有江蘇、安徽、江西、湖北的大半，可說是太平天國的鼎盛時期，也是江蘇會黨活動較爲頻繁的時期。當太平運進攻南京期間，上海會黨首領已暗中與太平軍聯絡。咸豐三年（一八五三）初，三合會首領密與進據鎮江的羅大綱通款，勾引太平軍東下蘇州、常州。太平天國東王楊秀清則傳檄上海會黨首領李聞風，催令從速發難。其檄文中有一段話說：

> 蓋聞識時務者爲英雄，知進退者爲俊傑。觀當今之大局，知眞主爲天王。三月間，曾據欽差大臣羅大綱弟來稟，知弟等請攻蘇、常，弟等願在尚海爲內應，本軍師不勝欣慰。

何以遷延至今？如果率眾來歸，必當奏請封加顯爵，何去何從，希自諒之（註五八）。

檄文封面書寫"右札尙海李聞風弟等開拆"字樣，"尙海"即上海，太平軍進攻上海以前，上海會黨已經表示願意內應。咸豐三年（一八五三）八月間，江蘇會黨正式起事，其中劉麗川、周立春等人所領導的會黨，勢力尤大。劉麗川是廣東香山人，原名源，小名阿混，嘉慶二十五年（一八二〇）生。初在原籍耕農，旋赴香港謀生。道光二十五年（一八四五）十月，加入三合會，在香港由勞德擇"傳斗"。道光二十九年（一八四九），劉麗川到上海，充當洋行通事，疏財仗義，博施濟眾，頗受旅滬同鄉推重。上海小刀會起事後，各會黨公推劉麗川爲總首領（註五九）。〈上海縣志〉記載會黨起事經過云：

初，長髮賊陷金陵，蘇、常告警，吾邑招鄉勇防守，私號百龍黨，巡道吳健彰招廣東鄉勇，署縣袁祖悳以興化會館董事李仙雲所招福建鄉勇，各爲保衛。又有無賴潘某，號小鏡子，江寧籍，坐事繫獄，或言於令，謂盍釋潘，俾練勇自贖，袁從之。潘遂結連劉逆及陳阿林、陳阿六、林阿福、李咸池、李紹熙、李夾軒聚群不逞之徒，附名添弟會，溷雜城廂。初三日，青浦亂民周立春等攻陷嘉定。初五日，值丁祭，右營參將周震豫先至學宮，劉逆等突入縣署，劫庫放囚，祖悳以老母託其弟，出坐堂皇，開導禍福，而建勇盡已從賊，首紮紅布，攢槊刺之，遂遇害。健彰所招廣勇同時紮紅布，擁健彰至廣安會館，逼索不從，出北門而去（註六〇）。

據〈青浦縣志〉記載，吳健彰斤招廣勇私號雙刀會黨，袁祖悳所招閩勇私號烏黨。小鏡子爲百龍黨魁，與寶山會黨孟培等四、五百人推周立春爲首，約期舉事。咸豐三年（一八五三）八月間，劉麗川等遂糾邀周立春等率衆起事（註六一）。蘇州藩臬二司稟報頗詳，其原稟略謂：

> 上海已於初五日失守，該署縣袁祖悳被戕，上海道吳健彰不知下落，署松江府知府之上海同知藍蔚雯因勢危急，馳回郡城防守。逆匪旋於初七日陷寶山，初十日陷南匯，十一日陷川沙，十五日陷青浦，俱有匪徒占踞。聞得署南匯縣章惠、署川沙同知賓塾，均已自縊，其餘各城文武，未知下落（註六二）。

據上海道吳健章稟稱，八月初五日寅刻，會黨直入上海縣署戕官，吳健彰聞信，即由太倉返櫂折回新閘地方，有三合會數千人蜂擁而來，壯勇被傷，槍砲如雨，城門緊閉，不得已退回新關，在美國公使館暫住。

周立香是江蘇青浦縣已革地保，咸豐二年（一八五二）五月間，周立春糾約鄰圖地保李章等帶同鄉民到青浦縣衙門求緩錢漕，鬧堂毆官拒捕，隨後外出逃避。咸豐三年（一八五三）七月，周立春回家，因署嘉定縣馮翰拏獲搶匪陳木金等羈押木籠，周立春教令封洪、李章等將陳木金等搶出。周立春又探知蘇松、太倉官兵調出防剿，本地空虛，起意糾同寧波人王幗初、廣東人李少卿、寶山人杜成齋及王小山等借寬免錢漕爲名，糾邀民衆及閩粵民人，約數千人，倡立三合會，封王幗初爲大元帥，杜成齋爲軍師。由杜成齋書寫告示，刊刻木印，蓋用張貼。八月初三、初五等日，周立春令王幗初、李少卿各自帶人先後至嘉定、上海踞城劫掠。又令王小山、李少卿等帶人分赴寶山、南匯、川沙，佔踞城池，並進攻太倉州城。八月十五日，周立春率衆攻佔青浦縣城，後來在攻打嘉定時被擒（註六三）。

三合會及小刀會等會黨，在短短的十餘日內連克嘉定、上海、寶山、南匯、川沙、青浦等縣，並進撲太倉，蘇松一帶爲之大震，牽制清軍，致使江南大營腹背受敵，一方面加速江南大營的瓦解，另一方面則間接支援了太平天國的軍事行動。劉麗川起事後自稱“大明國統理政教天下招討大元帥”，其年號爲“天運”，天運元年即咸豐三年（一八五三），但對洪秀全等往來文書則奉太平天國年號，並改稱“太平天國統理政教招討大元帥”。咸豐三年（一八五三）九月十四日，劉麗川致美、英、法、葡、普等國領事函內亦稱「本帥已與太平王約定時通音信，蓋本軍與太平軍已屬一體。」（註六四）三合會及小刀會佔領上海，爲免勢孤，期成大事，急於與太平天國取得聯絡，欲附屬於天朝，劉麗川乃遣專使二人，分由水陸兩路齎書前赴金陵，與天王通款曲，盼其迅派大員接洽，主持上海軍政宗教大計（註六五）。劉麗川進呈洪秀全奏書原文云：

> 未受職臣劉麗川，誠惶誠恐，頓首謹奏我皇上陛下：臣以一介庸愚，力耕鄉落，於願已足。不期時世變遷，人民失業，夙興夜寐，再四思維，大丈夫當立功名於亂世，不宜縮首以潛身。且仰主上聖明英武，德彰華夏，自興仁義之師以來，不啻武王興周之易也。即今之定鼎金陵，民安國泰，四海歸心，應天順人，顯然可見。茲臣拚駑馬之才，急欲見效，不揣冒昧，已於本年八月初五日寅時，率千義勇，立定上海。直至十二，連日不用尺弓寸矢，分定青浦、嘉定、寶山、川沙、南匯等府縣地方，保護居民鋪户，安業如常。刻即星夜具奏，仍乞我主上早命差官蒞任，暨頒賜謄黄，以順天心，以慰民望。臣不勝懇切待命之至意。臣劉麗川謹奏。

太平天國癸好三年八月日奏。

臣劉麗川於道光二十五年十月二十日，蒙勞德擇先生在粵東香港傳斗於臣，是暗招軍士，直至今日，有以效力于主上陛下。另具寶劍一口，伏願我主上有以利天下。臣不勝僥倖之至，臣再附奏（註六六）。

太平天國定都於南京後，江浙會黨更加活躍，其攻佔上海、青浦、嘉定、寶山、川沙、南匯等府縣的會黨，除小刀會外，最主要的就是三合會，其中廣東三合會人數尤夥，勢力最大，劉麗川就是廣東三合會的首領，所以被公推爲總首領。爲了控制所攻克的城鎮，並處理善後，劉麗川表示願意接受太平天國的領導，並敦促洪秀全派員接收各府縣。小刀會起源甚早，乾隆初年，福建已查辦小刀會案件。參加攻佔上海縣城的小刀會，其刀長一尺七寸，有布一方，上書“彪⿸虍壽⿸虍合⿸虍和⿸虍同”五字爲記號（註六七），是屬於閩粵系統或天地會系統的秘密會黨，並非由大刀會演變而來。所謂「上海小刀會爲劉麗川所創，時間在一八四九年至一八五一年之間」的論斷（註六八），並不足採信。平山周著《中國秘密社會史》一書亦謂：「廈門爲匕首會占領時，上海復有三合會起事。當時廣東、福建兩省人之在上海者，約共十四萬人，多爲三合會員。」（註六九）因會黨中有人攜帶小刀，且廈門小刀會蔓延甚廣，小刀會之名，家喻戶曉，遂以攻佔上海縣城的會黨爲小刀會。

浙江地區金錢會起事後，攻平陽，搶溫州，陷福鼎，裹脅頗衆，蔓延極廣，同時勾通處州太平軍，牽制福建。金錢會倡立的地點是在浙江平陽縣境內，倡立的時間，一般都認爲始於咸豐初年（註七〇）。比較確切的成立年代，是在咸豐八年（一八五八）。孫衣言著〈遜學齋文鈔〉已指出「金錢會匪起於咸豐八年。」（註七一）符璋等纂〈平陽縣志〉記載較詳，其中關於金錢會結會緣起的敘述如下：

文宗咸豐八年戊午，趙起、朱秀三、謝公達、繆元、張元、孔廣珍、劉汝鳳與金華周榮八人，在錢倉合謀爲金錢會。（周兆榮以賣筆流寓青田，嘗以妖術教人喫菜，聚眾山中，青田令捕之急，遂走溫州，流轉至錢倉鎮，易名曰周榮。趙起爲錢倉步役，設店寓客，以結盟拜會聚諸惡少年，入會者人給大銅錢一，紅帖條約一，無少長老幼皆稱兄弟。其錢文曰"金錢義記"；其帖分八卦，卦以三千人起，數至五、六千人，以張聲勢。）（註七二）

金錢會是因入會者每人給大銅錢一枚，銅錢上有"金錢義記"字樣而得名。同治三年（一八六四），閩浙總督左宗棠具摺時，曾引署平陽縣知縣翟維本稟文稱：

據翟維本供，平陽金錢會匪起自咸豐八年，旋以奉飭查辦，諭令紳士朱希聖等設法解散，改會爲團。其時有白布會，亦係瑞安民團，因瑞邑林垟殷户李子榮、陳安瀾先入金錢會，紳士朱鼒勸令改入白布會，陳安瀾應允，李子榮堅執不從，朱鼒遂同陳安瀾至李子榮家，偪令繳出金錢。李子榮訴於前倉會黨趙啓，糾眾將陳安瀾房屋折毀，以致激成事端，互相報復，逆首趙啓乘機煽亂（註七三）。

由引文可知金錢會的倡立始於咸豐八年（一八五八）的說法，是可以採信的。金錢會起事，與地方團練的恩怨有關。咸豐十一年（一八六一）九月十六日，閩浙總督慶端於〈爲平陽等縣金錢會眾攻佔溫州等處并將疏防官員革職事〉一摺，據府縣稟報，繕摺具奏，其原摺略謂：

前倉等處因咸豐八年間處郡失守，逼近逆氛，該處鄉民辦理團練，鑄有義記大錢，每人分給一枚，遇警應援，以爲

> 信守。詎有不逞之徒，冀圖藉此漁利，倡立金錢等會名目，私自鑄錢布散。本年五月間，逆匪竄陷處州郡縣，警報頻仍，溫州防務吃緊，該匪等乘機糾黨詐搶。瑞安縣屬，亦有匪徒嘯聚，另立白布等會名目，經署溫州府知府黃維誥出示解散，脅從各匪即有悔悟，繳銷錢帖等項。詎六月二十六日，瑞安縣棍徒李子榮因挾殷富陳安瀾藉圖窘辱之嫌，糾結前倉會匪，將陳安瀾等房屋拆毀，郭巷等處匪徒乘機搶奪（註七四）。

白布會是民團，金錢會也是民間互助團體，白布會與金錢會之間的衝突，因地方官未能先事預防，終於釀成巨變。咸豐十一年（一八五一）八月十七日，因瑞安紳士雇募台州勇船馳赴前倉攻擊，金錢會即於八月二十日前往瑞安二十五都一帶地方焚殺報復。八月二十八日，金錢會突擊溫州府城，進逼瑞安城，經溫州府知府黃維誥督率團勇開砲擊退。九月初二日，金錢會分遣二千餘人進攻閩省福鼎縣分水關戰坪，以攔截官兵。九月初四日，金錢會以數千人攻撲溫州府城。九月十七日，太平軍進入處州府城。十月十五日，金錢會攻撲分水關，並由小路直撲水北溪隘口，計劃兩路並進，攻打福鼎縣城。十月十八日，金錢會分四路圍攻，三面包抄官兵，愈戰愈多，另由小路進入福鼎縣城（註七五）。十月二十五日，金錢會大隊萬餘人由隆山一帶圍攻瑞安縣城。十一月二十九日，金錢會分股進攻泰順縣境。十二月初六日，金錢會攻陷平陽縣城，護理平陽協副將王顯龍不知下落。同治元年（一八六二）正月初三日，清軍克復平陽縣城。其餘縣城，亦先後收復。金錢會起事失敗後，改名紅布會，繼續活動，並未淨絕根株。同治三年（一八六四）八月間，署溫處道周開錫具稟時，曾分析其爲害地方的情形說：

> 夫紅布由於金錢，金錢由於團練，人所共知也。團練之事，利少而害多。況以無賴之趙啓等爲之董長，斂錢聚眾，勢不至於爲亂不止。及形跡漸著，孫侍講不能循理守分以正其罪，試問金錢之名固非，白布之名獨是乎？又不能審時度力以速其禍，試問粵逆之勢方張，土匪之勢可激乎？既經大兵剿辦之後，渠魁遁匿，急切自難搜尋。然此輩遠無所容，終必不離其井里，要在地方官刻刻留心，密訪急獲，絕其根蒂。至於無知之民誤入其會者，實繁有徒，誅之不可勝誅，散之未易驟散，又在地方官擴然出以至公，但論目前，勿追既往，是非曲直，隨事剖斷，以安其身家。庸吏見不及此，著名之犯任其出沒而莫之能除，脅從之眾亦欲解散而不得其法，壞紳劣監不敢與首惡爲難，視其可欺者，動藉叛逆大題爲嚇詐愚懦之計。於是仇恨愈增，驚疑愈甚，金錢餘黨又變爲紅布矣。此第慮其蓄而不發，則捕風捉影，日滋月長，爲害方深矣（註七六）。

由於地方團體之間的恩怨，仇恨日深，彼此報復。按照周開錫的說法，金錢會的出現是由團練激成的，團練是原生團體，金錢會是應生團體。白布會是團練的衍生團體，紅布會是金錢會的衍生團體，彼此勢不兩立，地方遂無寧日。由於金錢會與太平軍裏應外合，即所謂“土匪”與“粵匪”的互相勾通，有利於太平軍的攻城掠地，使清軍應接不暇，對官兵產生重大的牽制作用。

四川敘永廳永寧縣境與貴州連界的古藺巖寨等處，結盟拜會的風氣，亦極盛行。其中貴州人胡幅瀧等人倡立孝義會，聚衆起事。咸豐九年（一八五九），胡幅瀧夢一神人，傳授槍刀陣法，後來胡幅瀧與藺卯沅等閒談，言及刀兵四起，起意謀反。咸豐十年（一八六〇）正月間，糾衆結拜孝義會，雕刻“漢”字印紙，打造刀矛，製作旗幟器械。衆人公推胡幅瀧爲總統主帥，封藺卯沅爲元帥將軍，聚衆數千人，議定於同年三月二十八日在古藺起事，先破永寧及瀘州，再直攻四川省城。但因事機不密，在二月初間即被兵役訪聞剿平（註七七）。

咸豐年間，台灣地區的會黨，除了小刀會外，主要的是添弟會。〈台灣通史・戴潮春列傳〉有一段記載說：

> 戴潮春，字萬生，彰化四張犁莊人。籍龍溪，祖神保樂善好義，有名鄉黨中。生四子，長松江；松江有子七人，潮春其季也。家素裕，世爲北路協署稿識。兄萬桂與阿罩霧人爭田，不勝，集殷户爲八卦會，約有事相援；潮春未與也。咸豐十一年，知縣高廷鏡下鄉辦事，潮春執土棍以獻。北路協副將夏汝賢以其貳於己，索賄不從，革其籍（時萬桂已死，潮春家居，乃集舊黨，立八卦會，辦團練，自備鄉勇三百，隨官捕盜。廷鏡大喜，給戳重用。彰屬固不靖，殺人越貨，時見於塗。而潮春善約束，豪強斂手，行旅便安，至有捐巨款始得入會者，以是黨勢日盛。八卦會者，祀五祖，事在宗教志。不數月，多至數萬人。同治元年春，廷鏡免，以雷以鎮接之，仍用潮春。而會衆滋蔓，漸不能制（註七八）。

戴萬生兄弟所倡立的“八卦會”，台北國立故宮博物院現藏〈月摺檔〉及北京中國第一歷史檔案館現藏軍機處閩浙總督慶端奏摺錄副，俱作“添弟會”。天地會或添弟會的會員證，習稱腰憑，其本底樣式，大都內畫八卦數層，每層各刻隱語詩句，以爲暗號，或因戴萬生兄弟倡立添弟會後入會者俱授以八角形文字的八卦腰憑，後世遂稱爲“八卦會”。戴萬生領導添弟會起事後，自稱東王，以黃雜先爲軍師，董九仙爲香主大師，戴印爲三千歲，陳明和、宜水生爲元帥，廖阿戇爲宰輔，王光岱爲將軍（註七九）。同治元年（一八六二）三月初五日，台灣道孔昭慈調募兵勇六百名馳赴彰化剿辦添弟會。三月十七日，署台灣協中營遊擊游紹芳、署彰化縣知縣雷以鎔等督軍分路進攻，行至大墩黎頭店地方，遇添弟會黨數千人抵抗。清軍初獲勝仗，但因團練職員林晟所募之勇內變，清軍傷亡甚重，秋日覲、游紹芳均被殺。三月十八、十九兩日，添弟會大隊圍攻彰化縣城，愈聚愈衆，蜂擁登城。三月二十日黎明，彰化縣城失陷。台灣道孔昭慈巷戰受傷，仰藥殞命，其隨帶台灣道關防亦被搶失，署北路協副將夏汝賢、署千總郭得升、把總郭秉鈞、外委吳國佐等先後被殺，其他員弁不知下落者頗多。台灣縣、鳳山縣、嘉義縣會黨乘機起事，全台震動。四月初二日，添弟會圍攻斗六營盤。四月初四、初五、初六等日，進攻嘉義縣城，會黨元帥宜水生被擒正法。四月十三日，添弟會分兵攻撲鹿港，勒派貲財（註八〇）。同治二年（一八六三）十月二十七日，官兵擊退斗六附近石榴斑莊會黨。十一月十八日，克復斗六土城。十二月初四日，清軍大隊進紮彰化寶斗地方，北投會黨首領洪欉派遣數千人來援，俱被擊退，軍師黃雜先等被擒殺。十二月初九日，官兵及義民聯合攻克張厝莊。戴萬生率領死黨數百人逃入芋蓁仔莊，掘濠固壘，抵死抗守。十二月十八日，清軍各路齊集，以大砲轟擊，躍濠突圍而入，於竹林內擒獲戴萬生，香主董九仙等亦被擒。同治三年（一八六四）正月二十一日，官兵撤回嘉義。添弟會起事後，歷時將近三年，攻城掠地，裹脅二十餘萬人，可說是清代後期規模較大的會黨起事案件。邵雍撰〈台灣八卦會起義述略〉一文指出八卦會沒有創立和使用自己的年號，在政治上缺乏較強的號召力。會黨內部組織不夠嚴密，缺乏統一的領導，戴潮春無法節制其他諸王，行使指揮權，各股勢力各自爲戰，內部也不夠團結，在軍事上不夠靈活，喪失主動權（註八一），這些都是添弟會失敗的主要原因。

太平軍起事以後，在民族主義的刺激下，各省會黨的活動，更加活躍，紛紛起事，勾通太平軍，欲爲內應。但太平天國的政權建立以後，其政治主張，與傳統的會黨宗旨，不盡相同，各會黨仍陷於孤立行動。例如上海等地三合會起事後，劉麗川標舉“大明國”字樣，符合清代乾嘉年間以來會黨反清復明的宗旨。太平天國與三合會在“反清”的共同宗旨下，彼此呼應合作，但洪秀全並不同意“復明”。〈太平天國起義記〉一書曾記錄洪秀全對三合會的評論，略謂：

> 我雖未嘗加入三合會，但常聞其宗旨在“反清復明”。此種主張，在康熙年間該會初創時，果然不錯的。但如今已過去二百年，我們可以仍說反清，但不可再說復明了。無論如何，如我們可以恢復漢族山河，當開創新朝。如現在仍以恢復明室爲號召，又如何能號召人心呢？況且三合會又有數種惡習，爲我所憎惡者，例如：新入會必須拜魔鬼邪神及發三十六誓，又以刀加其頸而迫其獻財爲會用。彼等原有眞宗旨，今已變爲下流卑污無價值的了（註八二）。

三合會確實有其消極作用，其宗旨爲反清復明，與太平天國，彼此有歧見，以致三合會起事以後，太平軍並未立即加以援助，任其旋起旋滅，間接導致太平天國的加速覆亡，可以說是太平天國早期失策之一。

## 第二節　辛亥革命與秘密會黨的響應

洪楊之役，太平天國雖然覆亡，但是漢人勢力日漸抬頭，滿漢畛域，更加明顯，滿漢衝突，益趨激烈，漢人排滿之風益盛。滿清末造，國勢陵夷，內憂外患，政權岌岌不保，反滿革命遂成爲歷史趨勢，國民革命就是中國救亡圖存的一種救國運動。光緒十年（一八八四），中法之役，清廷和戰乏策，喪師失地，孫中山立志推翻滿清，是爲國民革命運動的發端。孫中山倡導革命運動，其進行步驟，主要包括立黨、宣傳及起義三項：爲求仁人志士同趨於革命主義之下共同致力，於是有立黨；爲求舉國人民共喻革命主義，以身體而力行之，於是有宣傳；爲求革命主義的實現，先破壞而後有建設，於是有起義。孫中山闡述建黨及聯絡會黨的重要意義說：

> 乙酉以後，余所持革命主義，能相喻者，不過親友數人而已。士大夫方醉心功名利祿，唯所稱下流社會，反有三合會之組織，寓反清復明之思想於其中。雖時代湮遠，幾於數典忘祖，然苟與之言，猶較縉紳爲易入，故余先從聯絡會黨入手。甲午以後，赴檀島美洲，糾合華僑，創立興中會，此爲以革命主義立黨之始。然同志猶不過數十人耳。迨於庚子，以同志之努力，長江會黨及兩廣福建會黨，始併合於興中會，會員稍稍眾，然士林中人，爲數猶寥寥焉（註八三）。

光緒二十年（一八九四），甲午中日戰爭爆發後，孫中山爲救亡圖存，即赴檀香山，以組織革命團體相號召。同年十月二十七日（一八九四年十一月二十四日），檀香山興中會正式成立。甲午之役，清朝海陸軍隊相繼失敗，清廷的腐敗無能，暴露無遺，人心憤激。孫中山與鄧蔭南等人返國，策畫軍事行動。光緒二十一年（一八九五），歲次乙未，是年正月二十四日（一八九五年二月十八日），在香港開設乾亨行，成立香港興中會總會，並在廣州設立農學會，作為革命機關。同年三月十六日，香港興中會總部決定在廣州發難，以會黨分子為基本武力，計畫襲取廣州作為革命根據地，訂於九月初九日粵人掃墓節分路發動，以廣州附近的防營水師及民團會黨為中軍總部，左翼為汕頭會黨由東路進攻，右翼為西江、北江會黨由西路進攻。革命黨認為廣東民俗重陽節秋祭掃墓，無論何人都要返鄉，來往的人很多，香港有三點會成員數千人，便於混入省城（註八四），趁民眾出城掃墓的時機發動攻城，孫中山將起事指揮部設於廣州城內雙門底王家祠堂，另於鹹蝦攔張公館設一分部，由陸皓東主持接應各部貯藏軍械的工作（註八五）。由朱淇起草討滿檄文，由高思起、黎德起草英文對外宣言。九月初，革命志士四百餘人乘坐保安輪船從香港開赴廣州。九月初八日，會黨志士聚集廣州機關待命發動。楊衢雲以佈置尚未就緒，通知延期二日（註八六），香港一路因運械不慎，致被海關搜獲手槍六百餘桿，清軍千總鄧惠良等帶領兵役，破獲廣州革命機關。《清德實錄》有一段記載：

> 九月間，香港保安輪船抵省，附有匪徒四百餘名，潛謀不軌，經千總鄧惠良等探悉，前往截捕，僅獲四十餘人。訊據供稱，為首孫文、楊衢雲，共約四、五萬人，潛來省城，剋期起事。現在孫文首逆遠颺，黨類尚多，竊恐釀成巨患（註八七）。

引文內所稱會黨志士參加起事者約四、五萬人潛往廣州，雖然是謠傳，但已說明會黨勢力的浩大。起事消息洩漏後，清軍管帶巡勇知縣李家焯率領員弁勇丁在雙門底王家祠擒獲陸皓東等人。九月十一日，丘四、朱貴全等四十餘人被南海縣勇丁逮捕。九月二十一日，陸皓東、丘四、朱貴全等人遇害，乙未廣州之役，就是孫中山直接領導的第一次革命軍事行動。

乙未廣州之役失敗以後，孫中山命陳少白等回香港創辦〈中國日報〉，以鼓吹革命；命史堅如等入長江，以聯絡會黨；命鄭士良等在香港設立機關，以招待會黨（註八八），計畫再舉。據署兩廣總督德壽奏報，革命黨設在香港租界的機關稱為“同義興松柏公司”，其任務主要是購備洋槍、鉛藥、馬匹、乾糧、旗幟、號衣，召集各路會黨（註八九）。光緒二十六年（一九〇〇），歲次庚子，是年夏初，拳變發生，滿清政權，岌岌可危，孫中山以時機不可失，於是從日本前往香港，籌畫起事工作。同年五月二十一日，在香港海面法輪煙狄斯號船旁的小舟內進行會議，議定由鄭士良率黃福即黃盲福等赴惠州，召集會黨六百人，準備起事；史堅如等赴廣州，謀刺署兩廣總督德壽，以資策應；楊衢雲、陳少白等留在香港，負責接濟餉械。其軍事行動，計畫由惠州出東江，直逼廣州。六月二十一日，召開第二次會議，議定由鄭士良充任惠州起事的軍事總指揮，而以日人遠藤隆夫為參謀，平山周等助理民政事務。孫中山因受香港政府監視，不能登岸，而折返日本，轉渡台灣，以謀軍火接濟。台灣總督兒玉源太郎許以起事後全力相助，故更改原定計畫，先佔領廣東海岸地帶，一俟孫中山潛渡內地後，即圖大舉（註九〇）。庚子惠州之役是選在廣東歸善縣境內的三洲田地方作為大本營。據《歸善縣志》記載，歸善縣東至海豐縣界一百七十里，東南至平海所二百里，南至海港一百二十里，西南至廣州新安界一百七十里，西至廣州東莞界一百里，北至博羅界二十里，東北至永安界二百里（註九一）。歸善、博羅等縣，自嘉慶初年以來，天地會或添弟會等會黨已極盛行，人數衆多，對革命軍事行動，可以提供充足的兵源。署兩廣總督德壽具奏時指出惠州歸善縣三洲田地方，山深林密，路徑紆迴，南抵新安，緊逼九龍租界，西北與東莞縣接壤，北通府縣二城，均可竄出東江，直達省會，東南與海豐毗連，亦係會黨出沒之處（註九二）。三洲田拔海千餘尺，群山環繞，形勢險要，頗具戰略價值。其左近地方，荒遠僻靜，清軍向不設防，會黨志士聚散容易，行動隱秘；其東南瀕海，逼近租界，便於接濟。陳少白講述惠州之役的經過時有一段話說：

> 等到各方面都佈置好了，就約定在惠州歸善縣與新安縣交界的三洲田會齊聽候鄭士良來做總指揮。在英國首次割據香港的時候，只有香港一島與對岸些小之地，其餘還是歸新安縣管治。後來英國人又說香港是一個海島，四面受敵，不易保護，並且對岸若用大砲發射，也可以達到島上，就要求滿清政府把新安縣治割給他一半，當時清政府是有求必應的，就割給他們。至於這個三洲田就在新安縣之西南，僅在割去的新界界外，我們總機關在香港，要起事，這個地點自是最屬相宜。所以惠州之役，以三洲田爲起事的出發點，就是這個緣故（註九三）。

三洲田聚集的會黨志士六百人，洋槍三百枝，子彈每枝三十發。宮崎滔天著〈三十三年之夢〉有一段記載說：

> 數月以來，鄰近村民有誤入山寨內，皆被扣留不許走出，以防洩露機密。因此，附近村民看見凡入山寨者，有進無出，漸生疑念，謠言亦因之而起。說“三洲田山寨中有人謀反。”一傳十，十傳百，渲染誇大，終於說成有數萬人馬。於是兩廣總督命水師提督何長清率虎門防軍四千人進駐深州，又命提督鄧萬林率惠州府城防軍進駐淡水、鎮隆，以扼三洲田之出路（註九四）。

鄒魯於〈庚子惠州之役〉一文中亦有相同的說法，文中云：

> 士良先後受總理命，集黨眾於三洲田之山寨，總理在外計

> 劃數月，山寨有壯士六百人，因乏糧，寄食同志之家，僅留八十人守山寨。惟近村之民，因迷途誤入寨中者，悉留之，以防洩露。鄉村之民，見其入而不見其出，風說因之而起，皆曰：「三洲田山寨中，人馬數萬，將謀反。」一時謠傳傾動全粤，何長清已移其前隊二百人駐沙灣，將進橫岡，以取三洲田，吾軍偵知之，用先發制人計，於閏八月十三日率壯士八十人乘夜襲沙灣（註九五）。

庚子惠州之役正式發難的日期，諸書記載，頗不一致，《萬國公報》記載粵信謂惠州三合會起事是在閏八月十五日（註九六）。據署兩廣總督德壽奏稱：「閏八月初間，奴才訪聞歸善縣屬三洲田地方有孫、康逆黨勾結土匪起事，並在外洋私運軍火至隱僻海汊，轉入內地，當以逆黨主謀，意圖大舉，實非尋常土匪可比。」原摺又說：「莫善積喜勇於閏八月初十日馳抵歸善，維時匪黨未齊，猝聞兵到，遂定於十三日豎旗起事，先以數百人猛撲新安沙灣墟，欲擾租界。」（註九七）閏八月初間，會黨志士在三洲田山寨的活動，消息已經洩漏，閏八月初十日，清軍猝至，遂提前於閏八月十三日發難，起事後二日，其消息始爲外界所知。會黨志士頭纏紅巾，身穿白布鑲紅號褂。作戰旗幟書寫“大秦”及“日月”等字樣。所使用的武器中含有“吉林砲”及“毛瑟槍”（註九八）。因鄭士良尚在香港，暫由黃福負責指揮。閏八月十四日黎明，會黨志士欲乘勝直逼新安縣城，但因修改原定計畫，所以回攻橫岡。宮崎滔天著〈三十三年之夢〉有一段記載說：

> 孫先生的命令尚未到達山寨，水師提督何長清已調動前隊二百人進駐沙灣，欲進橫岡以探三洲田。我軍早已探知此事，坐以待敵則不利，不如先發制人，以喪敵膽，用振軍心。領袖黃〔福〕率山內八十名壯士，夜襲沙灣，殺敵四

十餘人，餘敵完全潰逃。虜獲洋槍四十餘枝，彈藥數箱。於是我軍大振，天明乘勝追擊，欲直逼新安縣城。這時剛巧鄭將軍從香港帶來孫先生的電令，乃改變軍令，取路東北前往廈門。這時我軍已行至中途，聞令折回，在橫岡與日前在三洲田之壯士六百人會合。而大股的同志五、六千人則多聚集於新安虎門之間。這些同志本來計畫同三洲田的壯士合力攻下新安。因中途改變命令，本隊取路東北，以致未攻新安（註九九）。

惠州發難後，革命黨為爭取國際同情，以減少阻力，於外交方面頗為盡力。閏八月十八日，香港西字日報登載革命黨來函，說明革命軍與義和團絕不相涉，誓滅滿洲，以興中國，一俟革命成功後，即當開通中國，與各國通商，希望英、美、日各國助成革命義舉，或置身局外，不加干涉，以示兩不偏袒之意（註一〇〇）。《清議報》轉載香港西字報所刊〈廣東歸善縣來札〉一函，其原文云：

某等並非團匪，乃大政治家大會黨耳，即所謂義興會、天地會、三合會也。我等在家在外之華人，俱欲發誓驅逐滿洲政府，獨立民權政體。我等在美洲檀香山、澳洲、石叻、暹羅、越南、荷屬群島之有材會友，專候號約期舉事。我等本係欲興中國之人，若成功之後，將來設立更革之事，開通中國，與天下通商。我等不恤流血，因天命所在，凡有國政大變更，必須用貴値而得，古史所載之事，將復見於今日。我等欲造成三百年前所未竟之志，料英、美、日之國亦必守中立之義，且或資助之。一千八百六十二年時，英國借戈登於滿政府，已敗壞我等志向。戈登將軍之助滿政府，殊屬可惜，窒吾等之進步，英國之大政治家，亦多憐惜之，戈登將軍甚至欲置李鴻章於死。我等極祈望將來不可再蹈此轍，某等敬求貴報重援，三尖石碑頓首。再者，各外國報請抄錄（註一〇一）。

會黨志士起事後，聲勢日增，閏八月二十一日，由橫岡進佔龍岡，轉圖惠州府城。次日，博羅縣會首梁慕光等率衆響應，圍攻縣城，另以小隊進攻惠州府城。《清議報》記載惠州軍情頗詳，其原文云：

會黨於二十二日在距法梅湖四英里之三角湖地方與官兵相遇，將官兵擊退，殺去官兵約二百人，傷者不計其數。該地居民因協助官兵，被會黨將村莊焚燬數間，村民之被害者，約三十人。二十二、三日，會黨率眾逼近惠州府城，在距城約二十里之馬鞍墟。該處遍野蔗林，會黨乃虛豎紅旗數面，飄拂林中，時提督鄧萬林株守城中，見黨勢逼近，乃率各營勇望蔗林進發，遙槍擊之。不料會黨分其黨羽，兩翼包抄而至，所用皆無煙新槍，銳不可當，官軍抵禦不住，而各勇又皆新募，未經戰陣，槍砲器械亦鮮精良，相率棄械逃潰（註一〇二）。

會黨志士多用無煙新槍，銳不可檔。歸善縣丞杜鳳梧、補用都司嚴寶泰等被擒。閏八月二十四日，會黨志士約二千人由永明出發，擊退清軍大隊，陸路提督鄧萬林中槍墮馬竄逸，俘清軍數百人，會黨副元帥黃揚殉難。閏八月二十五日，會黨志士進攻河源縣城，不克。次日，轉往崩崗墟，紮營於雷公嶺，因彈藥不繼，謀出東江，為清軍所阻，乃折而東走，轉攻三多祝。閏八月二十七日黎明，清軍都司吳祥達等率各營兵勇抵達，會黨志士分路抵抗，雙方損失慘重，會黨志士劉運榮、何崇飄等五百餘人陣歿，會黨志士退往平政墟。當會黨志士與清軍在三多祝激戰時，海豐大嶂山及和平等縣會黨亦相繼響應，會黨首領曾金養一路進攻和平縣城，摧燬南門城樓，城內廣毅軍營勇傾巢而出，會黨寡不敵衆，曾金養等陣亡。九月初五日，會黨志士由平政墟退往黃埠。因通廈門之路被阻，會黨志士由黃埠分道南走，在濱海巽寮集結，謀攻平海所城，清軍水師提督何長清急調副將張邦福督率靖勇砲隊由海上馳援。九月初八日，清軍抵達平海所，會黨志士退往赤岸。鄭士良等見事已無可爲，於解散會黨後，與黃福、黃耀庭等人從間道返回香港。

當鄭士良等人在惠州苦戰之際，爲策應惠州的軍事行動，乃有史堅如謀炸德壽之舉。德壽是廣東巡撫，署理兩廣總督。廣東巡撫衙門後方空地，向有紅黑門樓之分，原屬官荒，後經民人繳租，建屋居住，漸趨繁庶。史堅如以宋少東夫婦之名在撫轅花園後牆外偏僻曲巷後樓房內租屋一間，由鄧蔭南、黎禮二人從澳門購買西洋炸藥二百磅及藥線等件，初運交西關榮華東街辦事處，由練達成密交五仙門福音堂黃守南代貯。租賃撫轅後樓房後，由溫玉山乘肩輿將炸藥暗運入屋（註一〇三），由史堅如等人鋤掘坑坎，以大鐵桶埋放炸藥。九月初六日黎明，巡撫衙門牆外，炸藥轟發，屋瓦震飛，衙署後牆被衝塌二丈餘，但德壽並未受傷。九月初七日，清軍統領介字營總兵馬維騏督率勇線在省港輪船碼頭逮捕史堅如。九月十八日，史堅如遇害。孫中山回憶說史堅如聰明好學，眞摯誠懇，與陸皓東相若；其才貌英姿，亦與陸皓東相若；陸皓東沉勇，史堅如果毅，都是命世之才。乙未廣州之役，陸皓東殉難，是爲共和革命犧牲的第一健將；史堅如遇害，是爲共和革命犧牲的第二健將，庚子惠州之役，就是孫中山直接領導的第二次革命軍事行動。

光緒三十一年（一九〇五），中國同盟會成立後，革命風潮已遍及全國，清廷屢向日本政府交涉，將孫中山逐出日本境外。孫中山離開日本後，與胡漢民、汪精衛等人前往越南，在河內設立機關總部，以策畫革命軍事行動，不久就有廣東潮州黃岡之役。黃岡位於饒平縣境內，在東江上游，明代因防海盜，曾設寨城一座。清初曾派駐副將、都司、同知、巡檢等官，後來裁撤副將缺，兵額亦減少。黃岡寨城距潮州府城及饒平縣城各九十里，與福建詔安縣連界，向來爲會黨活動較頻繁的地區，地方大吏視爲難治之區。革命黨人陳芸生等奉命聯絡黃岡三點會首領余丑、曾金全、余賜天，詔安縣白石鄉會黨首領沈牛屎、後嶺鄉會黨首領沈家塔等人。各會黨首領在詔安縣屬烏山、饒平縣屬浮山、柘林等處結盟拜會。光緒三十三年（一九〇七）正月，沈牛屎將鷹球票布等散發給會黨弟兄，刊刻告示，計畫奪取已裁黃岡協署舊存槍械起事。同年四月十一日，警兵拘捕會黨邱保、張善二人，三點會首領余丑據報後，即糾黨劫獄，是日夜間九時，余丑率眾圍攻協署，次日辰刻，巡防營兵彈盡援絕，城守把總許登科、署柘林司巡檢王繩武等伏誅，守備蔡阿宗投降，三點會遂佔領衙署，拆燬關廠局所，奪取副將、都司各衙門槍械。余丑等佈告安民，免除一切苛捐，人民悅服。管潮州府知府李象辰、饒平縣知縣鄭世璘等困守府縣城池。署潮州鎮總兵黃金福督兵馳赴相距黃岡三十里的井洲駐紮，惠潮嘉道沈傳義馳往汕頭駐紮。四月十三日，潮州府城巡警管帶官外委邱焯、五品軍功林清帶勇四名前往黃岡寨偵探，俱被會黨擒殺。四月十四日，黨人陳芸生等率領會黨志士進佔黃岡寨城，組織軍政府，標明“大明軍政都督府孫”等字樣，並分發諭帖，由殷富捐辦銀米。下寮、東灶等處會黨亦乘船而來，分爲水、陸兩路，水路攻佔古樓山，陸路攻佔寨城。是夜五鼓，會黨數千人進撲井洲清軍，分路包抄，巡防各營分頭接仗，雙方傷亡頗重。四月十五日黎明，會黨分為五路，水陸並進。適因巡防第九營管帶官趙祖澤援兵抵達，會黨志士退守大澳山腳。是夜五鼓，巡防營奪佔古樓山。十六日夜間，惠潮嘉道沈傳義運到開花砲彈，會黨志士棄寨退走，巡防營兵攻取東灶，黃岡被清軍奪回（註一〇四）。馮自由著〈中華民國開國前革命史〉一書開列參加黃岡之役革命志士的姓名、籍貫、結果等項，共四十三人，除日籍萱野長知、池亨吉二人外，其餘四十一人，籍隸廣東省者共三十八人，約佔百分之九十三，江西、山西、安徽三省各一人，合計約佔百分之七（註一〇五）。據兩廣總督周馥具摺指出黃岡會黨起事，是陳芸生、余丑等聽從孫中山策畫發難。是役，會黨志士與清軍接仗七次，陣亡五、六百人，會黨首領曾金全等陣亡，余升第等被捕殉難，陳芸生、余丑、余錫天等脫走。黃岡之役，就是孫中山直接領導的第三次革命軍事行動。

鄧子瑜是廣東惠州人，加入興中會，庚子惠州之役，鄭士良倚為左右手，事敗後走新加坡。黃耀庭是庚子惠州三洲田戰役的元帥，以勇敢善戰聞名。黃岡之役，原定惠州、潮州兩府三路同時並舉，以分清軍之勢。鄧子瑜、黃耀庭先後返回香港策畫軍事行動。黃岡之役發難後，只有七女湖一路發動。七女湖是惠州歸善縣境內的著名墟場，光緒三十三年（一九〇七）丁未四月二十二日，會黨首領陳純等聚集會黨志士在惠州七女湖正式起事，四月二十五日，進攻泰尾。四月二十七日，進兵柏塘。清軍管帶由柏塘拔隊跟追，午刻抵八子爺地方，會黨志士百餘人，各持槍枝，先登埋伏，清軍四面圍攻，鏖戰至酉刻，會黨志士寡不敵衆，乃由山仔一帶沿山退走，陣亡數十名。清軍拾獲快槍七枝，小槍六枝，大小旗幟各一面，上書“革命軍都督朱令”字樣。羅浮山附近會黨首領黃寧瑞等人亦率衆響應，四月三十日，清軍中路巡防第十營管帶鍾子才等督隊捕拏黨人。五月初九日，鄧子瑜被兵役押赴鴨家輪船，引往新加坡（註一〇六）。惠州七女湖之役，就是孫中山直接領導的第四次革命軍事行動。

廣東欽州、廉州兩屬周圍約二千餘里，北接廣西，南鄰越南，中間亂山叢箐，地勢險要，向來爲會黨活動的大本營。光緒二十九年（一九〇三）十二月間，距欽州一百五十里的犀牛腳、嶺門等處，有會黨首領糾衆拜會，密謀起事的計畫，經龍門協副將傅建勛督帶團紳師船前往捕拏，傅建勛、團紳吳振英及勇練等十八人中槍陣亡（註一〇七）。爲策畫革命軍事行動，孫中山即遣黨人王和順等人進入欽州，招集會黨志士。欽州所屬三那墟即那思、那麗、那彭三邑，出產蔗糖。光緒三十二年（一九〇六），欽州官紳抽收糖捐，以辦理學堂、工藝等事。光緒三十三年（一九〇七）三月中旬，各墟民因糖捐繁重，聚衆抗捐，成立萬人會，共推劉思裕爲首（註一〇八）。欽廉道王秉恩等出示勸諭解散，並派分統宋安樞率勇彈壓，墟民抗拒，官兵開槍，擊斃墟民數十人。四月初旬，廉州府因穀價昂貴，鄉民要求定價值，飭查各富紳存穀，除留食外，餘穀出糶。鄉紳王師淩積穀頗豐，卻隱匿少報，群情憤恨，聚衆千餘，群擁知府詣王宅驗穀，饑民乘機強搶王宅積穀（註一〇九）。劉思裕等率領二、三千人，豎旗起事，攻佔三那。兩廣總督周馥因署北海鎮何長清兵力單薄，即增派已革陝西補用道郭人漳帶領一營，並派新軍統帶趙聲帶領一營，加派砲隊，乘輪馳赴廉州，向欽州進發。五月初一日，清軍猛攻那思，會黨志士四千餘人堅強抵抗，鏖戰自辰至申，不支敗退。劉思裕調集萬餘人乘黑夜攻撲清軍，喊聲動地，郭人漳、趙聲分兵迎戰。五月初三日天明時分，清軍衝鋒，劉思裕且戰且走，郭人漳由小路攻下米仔村，趙聲由大路攻下木蘭塘。劉思裕退守那彭，架砲列槍，踞險堅守，郭人漳等督砲隊猛攻，驅兵攻下那彭（註一一〇）。同日，署北海鎮何長清派分統宋安樞攻下平吉村。五月初四日，擊退廣平墟等處會黨。五月初八日，攻破梁屋，起出告示，書寫“總統漢軍大元帥黃”等字樣（註一一一）。王和順是廣西人，同盟會成立後，其主要活動地點是在廣東欽州、廉州等地。劉思裕起事後，王和順即奉孫中山之命聯絡會黨，接濟餉械。孫中山又遣黨人暗通營隊，因駐防城的衡字軍及縣署親兵願為內應，王和順等即於七月二十七日攻陷防城，又攻撲東興，進取欽州，圍攻靈山。會黨志士所經各處，都出示安民，倡言革命，以排滿興漢相號召，稱為革命南軍，設有統領、都督、元帥、管帶等組織。其糧台稱為經費部，得局紳李漢才等相助，並由日本振武學生黎光漢教操。革命南軍計畫襲取南寧，以便牽動兩廣。但因接濟困難，彈藥不繼，防城於八月初一日失守（註一一二），革命南運退入十萬大山，黃世欽、李漢才等人先後殉難。兩廣總督張人駿具摺時指出，會黨與官兵戰鬥激烈，其原奏略謂：

> 廉、欽地近越邊，民情獷悍，伏莽滋多，素稱難治，故頻年用兵，終難平靖。近者逆首孫汶以邊地為可圖，以越南為逋藪，多方煽惑，遣其悍黨王和順、農二十四等入內地勾結，而內匪劉思裕等本係革黨，遂於上年春間藉口抗捐，先在三羅倡亂，一時游勇土匪群起響應，先後兩撲欽州，一攻東興，一圍靈山，一陷防城，如火燎原，兇燄鴟張，人心大震，兩省戒嚴，雖經統帶郭人漳、標統趙聲、分統宋安樞攻克三那，收復防城，解圍靈山，保全欽城，然匪勢浩大，股數不一，首要眾多，以致官軍防勦，疲於奔命（註一一三）。

兩廣總督張人駿指出，「此次欽、廉之亂，實係逆首孫汶為主謀。」

（註一一四）張人駿對清軍用兵困難，疲於奔命的原因，歸納為五點：

一、追勦為難。革命大本營在越南，以逸待勞，革命軍能來，而清軍不能往。

二、偵探為難。越南佈滿革命黨，諜人前往，屢遭黨人所殺。

三、電報為難。軍情瞬息萬變，全恃消息靈通，革命黨折燬電線電桿，破壞清軍機關。

四、轉運為難。清軍主客部隊多至數十營，而廉、欽距省城二千餘里，水陸並進，補給困難，餉械欠缺。

五、交涉為難。此疆彼界，外人乘隙要挾，提犯遣人，稍不詳愼，動生枝節。

有此五難，以致清軍糜餉老師，疲於奔命。革命軍與清軍交戰於密箐深山，或搏命於槍林彈雨寒暑瘴癘之中，革命軍事行動的艱難，會黨志士赴湯蹈火的勇敢，可想而知。防城之役，就是孫中山直接領導的第五次革命軍事行動。

鎭南關在廣西憑祥縣西南，歷代以來，有雞陵關、大南關、界首關等不同名稱，清初改稱鎭南關。鎭南、平而、水口三關，原為安南人出入廣西的關口，清初以來，平而、水口兩關，久經封閉。鎭南關是安南進貢正道，峻崖夾峙，中建關城，關外即屬安南諒山地界，其中坡壘驛就是東漢馬援立銅柱處。鎭南關是廣西邊防要隘，也是越南出入廣西內地的要道。光緒三十三年（一九〇七）十月二十六日，革命黨人黃明堂率領革命志士由越南潛襲鎭南關，佔領鎭南、鎭中、鎭北三處砲台。孫中山率領黃興、胡漢民、法國軍官及革命黨百餘人親往鎭南關指揮。孫中山計畫由鎭南關集合十萬大山會黨志士，會師進攻龍州。十萬大山一路，因道遠不能抵達，遂以越南一路志士，與清軍數千人激戰，以寡擊衆，連戰七晝夜。據兩廣地方大吏奏報，廣西革命軍由越南進攻鎮南關，奪據砲台後，豎立青天白日旗。十一月初三日夜間二鼓，清軍觀察龍濟光、參將陸榮廷分派各隊，周密佈置，先派兩隊猛進，直撲北台，各隊同時猛攻，接連使用巨砲轟擊，革命軍點燃"大電燈"自照，抵禦有方，相持至第二天夜晚，清軍搶佔四方領、小尖山（註一一五）。革命軍無險可憑，退入壘中堅守，清軍層層包圍，攀登壘房高阜，槍砲密集射擊，革命黨不支，乘夜退回越南燕子大山。當孫中山經過諒山時，被清軍偵探查知，清廷即照會法國政府將孫中山逐出越南。鎮南關之役，就是孫中山直接領導的第六次革命軍事行動。

爲禁止革命黨在越南境內的活動，清廷外務部與駐京法使訂定〈中越交界禁止革命黨章程〉，後來在光緒三十四年（一九〇八）正式簽字，其章程條文如下：

第一條：法國官員如查知有中國叛匪在越境成股，即當隨時實力解散。如有前項情事，由中國官員查出，一經知會法汛，或由領事轉達越督，亦當照辦。

第二條：如有匪黨在越境，或用報章，或用他項宣佈之法傳播悖逆之論說，均由法國官員禁止，並將爲首之人，或驅逐出境，或按法國律例懲治，若有越文報紙干犯前項，亦隨時停禁。

第三條：凡攜軍械單行，或成股之匪，業經與中國官軍抗敵，或在中國地方擾亂治安，逃匿在法界者，當將軍械索扣，匪人拘管，由法國政府酌定拘管期限，俟限滿後將該匪驅逐出境，並一面知會中國政府，其所有一切拘管用費，由法官知照中國官擔承撥還。又或將該匪黨逐出境外，亦可永遠不准在越南，或越屬來往，並設法使其人不能再入中國邊界。

第四條：凡曾在中國搶劫，或犯罪人犯，中國有請解交者，應由中國官照會越督，並將其人犯罪案由全卷隨文附送，以便核辦，如有可以允交之處，一經交犯，案件應行各事均皆辦妥後，即照光緒三十二年三月二十二日商約第十七款將該犯解交中國官辦理。如其人供稱係國事犯，或與國事犯有涉及者，應將所犯罪案切實根究，毋任朦脱。

第五條：如有匪徒私運軍火，兩國邊界官員，應均設法實力查禁，以杜偷漏接濟等弊（註一一六）。

孫中山被迫離開越南河內之前，一面令黃興籌備再入欽州、廉州，以圖集合當地革命志士；一面令黃明堂進取河口，以圖取道雲南，作為革命黨的大本營。孫中山離開越南後，前往南洋，河內革命機關由胡漢民負責。光緒三十四年（一九〇八）二月二十五日，黃興率領幹部及革命志士二百餘人，組織"中華國民軍南路軍"，出越南，自廣西邊境攻入欽、廉、上思一帶，轉戰數月，所向無前，屢挫清軍，黃興威名因此大著。後因彈盡援絕，於四月初四日自行退回越南。欽廉上思之役，就是孫中山直接領導的第七次革命軍事行動。

雲南思茅、蒙自關外，山水險惡，瘴癘盛行。清代地方大吏只在沿邊各隘派兵防守，其餘關外地界，俱棄置不顧。革命軍即於關隘市埠要地以外紅河對岸越南境內的老街地方為大本營，招集志士，進入雲南，糾邀沿鐵路散處工人，並結合關隘內地會黨，約期舉事。廣西鎮南關之役失敗後，黨人王和順、關仁甫、梁金秀先後進入雲南，暗中運輸餉械，以圖再舉。光緒三十四年（一九〇八）三月二十九日夜間，黨人黃明堂率領百數十人由越南保勝境內暗渡河口，攻破營壘，佔領河口城，擊斃警察委員蔡正鈞及其巡目。城內管帶官岑得貴退守山半砲台。四月初一日下午六時，黃明堂攻陷副督辦營壘，河口副督辦兼南防營務處會辦王鎮邦被革命軍擊斃（註一一七），王鎮邦次子王由森亦陣亡，管帶岑得貴被俘，第十營管帶黃體良率兵千餘名歸順。黃明堂即以河口為根據地，斫燬電線，以阻清軍救援；廣納潰卒游民，以充實戰力；散發信函，張貼告示，倡言排滿革命。是時，孫中山在南洋，因不能再入越南，所以電令黃興前往指揮。因蒙自為中外通商之所，箇舊錫廠為財富之區，四月初四日，黃明堂分兵三路：西路溯紅河進攻蠻耗。四月初六日，清軍管帶柯樹勛迎戰不利，革命軍克新街，攻撲蠻耗，霸洒管帶李美率全營兵弁下河口，繳槍歸順。四月初八日，新軍管帶周國祥率兵增援，鏖戰獲勝，清軍漸有起色；東路軍攻古林箐，趨開化；中路由南溪進取白河地方，四月初八日，破南溪，清軍管帶胡華甫率全營投降。黃明堂於四月初六日，又分兵由河口趨蒙自，革命軍深入雲南境內三百里。四月十二日，黃興路過老街時，被法國警察疑為日本人，拘遣河內，革命軍因指揮無人，戰局逆轉。雲貴總督錫良駐紮通海縣，並派總兵白金柱暫兼提督，督辦全滇軍務，前後添派統帶十餘營，分兵兩路：一由蒙自大路推進；一由開化西南出墨灣之後，兩路抵達接近河口二十餘里的黃柯地方，與清軍主力會合，對革命軍形成三面合圍的形勢。四月十二日，清軍中路統領普洱府知府王正雄奪回三岔河險要，進踞老范寨，革命軍退保泥巴黑地方。四月十七日，清軍中路與東路會師進攻泥巴黑，革命志士黃東成等陣亡。清軍西路從霸洒西南的上村進逼河口，攻下新街、龍膊等處。四月二十三日，進攻田房。次日，清軍中路、東路攻下泥巴黑，然後合力攻取車河地。四月二十五日，攻取大小南溪。次日，清軍進攻覇洒，革命軍撤退。四月二十七日，河口被清軍奪回。雲貴總督錫良具摺指出革命軍沿蠻河進兵，數日之間，即由覇洒、田房、新街直入蠻耗，入邊已三百餘里。在各戰役之中，中路老范寨革命軍，最稱善守。西路田房一役，最爲惡戰（註一一八）。黃明堂率六百餘人退入越南，後來被法國政府遣送出境，然後轉往新加坡。河口之役，就是孫中山直接領導的第八次革命軍事行動。

孫中山自從歷次戰役失敗後，越南、日本、香港等地，都不能自由居留，於是將國內一切革命計畫，都委託於黃興、胡漢民等人，而孫中山本人則漫遊各地，專任籌款，以接濟革命工作的進行。黃興、胡漢民回香港設立南方統籌機關，朱執信、鄒魯等人則進入廣州，聯絡廣州新軍。新軍接受革命思想，加入同盟會者，與日俱增。由於革命黨人進行工作的結果，在新軍和巡防營內部，已經積聚了相當強大的革命力量，朱執信與倪映典、趙聲等人於是密謀運動廣州新軍舉事。宣統元年（一九〇九）十一月間，廣州督練公所參議道員吳錫永向署理兩廣總督袁樹勛面稟新軍標營統領在營房內拾獲票紙一張，票面刊有"同盟會"、"天運年號"等字樣。袁樹勛爲先事預防計，曾將形跡可疑的新軍陸續開除多名，新軍內部人心不安。袁樹勛又訪聞革命黨人倡言革命，勾結港、澳三點會，計畫起事。袁樹勛即密飭營縣捕拏可疑黨人李洪、盧子卿即黃子卿二名。審訊時，李洪等供認爲三點會頭目，聚衆拜會，購運軍火，約期舉事，且涉及新軍。十二月二十八日，李洪、盧子卿二人殉難。次日，新軍統帶又在營內查獲革命黨票據數張，亦有"同盟會"字樣。同時訪聞二標一營後隊二排三棚正兵劉茂昌有聯絡會黨情事，而將劉茂昌解送督練公所嚴加審訊，以致密謀洩露，新軍各營在事人員防範更加嚴密。因慮及新軍放假，各營所槍彈甚多，於是藉口營庫潮濕，恐損藥力，飭令將各標營所存貯槍彈運送城內軍械局收存，正擬陸續搬運，但在十二月三十除夕日卻發生兵警衝突事件。是日夜晚，新軍步隊二標二營新軍吳英元在城內刻字舖訂刻名戳名片，託同營兵士華震衷代取，兵士六人，與店夥爭論價值，彼此齟齬。老城巡警第一分局警兵上前干涉，新軍不服，適放假外出目兵王冠文等路過，幫同理論，警兵遂鳴哨集衆，當時新軍有未穿軍服者，亦被一併拘入警局。新軍二標統帶聞信率員馳往彈壓。三標管帶親到一局作保，警官不允，更將被拘新軍加鎖拘禁，包圍喧鬧者千餘人。經巡警道及廣州協到局勸諭，始將新軍釋回，二、三標新軍回營後，以巡警欺凌爲言激勵全體新軍。次日即正月初一日，各營照例放假，新軍各執木器突出入城，聲稱向警局復仇，於是拆燬警局門窗，毆傷警兵。是時，東門第五分局亦被新軍衝燬，毆斃警兵一名，並毆傷警官，警官傳令將大東門、小北門，暫行關閉，並由文武各員分往各局彈壓。二標、三標密派人員將槍機拆卸子碼，暗運城內。二標、三標各兵出營後，多有離營不歸者，袁樹勛傳諭初二、三兩日暫不放假，即使請假，亦須由官長率領，不准穿著便服。新軍一標標統劉雨沛，與協統張哲培商議將初二、三兩日假期改爲運動會，以防範各兵出營滋事。正月初二日，一標及砲工輜各營聞而大譁，認爲二標滋事，與一標何干？遂抗命不服，鬨鬧出營，各營新軍，亦多隨行。標統劉雨沛彈壓不止，內有已撤職的砲營排長倪映典及正目黃洪昆爲革命黨，乘新軍滋事之際，藉口爲二標兵士向巡警復仇，而激勵衆兵，於是一標各兵齊赴砲工輜營糾衆同行，兵中有人提議，須攜槍自衛，各標復入一標取槍，砲工輜兵亦各攜械出營，齊赴司令部，衝燬屋宇，刧取講武堂槍械。協統張哲培在二標聞變，倉皇離營入城。袁樹勛與將軍增祺商議下令閉城，決議鎮壓。正月初三日，砲隊第一營管帶齊汝漢方集衆勸解，倪映典突出短槍，自後猛擊，連開數槍，齊汝漢當場斃命。新軍佔據東明寺、牛王廠、茶亭各要隘，水師提督李準督率親軍統領保升等帶隊出城，倪映典率領新軍，分三路進撲清軍。候補知府吳宗禹等指揮清軍抵抗，使用退管砲還擊，新軍被轟斃數十人，倪映典等爲首五人騎馬指揮，亦俱中彈陣亡，黃洪昆等四十餘人被俘，新軍不支。正月初四日，清軍向白雲山、瘦狗嶺等處搜查，逮捕新軍司務長王占魁等二百餘人，奪回快槍二百餘桿。王占魁被捕後供認參加革命，並有運動章程十條。袁樹勛奏摺指出革命黨運動各界，尤以各省軍界爲最多，並有新軍但爲革命出力，非爲清朝出力等語（註一一九）。倪映典等人原來計畫等候軍械到齊後再約期舉事，適值二標新軍與警兵衝突，認爲有機可乘，迫不及待而起事，倪映典等中彈陣亡後，新軍指揮乏人，隊致功敗垂成。廣州新軍之役，就是孫中山直接領導的第九次革命軍事行動。

廣東嘉應州丙村人溫生才，曾出洋學習工藝，信服孫中山的革命宗旨。宣統三年（一九一一）三月初十日，署理廣州將軍孚琦前往城郊燕塘參觀試演飛機途中爲溫生才刺殺，廣東各地紛紛傳說革命黨即將大規模起事。黃興等計畫在是年四月初間發難，佔領廣州，再號召各省志士同時大舉，因信息洩漏，水師提督李準查獲私運軍火案件多起，所以臨時決定提前發難。三月二十九日申初即下午三時，署巡警道王秉恩逮捕革命黨九人。下午五時三十分，黃興率所部一百七十餘人進攻兩廣總督衙門，總督張鳴岐聞風逃遁，水師提督李準率領大隊抵抗，清軍管帶金振邦等陣歿。廣州發難後，佛山、順德、潮州、惠州等地會黨，亦起而響應。《東方雜誌》有一段記載說：

> 省外革黨知事泄，東竄順德縣之樂從墟。午刻，有革黨數人，在該處演說，初聚數十人，約數分鐘時已有數百人，各鋪户紛紛閉門，黨人愈聚愈多，遂四處竪旗，其旗四面皆紅，角藍色，中作白圓形。佔團練分局爲大營，奪局中槍械，聲言接濟省城，日夜煽惑鄉人入黨，樂從巡警，以衆寡不敵，匿不過問，革黨不擾居人，且出安民示（註一二〇）。

革命黨不擾居人，就是秋毫無犯的表現。引文中對革命黨旗色的描繪，就是指青天白日滿地紅的黨旗。廣州省城及省外順德縣的起事，因寡不敵衆而告失敗。是役，革命黨精英戰歿及被執遇害的烈士，後來叢葬於黃花岡。廣州黃花岡之役，就是孫中山直接領導的第十次革命軍事行動。

光緒、宣統時期，是會黨運動史上的極盛階段，會黨在歷次革命軍事行動中，可以說是赴湯蹈火，無役不與。雖然有些學者在肯定會黨積極作用的同時，也指出它的消極作用，不贊成將會黨的積極作用估價過高。但會黨對辛亥革命確實曾經貢獻過最大的力量，捨身取義，前仆後繼。在辛亥革命期間，會黨並未獨樹旗幟，另組軍隊，而是在興中會及同盟會的統一領導下積極參與歷次軍事行動，對推翻滿清，建立民國，的確產生了積極的作用。譚人鳳草擬〈社團改進會意見書〉已指出革命之成，「實種因於二百年以前之洪門會黨。」（註一二一）會黨所以接受革命黨的領導，主要是由於革命黨聯絡會黨的成功。光緒十二年（一八八六）夏間，孫中山轉入廣州博濟醫院附設南華醫院學堂學醫，在學堂中結識了會黨首領鄭士良、尤列等人。光緒十四年（一八八八），鄭士良輟學返回廣東惠州歸善縣原籍，在縣境淡水墟開設同生藥房，同時積極聯絡三合會，以爲舉事的預備（註一二二）。光緒十九年（一八九三）冬間，尤列提供廣雅書局抗風軒作爲秘密聚會所，孫中山曾邀鄭士良等人召開興中會籌備會議，這是後來檀香山興中會正式成立的先聲。從光緒十二年（一八八六）到光緒十九年（一八九三）檀香山興中會成立前夕，是醞釀革命的時期，陳少白、楊鶴齡、陸皓東等人都曾聯絡會黨，孫中山對會黨已有較深刻的認識，爲以後進一步聯絡會黨起而革命，創造了更有利的條件。

在辛亥革命期間，兩廣會黨扮演了重要的角色。陳劍安撰〈廣東會黨與辛亥革命〉一文指出廣東會黨經常在得風氣之先的沿海和珠江三角洲一帶活動，因而廣東會黨與內地其他省分的會黨不同。廣東會黨的首領有不少是具有民主意識的知識分子，華僑加入廣東會黨的亦不乏其人。例如頗習外情的尤列，早年曾加入天地會，後來成爲中和堂大佬。惠州三合會首領鄭士良接受了不少西方社會科學和自然科學知識。來往於潮州和新加坡的華僑三合會首領許雪秋，既是華僑，又是會黨，飽覽了海外新鮮事物。此外，如鄧蔭南、鄧子瑜、李紀堂、謝纘泰、王和順等人，都常活躍於廣東和海外，都是具有新思想的會黨首領。因此，革命黨聯絡廣東會黨，不僅易於爭取那些具有新思想的會黨首領，而且易於使他們把傳統的反清意識和新鮮的民主革命意識結合起來，進而通過他們調動廣大會黨群衆接受革命黨的領導（註一二三）。兩廣地區的地理條件和人文背景，特別是當地革命風氣的盛行，有利於革命活動。孫中山直接領導的十次革命軍事行動，主要在廣東、廣西境內，就是由於兩廣會黨、人民群衆和革命黨三方面因素結合的結果。馮自由著〈革命逸史〉一書所載〈興中會會員人名事迹考〉，列舉歷次參加起事的興中會成員中，兩廣會黨分子所佔比例較高，例如參加乙未廣州之役的朱貴全、丘四等人都是會黨首領，他們從香港率領會黨志士二百餘人進入廣州起事，事洩後被捕殉難。此外，清遠縣人朱浩、劉秉祥、黃麗彬，花縣人湯才，南海縣人陳焕洲、李芝，香山縣人李舉，潮州府人吳子材，順德縣人莫亨等九人，都是會黨，在乙未廣州之役分任廣州城內外起事職務。清遠縣人梁大砲也是會黨，擔任江北一帶發難事宜（註一二四）。乙未廣州之役雖然失敗，但會黨志士慷慨赴義，追隨革命的事實，更堅定了孫中山繼續聯絡會黨的信心。

在興中會時期，革命黨對會黨曾經進行三項重要工作：㈠大量吸收會黨分子加入興中會；㈡依賴會黨發動軍事行動；㈢與廣東三合會、長江哥老會進行聯合（註一二五）。湖南長沙人畢永年，與湖北、湖南的會黨首領往來密切。畢永年東渡日本後，結識孫中山及日本人平山周、宮崎寅藏等，孫中山指派畢永年回國聯絡湖廣會黨。光緒二十五年（一八九九）十月，畢永年率長江哥老會首領楊鴻鈞、李雲彪、辜天祐、張堯卿等數十人至香港，陳少白介紹粵港三合會首領鄭士良、黃明堂等人與楊鴻鈞等人相見，歃血爲盟，將興中會、三合會、哥老會合組興漢會，推孫中山爲總會長（註一二六）。由於興中會積極聯絡各會黨，因此，會黨分子加入興中會者，與日俱增。《革命逸史》所載〈興中會會員人名事迹考〉列舉參加光緒二十六年（一九〇〇）庚子惠州之役的會員計五十二人（註一二七），就其籍貫分佈而言，除摩根爲英國人，山田良政、內田良平、福本誠、末永節等四人爲日籍志士外，其餘四十七人分隸廣東各縣，尤以歸善縣人數爲最多，計十一人，佔百分之二十四，新安縣次之，計八人，佔百分之十七，番禺又次之，計七人，佔百分之十五，博羅僅次於番禺，計六人，佔百分之十三，其餘新會、東莞、順德等縣合計十五人，佔百分之三十二。由此可知惠州各屬向來就是會黨的家鄉。庚子惠州之役失敗後，清軍搜捕惠州所屬各縣會黨志士計五百餘名，其中在歸善縣境內各鄉村拏獲者計三百餘名，佔百分之六十，新安縣境內拏獲二百餘名，佔百分之四十。易言之，庚子惠州之役，歸善縣與新安縣提供了最廣大的人力資源。就上述五十二名會員的出身背景而言，會黨志士計二十二人，佔百分之四十二，知識分子計八人，佔百分之十五，其餘商人、工人、傳教士、船戶等所佔比例較低。會黨分子的加入興中會，成爲庚子惠州之役的基本武力，使會黨志士在國民革命史上扮演了重要的角色。由於會黨成員多屬於流動人口，浪跡江湖，散處四方，全靠其首領傳令號召。陳少白在〈興中會革命史要〉一書中曾說道：

> 三合會的會員，散處四方，不容易號召，有一個人名黃福者，在三合會領袖中最得人望，他和鄭士良甚相得。其時正在南洋婆羅洲謀生，我們就派人去請他回來。說也奇怪，他一回來，各處堂號的草鞋都會圍集攏來，只要黃福發一個令，眞是如響斯應，無不唯唯照辦的（註一二八）。

引文中的“草鞋”，是閩粵系統各會黨中負責奔走各處傳遞信息、考查弟兄的頭目。黃福回國後，惠州境內各處會黨都聽從號令。三洲田發難時，鄭士良還在香港，衆人公推黃福爲革命軍大元帥。黃耀庭、黃閣官、江公喜都是新安縣人，新安縣境內的會黨，多受他們的節制。在三洲田之役，黃耀庭等充元帥、先鋒等職，江公喜擔任攻取新安及虎門的任務。曾捷夫、曾儀卿叔姪是歸善縣人，曾捷夫是三合會首領，曾協助鄭士良聯絡會黨，頗爲得力。曾儀卿也是三合會重要頭目，曾號召平海所會黨響應起事。歸善縣會黨頭目黃揚等人是三洲田戰役的將校，身先士卒，沿途血戰，先後陣亡。孫中山認識到在最艱苦的歲月裡，堅決響應革命的，多爲會黨中人士。庚子惠州之役雖然又遭敗績，但革命黨運動會黨的工作，並未停頓，嗣後有志之士，多起救國之思，加入革命行列者，與日俱增，即舊日保皇黨人，亦多易幟改變宗旨，革命風潮更加洶湧澎湃。

庚子惠州之役失敗後，革命黨曾策動會黨首領洪全福在廣州起事。洪全福原名洪春魁，字其元，又號梅生，是洪秀全之姪，起事時改名洪全福，藉托洪秀全福蔭之意（註一二九）。洪全福向在外洋，因賭致富。光緒二十七年（一九〇一），潛回香港，糾邀廣州、惠州會黨，約期大舉，計畫先攻省城，並佔領惠州，由梁慕光在省城招人從香港運送槍械，由劉玉岐等十餘人糾邀會黨。省城北路會黨首領劉大嬸允招三千人，先攻城外製造局，搶取軍火，約定於十二月三十日夜間在城門放火爲號，齊攻省城。會黨所運軍械號衣，都是記名貨物進口，由德商布士兜洋行代報完稅，運至番禺縣屬芳村德教堂左近收藏。十二月二十八日，香港巡捕查出會黨窩聚之所，並起獲會黨簿據。次日，由英國駐廣州口岸總領事送交所獲會黨告示多張，內有“大明順天國南粵興漢大將軍”字樣，另有會黨與廣州其昌德商布士兜洋行買辦及同興街德教民梁慕光所開信義店往來書信多件。署兩廣總督德壽接獲密報後，即派幹員，並照會德國領事，會同前往搜查，在教堂通連的和記公司起出旗幟，衣褲共四千三百餘件，響角、鐵斧、刀剪、草鞋、九龍袋五千餘件。水陸營員先後逮捕梁慕光胞兄梁慕信及會黨頭目劉玉岐、蘇亞居等人，洪全福等逃出洋界。光緒二十八年（一九〇二）二月二十六日，洪全福潛回內地，被兵役格斃，搜出“全福之寶”金牌一面。光緒二十九年（一九〇三）正月，清軍在歸善縣拏獲會黨首領黃譚福等四十餘名（註一三〇）。洪全福雖因事機洩漏，而遭敗績，但同年八月間，惠州會黨首領戴梅香、陳馬王海、徐大等人又開台拜會，密謀攻城，亦因事洩，戴梅香等被捕，陳馬王海則在東莞縣石埗村堅強抵抗，經營勇四面圍攻，退守兩頭塘村後因兵敗被俘。廣東南海縣西樵等鄉會黨首領區新等人也響應革命，以英義堂爲聚會中心。區新曾於光緒二十五年（一八九九）入京謀刺滿洲大臣，失敗後改易洋裝，返回廣東，組織會黨，成立"新廣東志氣軍"，槍械精良，聲勢浩大。區新往來於香港、澳門等地，與革命黨密切聯繫，進行反滿活動。清軍水師提督李準密調水陸各軍，駐紮西樵一帶，光緒二十九年（一九〇三）十一月十六日，李準調齊粵義等營，分六路進攻區村，相持數日，區新等二十三人被俘（註一三一）。

長江一帶的洪江會，其實就是哥老會的別名。李經其是湖南醴陵縣洪江會頭目，也是哥老會首領馬福益的死黨，常往來於湖南瀏陽、醴陵等處，與江西萍鄉上栗市會黨首領饒有壽等人糾合姜守旦、龔春台等人計畫起事。光緒三十二年（一九〇六）十月，適有游學日本的蔡紹南演說革命，李經其等人於是自稱革命軍，議定分兵三路：一路佔領湖南瀏陽，以進取長沙；一路由江西萬載東據瑞州、南昌，以援應長江；一路佔據江西萍鄉安源路礦，以爲根據地。因起事計畫爲瀏陽縣知縣所聞，李經其被兵役追捕，落水溺死，饒有壽等即促令姜守旦、龔春台先期發難，並致函安源會黨首領蕭克昌率領礦工六千人約期響應，十月二十一日，在上栗市正式豎旗起事，連克各要地，歷時月餘，終告失敗，饒有壽等二十餘人被捕，在起出的號衣上書寫"革命軍先鋒後營軍前營"等字樣，白旗上書寫"革命軍"、"洪福齊天"等字樣（註一三二）。兩江總督端方具摺時指出會黨是「孫逆夥黨」（註一三三）。是役稱爲萍瀏之役，是以會黨爲主力而發動的革命軍事行動。

革命志士聯絡會黨的活動，由兩廣漸及於其他各省。浙江地區的會黨，亦極活躍，庚子惠州之役以後，浙江革命志士開始積極聯絡會黨，其中安慶之役，就是由光復會主導的革命軍事行動。光緒二十九年（一九〇三），浙江山陰縣人徐錫麟，由副貢游歷日本，與陶成章即陶煥卿等人認識。翌年，徐錫麟在上海加入光復會。光緒三十一年（一九〇五），徐錫麟在紹興創辦體育會及大通師範學校，由沈鈞業任教科，陶成章、龔味蓀住校，陳子英、陳淑南出資相助，時常開會演說，主張民權。安慶之役，與徐錫麟密謀舉事的，就是以上五人，〈致北京軍機處電〉文中對此五人的生平，敘述頗詳，其原文云：

> 沈鈞業，字馥生，浙江山陰西郭門外張墅村人，年二十二歲，現在日本早稻田學校，暑假，患病，寓牛乜町東鄉方家；陶煥卿，名成章，會稽陶堰人，年約三十歲，面瘦削，剪辮，習日本催眠術，著〈中國民族消長史〉；陳子英，名志軍，山陰東涉人，年二十餘歲，面瘦，剪辮；龔味蓀，嘉興人，年二十歲，矮小，剪辮，現均在日本；陳淑南，名德穀，山陰賞坊舜家樓人，年二十餘歲，面瘦削，身稍長（註一三四）。

光緒三十一年（一九〇五），徐錫麟與陶成章等人到日本。徐錫麟進日本法政大學，倡言革命排滿。返國後，曾到東三省，目睹滿漢不平，計畫在東三省運動起事。光緒三十二年（一九〇六），徐錫麟捐納安徽試用道員。同年九月，到安慶，因才能出衆，頗受安徽巡撫恩銘的賞識。光緒三十三年（一九〇七）二月，徐錫麟委充巡警學堂會辦。徐錫麟密謀起事，與秋瑾約定皖浙兩省同時並舉。巡警學堂甲班學生畢業典禮，原定於是年五月二十八日舉行，經巡撫恩銘改為五月二十六日，由恩銘親自到校主持。前一日即五月二十五日午後，徐錫麟與陳伯平、馬宗漢密議，欲俟恩銘校閱畢業生時，乘機擊斃恩銘，文武必降，即發動革命。五月二十六日上午九時，恩銘及司道各員都已到齊，徐錫麟請先入宴，後行畢業典禮，恩銘不允。徐錫麟恐事機敗露，即抛擲一枚炸彈，中階未炸。徐錫麟立即以手鎗向恩銘連續射擊，恩銘身中八鎗，因出血過多，於當天下午一時斃命。徐錫麟率領學生、夫役欲佔據軍械所，被防營兵所圍攻，陳伯平陣亡，徐錫麟、馬宗漢等人被捕遇害。

秋瑾，字璿卿，又字競雄，號鑑湖女俠，浙江紹興府山陰縣人，與徐錫麟爲表兄妹，嫻詞令，工詩文，性喜任俠，蓄志革命。年十八歲時，嫁湖南湘潭人王廷鈞，隨入北京，因意見不合，於光緒二十九年（一九〇三）分離。次年，秋瑾赴日留學。光緒三十一年（一九〇五），加入同盟會。返國後，曾在上海開設女報館，任紹興明道女學校長。光緒三十二年（一九〇六）十二月間，進入大通學堂。光緒三十三年（一九〇七）春，繼徐錫麟任大通學堂督辦，組織光復軍，策畫革命，大通學堂就是革命黨聯絡浙江會黨的機關，以秋瑾爲主腦。徐錫麟遇害後，清吏搜獲秋瑾信函，紹興郡紳又密報秋瑾訂期起事，是年六月初四日，秋瑾等人被捕，翌日就義，即所謂紹興之役。是役，株連甚衆，浙江會黨勢力受到重挫。

在同盟會時期，孫中山直接領導的革命軍事行動，共計八次，除河口之役在雲南外，其餘七次都在廣東和廣西境內。廣東潮州饒平縣境內的黃岡等地，是三點會最盛的地區，饒平縣人余丑、陳湧波、余通等人都是三點會的重要首領，與革命黨人許雪秋常有聯絡。光緒三十二年（一九〇六），孫中山委任許雪秋爲國民軍東軍都督。是年冬，許雪秋與余丑、陳湧波、余通赴香港會見馮自由，經馮自由介紹加入同盟會。黃岡之役，起事倉促，許雪秋雖掛銜東軍都督，但因遠在香港，黃岡之役發難後，即由余丑暫主其事，是役就是以饒平縣三點會成員爲基礎的革命軍事行動。

黃岡之役失敗後，會黨分子仍然前仆後繼的響應革命運動，七女湖之役，在香港策畫起事的鄧子瑜，防城之役的領導人王和順，鎮南關及欽、廉之役的黃明堂等等，都是會黨首領，他們都富於號召力，由於會黨首領的登高一呼，各地會黨都如響斯應的追隨革命。經過多次失敗後，部分黨人有感於會黨的散漫，聚散靡常，並未達到預期的效果，因此，河口之役失敗後，革命黨加緊聯絡新軍及防營。黨人認爲新軍有訓練，器械精良。訓練新軍的教官，許多是從日本回國的新知識分子，有的且是直接策動革命之士，新軍的思想，比較新穎，爲了爭取實力，希望將革命勢力打入新軍（註一三五）。運動軍界，起事時既不虞軍火的缺乏，而於平日又可避人耳目，稍免官方的懷疑，策反新軍，相信可以事半功倍。因此，對新軍寄以厚望。鄒魯、朱執信在廣州積極聯絡新軍，頗有成效，宣統元年（一九〇九），廣州新軍之役，就是革命黨計畫以新軍爲主力的一次革命軍事行動。林增平撰〈會黨與辛亥革命〉一文已指出，光緒三十四年（一九〇八）以前，革命派借助會黨輪番起事，確曾鼓蕩起一次一次的反清浪潮。但是，如果他們不將活動重點轉向策反新軍，那就不可能獲得推翻清王朝的勝利（註一三六）。陳劍安撰〈廣東會黨與辛亥革命〉一文則指出同盟會時期，從光緒三十一年（一九〇五）年八月同盟會成立開始，到宣統三年（一九一一）十一月廣東獨立爲止，前後共六年，其間可以一九〇八年雲南河口之役爲界，分爲前後兩個階段：前一階段是革命黨大力運動會黨的階段，也是廣東會黨在革命黨策動下武裝起事最多的階段；後一階段革命黨雖然把活動的重心移向防營、新軍，但並未放棄對會黨的工作，會黨的積極作用，仍然得到進一步發揮，廣東獨立正是在革命黨人策動會黨群衆大起事的形勢下促成的（註一三七）。誠然，革命黨歷次起事，都與會黨緊密聯繫在一起。河口之役，與越南的華僑會黨也有密切關係。越南河內等地，以兩廣僑民居多數，會黨山頭主義很顯著，革命黨特設衛生社、日新樓等中心，一方面使越南會黨聯為一體，聽命於革命黨，積極參加內地的革命軍事行動；一方面充作招納會黨亡命之所，王和順、黃明堂、關仁甫等會黨首領，多流寓於此。河口之役失敗以後，會黨仍然再接再厲的參加革命軍事行動，在新軍、防營內部，也有會黨分子。宣統三年（一九一一），黃花岡之役，為配合起事，朱執信等人加緊聯絡會黨，發動廣州附近會黨分子，並使南海、番禺兩縣各路會黨聯為一氣，直到起事前夕，聯絡會黨的工作，仍在進行中。黃花岡之役發難後，南海、番禺等縣會黨，立即響應，進入杏市、樂從、占鰲溪公司，取道爛石灣，進逼佛山。黃花岡之役失敗後，經過革命黨長期聯絡策動的會黨群衆，仍然此仆彼起地進行大小規模的起事活動。

滿清末造，國勢陵夷，外患日亟，清廷喪權辱國，列強瓜分豆剖，中國遂淪於次殖民地。有志之士為挽救國家民族的危亡，紛紛提出各種方案，君主立憲與國民革命就是兩種救亡運動，亦即晚清在野思潮中的兩股主流，為使其方案付諸實施，都注意到下層社會的廣大群衆，嘗試聯絡會黨，號召民衆，以期達到救亡圖存的目標。因此，會黨在近代中國救亡圖存的運動中扮演了極為重要的角色。清代後期，會黨分子多以反清復明為宗旨，具有濃厚的反滿意識，與主張君主立憲的保皇黨，在思想上是格格不入的，自立軍起事是保皇黨利用會黨，計畫以武力保皇的最初一次，也是最後一次。革命黨提倡民族主義，是直接倒滿主義者，會黨的反滿思想，與革命黨的主張相近，所以響應革命黨的號召，接受革命黨的領導，前仆後繼，慷慨赴義，對國民革命運動作出了重要的貢獻。其中兩廣會黨因地理背景較特殊，對外接觸較頻繁，接受革命思想較先進，與革命黨聯繫最早，關係最密切，表現最爲突出，在歷次革命軍事行動中提供了最基本的武力，參加歷次戰役的人數最多，可以說是無役不與，再接再厲，百折不撓，有志竟成，有助於革命主義的實現，洪門會黨對推翻滿清，建立民國的貢獻，確實是可以肯定的。

## 第三節　清代後期秘密會黨的社會侵蝕與社會控制

跪拜天地，歃血瀝酒，盟誓焚表，異姓弟兄義結金蘭，是倡立秘密會黨的基本形式。在清代律例中既有禁止異姓結拜的條款，對於考察秘密會黨的源流及社會控制，顯然是很有意義的。

清代律例，雖然承襲明律，但有清一代的法律，由於因時制宜，陸續纂修條例，而有相當大的變化。有的是由皇帝頒發諭旨，定爲條例；有的是由內外臣工條奏，經刑部議准，纂爲條例。清代律例的連續性和變化，以及條例在法律上的作用，都是不能忽略的問題。因此，「研究清代法律，必須研究條例，不能僅研究律文，否則不但不了解全面，不了解其變化，不了解法律的具體運用，還會發生錯誤，將早已不用的律文當做清代的法律來論證。這一點常爲人所忽略，往往重視律文，而不注意條例。」（註一三八）

清代律例的變化，主要是在於條例，而不在於律文。據《清史稿・刑法志》的記載，康熙以前累期舊例共三二一條，康熙年間現行例共二九〇條，雍正三年（一七二五），欽定例共二〇四條，總共八一五條（註一三九）。乾隆元年（一七三六），刑部奏准三年修例一次。乾隆十一年（一七四六），內閣等衙門議改五年修例一次。乾隆四十四年（一七七九），部議明確規定，既有定例，則用例不用律。《清史稿》指出「高宗臨御六十年，性矜明察，每閱讞牘，必求其情罪曲當，以萬變不齊之情，欲御以萬變不齊之例。故乾隆一朝纂修八、九次，刪原例、增例諸名目，而改變舊例及因案增設者為獨多。」（註一四〇）清代君臣認為刑法中的律文，不足以包羅萬象，恐法外遺奸，為求情罪相當，乃針對不同情況而增加條例，使執法者不至於各有歧異。

乾隆以降，不斷以新例來補充律文，或改變舊例，於是條例愈來愈多，愈多愈繁，經道光、咸豐以迄同治，其條例增至一八九二條。《清史稿》對清代律例的變化，已指出其得失，略謂：

> 蓋清代定例，一如宋時之編敕，有例不用律，律既多成虛文，而例遂愈滋繁碎。其間前後牴觸，或律外加重，或因例破律，或一事設一例，或一省一地方專一例，甚且因此例而生彼例，不惟與他部則例參差，即一例分載各門者，亦不無歧異，輾轉糾紛，易滋高下。雍正十三年，世宗遺詔有：國家刑罰禁令之設，所以詰奸除暴，懲貪黜邪，以端風俗，以肅官方者也。然寬嚴之用，又必因乎其時。從前朕見人情澆薄，官吏營私，相習成風，罔知省改，不得不懲治整理，以戒將來。今人心共知警惕矣，凡各衙門條例，有前嚴而改寬者，此乃從前部臣定議未協，朕與廷臣悉心酌核而後更定，自可垂諸永久。若前寬而改嚴者，此乃整飭人心風俗之計，原欲暫行於一時，俟諸弊革命，仍可酌復舊章，此朕本意也，向後遇事斟酌，如有應從舊例

> 者，仍照舊例行，借後世議法諸臣未盡明世輕世重之故，每屆修例，第將歷奉諭旨及議准臣工條奏，節次編入，從未統合全書，逐條釐正（註一四一）。

新例與舊例既前後牴觸，彼此歧異，當時人遂有「大清律易遵，而例難盡悉；刑律易悉，而吏部處分律難盡悉，此不過專爲書吏生財耳」的歎息（註一四二）。

從清代律例的變化，可以看出清代臣工用例輔律，甚至捨律用例的趨勢。清初以來，不斷以條例來修改律文，使原有的律文因而不再有效，幾乎等於廢除。郭建撰〈當代社會民間法律意識試析〉一文指出我國歷代法律是以刑法、行政法等調整君主臣民關係的法律規範爲主，極度缺乏調整社會成員個人之間經濟社會關係的法律，在日常生活中體會不到法的存在。法律的權威，遠低於皇帝的敕令，眞正在司法中起作用的是敕令與條款案例。司法機構與行政部門長久以來的合而爲一，更不能體現法律的權威，法律訴訟知識也全被官府衙役、師爺所壟斷（註一四三）。從清代律例的變化，可以看出當時的法律，並非一種穩定的、公開的爲社會成員普遍遵守的律文。基於對法律的漠視與畏懼，民間很早就產生了在法律之外的各種自我保護方式，這種自保意識，往往直接排斥法律的效力，清代異姓結拜及秘密會黨就是民間自保意識下的一種產物。爲了便於說明，可將清代有關取締秘密會黨律例的修訂內容，列出簡表於後：

表一三：清代有關取締秘密會黨律例修訂簡表

| 年分 | 律例修訂內容 | 備註 |
|---|---|---|
| 順治十八年（1661） | 定凡歃血盟誓焚表結拜弟兄者，著即正法。 | |
| 康熙七年（1668） | 覆准歃血盟誓焚表結拜弟兄應正法者，改為秋後處決，其止結拜弟兄，無歃血焚表等事者，仍照例鞭一百。 | |
| 康熙十年（1671） | 題准歃血結拜弟兄者，不分人之多寡，照謀叛未行律，為首者擬絞監候秋後處決，為從者杖一百，流三千里，其止結拜弟兄無歃血焚表等事者，為首杖一百，徒三年，為從杖一百。 | |
| 康熙十二年（1673） | 題准凡異姓人結拜弟兄，未曾歃血焚表者，為首杖一百，為從杖八十。 | |
| 雍正三年（1725） | 凡異姓人歃血訂盟焚表，結拜弟兄，不分人數多寡，照謀叛未行律，為首者擬絞監候，其無歃血盟誓焚表事情，止結拜弟兄，為首者杖一百，為從者各減一等。 | |
| 乾隆二十九年（1764） | 閩省民人除歃血訂盟焚表結拜弟兄，仍照定例擬以絞候，其有抗官拒捕持械格鬥等情，無論人數多寡，審實各按本罪分別首從，擬以斬絞外，若有結會樹黨，陰作記認，魚肉鄉民，凌弱暴寡者，亦不論人數多寡，審實將為首者照兇惡棍徒例，發雲貴兩廣極邊煙瘴充軍，為從減一等，被誘入夥者，杖一百，枷號兩月，各衙門兵丁胥役入夥者，照例分別治罪。該管文武各官失於覺察，及捕獲之後有心開脫，均照例參處。若止係鄉民酬社賽神，偶然洽比，事 | |

| | |
|---|---|
| | 竣即散者，不在此例。 |
| 乾隆三十九年（1774） | 凡異姓人但有歃血訂盟焚表結拜兄弟者，照謀叛未行律，爲首者擬絞監候，爲從減一等，若聚衆至二十人以上，爲首者擬絞立決，爲從者發雲貴兩廣極邊煙瘴充軍。其無歃血盟誓焚表事情，止序齒結拜弟兄，聚衆至四十人以上，爲首者擬絞監候，爲從減一等。若年少居首，並非依齒序列，即屬匪黨渠魁，首犯擬絞立決，爲從發雲貴兩廣極邊煙瘴充軍，如序齒結拜數在四十人以下，二十人以上，爲首者杖一百，流三千里，不及二十人者，杖一百，枷號兩月，爲從各減一等。 |
| 乾隆五十七年（1792） | 台灣不法匪徒，潛謀糾結，復興天地會名目，搶劫拒捕者，首犯與曾經糾人及情願入夥希圖搶劫之犯，俱擬斬立決，其並未轉糾黨羽，或聽誘被脅，而素非良善者，俱擬絞立決，俟數年後此風漸息，仍照舊例辦理。 |
| 嘉慶十六年（1811） | 凡異姓人但有歃血訂盟焚表結拜弟兄者，照謀叛未行律，爲首擬絞監候，爲從減一等，若聚衆至二十人以上，爲首者擬絞立決，爲從者發雲貴兩廣極邊煙瘴充軍，其無歃血盟誓焚表事情，止序齒結拜弟兄，聚衆至四十人以上，爲首擬絞監候，四十人以下二十人以上，爲首者杖一百，流三千里，不及二十人，爲首者杖一百，枷號兩月，爲從各減一等。若年少居首，並非依齒序列，即屬匪黨渠魁，聚衆至四十人以上者，首犯擬絞立決，爲從發雲貴兩廣極邊煙瘴充軍，未及四十人者，爲首擬絞監候，爲從杖一百，流三千里，其有抗官拒捕持械格鬥 |

| | |
|---|---|
| | 等情，無論人數多寡，審實各按本罪分別首從，擬以斬絞。若結會樹黨，陰作記認，魚肉鄉民，凌弱暴寡者，亦不論人數多寡，將為首照兇惡棍徒例，發雲貴兩廣極邊煙瘴充軍，為從減一等，被誘入夥者，杖一百，枷號兩月。各衙門兵丁胥役入夥者，照為首例問擬，鄉保地方明知不首，或借端誣告者，照例分別治罪，該管文武各官失於覺察，及捕獲之後，有心開脫，均照例參處。若止係鄉民酬社賽神，偶然洽比，事竣即散者，不在此例。 |
| 嘉慶十六年（1811） | 閩粵等省不法匪徒，潛謀糾結，復興天地會名目，搶劫拒捕者，首犯與曾經糾人及情願入夥希圖搶劫之犯，俱擬斬立決，其並未轉糾黨羽，或聽誘被脅，而素非良善者，俱擬絞立決。如平日並無為匪，僅止一時隨同入會者，俱發新疆酌撥種地當差，俟數年後此風漸息，仍照舊例辦理。 |
| 嘉慶十七年（1812） | 凡異姓人，但有歃血訂盟焚表結拜弟兄者，照謀叛未行律，為首者擬絞監候，為從減一等。若聚眾至二十人以上，為首者擬絞立決，為從者發雲貴兩廣極邊煙瘴充軍。其無歃血盟誓焚表事情，止序齒結拜弟兄聚眾至四十人以上，為首者擬絞監候，四十人以下，二十人以上為首者杖一百，流三千里，不及二十人，為首者杖一百，枷號兩月，為從各減一等。若年少居首，並非依齒序列，即屬匪黨渠魁，聚眾至四十人以上者，首犯擬絞立決，為從發雲貴兩廣極邊煙瘴充軍，未及四十人者，為首擬絞監候，為從杖一百，流三千里，其有抗官拒捕持械 |

| | |
|---|---|
| | 格鬥等情，無論人數多寡，各按本罪分別首從擬以斬絞。如爲從各犯內，審明實係良民被脅勉從結拜，並無抗官拒捕等事情，應於爲從各本罪上再減一等，僅止畏累出錢，未經隨同結拜者，照違制律杖一百，其聞拏投首，及事未發而自首者，各照律例分別減免，儻減免之後復犯結拜，不許再首，均於應擬本罪上，酌予加等，應絞決者，改擬斬決，應絞候者，改爲絞決，應發極邊煙瘴充軍者，改發新疆酌撥種地當差，應滿流者，改爲附近充軍，應滿徒以下，亦各遞加一等治罪。其自首免罪各犯，由縣造具姓名住址清冊，責成保甲族長嚴行稽查約束，仍將保人姓名登記冊內，如有再犯，即將保甲族長擬杖一百。至結會樹黨，陰作記認，魚肉鄉民，陵弱暴寡者，亦不論人數多寡，審實將爲首者照兇惡棍徒例，發雲貴兩廣極邊煙瘴充軍，爲從減一等，被誘入夥者，杖一百，枷號兩月。各衙門兵丁胥役入夥者，照爲首例問擬。鄉保地方明知不首，或借端誣告者，照例分別治罪，該管文武各官失於覺察，及捕獲之後有心開脫，均照例參處，若止係鄉民酬社賽神，偶然洽比，事竣即散者，不在此例。 |
| 咸豐元年（1851） | 滇省匪徒結拜弟兄，除罪應徒流以上各犯，仍照例辦理外，其但係依齒序列，不及二十人，罪止枷杖者，於本地方鎖繫鐵杆一年，限滿開釋，照例枷責，交保管束，如不悛改，再繫一年，儻始終怙惡不悛，即照棍徒擾害例嚴行辦理，地方官每辦一案，報明督撫臬司各按季彙冊咨部，開釋時亦報部查覆，俟數年後此風稍 |

| | | |
|---|---|---|
| | 息，仍循舊例辦理。 | |
| 宣統二年（1910） | 各省拏獲會匪，如訊係爲首開堂放飄者，及領受飄布輾轉糾夥散放多人，或在會中充當元帥軍師坐堂陪堂刑堂禮堂名目，與入會之後雖未放飄輾轉糾人而有夥同搶劫情事，及句通教匪煽惑擾害者，一經審實，即開錄詳細供招，稟請覆訊，就地正法，仍隨案具奏。此外如有雖經入會，並非頭目，情罪稍輕之犯，酌定年限監禁。俟限滿後察看是否安靜守法，能否改過自新，分別辦理。其無知鄉民被誘被脅，誤受匪徒飄布，希冀保全身家，並非甘心從逆之人，如能悔罪自首呈繳飄布者，一概從寬免其究治。其有向充會匪自行投首密告匪首姓名因而拏獲，亦一律免罪。若投首後又能作線引拏首要各犯到案究辦，除免罪之外，仍由該地方官酌量給賞，地方文武員弁能拏獲著名首要審實懲辦，隨案奏請優奬，如妄拏無辜擾累閭閻，以及縱匪貽害，亦即嚴行參處。 | |

資料來源：《大清會典》、《欽定大清會典事例》、《大清現行刑律》。

由表中所列律例可知清初以來雖然已有禁止異姓結盟的條文，但也只能說明民間異姓結拜風氣的盛行。康熙年間雖然針對異姓人結拜弟兄問題先後三次修訂律例，但是條文中並未指明是對付天地會而修訂的，並不能證明天地會起源於康熙年間。雍正三年（一七二五），刑部題准合併康熙十年（一六七一）及康熙十二年（一六七三）所訂律例，重修〈奸徒結盟〉律例。康熙十年（一六七一），刑部題准歃血結拜弟兄首犯擬絞監候，雍正三年（一七二五），將「歃血結拜弟兄」修改爲「凡異姓人歃血訂盟焚表結拜弟兄」，並刪略「爲從杖流」字樣。

雍正六年（一七二八），台灣父母會成立的宗旨，主要是爲了會中成員父母身故，互助喪葬費用，是屬於地方性的一種民間互助團體，也是一種自力救濟組織，但因父母會的組織方式及其結拜儀式，是屬於異姓結拜，異姓人結拜弟兄，歃血盟誓，各人以針刺血，滴酒同飲，俱與清初律例互相牴觸，而遭到官方的取締。父母會成員遵守盟約誓言，民間私人關係，取代了官方法律關係。台灣總兵官王郡、護理台灣道台灣府知府俞存仁、諸羅縣知縣劉良璧等人審擬父母會湯完一案時所援引的律例條文爲：「定例，異姓歃血訂盟，不分人之多寡，照謀叛未行律，爲首者擬絞，監候秋後處決，爲從者杖一百，流三千里，僉妻發遣，至配所折責四十板。」（註一四四）父母會雖然共推湯完爲大哥，其實是由陳斌首先起意招人入會，總兵官王郡等人即以陳斌爲會首，照定例擬絞監候，而將湯完等人照爲從例擬流，惟因黃贊、蔡祖、朱寶三人年幼無知，俱照律收贖。至於蔡蔭一案，則照未結歃血焚表結拜兄弟爲首例，將蔡蔭杖一百，折責四十板，其餘陳卯等人則照爲從例，杖八十，折責四十板。惟董法、石意二人，年僅十五歲，照例責懲。總兵官王郡等人審擬父母會湯完、蔡蔭二案時，並非援引雍正三年（一七二五）重修〈奸徒結盟〉律例，而是援引康熙十年（一六七一）及康熙十二年（一六七三）所訂律例，惟文字略有損益。從台灣地方官審擬父母會時援引取締異姓結拜條例判決加以觀察，可以證明清代秘密會黨確實是由異姓結拜團體發展而來的秘密組織。台灣父母會並未暗藏大旗、長槍或其他軍器，不是政治性的叛亂組織，但福建總督高其倬卻比例加重，嚴加懲治，並將辦理經過，繕摺奏聞。其原摺略謂：

查台灣地方遠隔重洋，向因奸匪曾經爲變，風習不純，人情易動，此等之事，懲治當嚴。況福建風氣，向日有鐵鞭等會，拜把結盟，奸棍相黨，生事害人，後因在在嚴禁，且鐵鞭等名，駭人耳目，遂改而爲父母會，乃其奸巧之處。臣查結盟以連心，拜把以合黨，黨眾漸多，即謀匪之根。湯完一案，雖據審無謀匪藏械，蔡蔭一案，雖據審無歃血等情，似應照例擬究完結。但台灣既不比內地，而湯完等拜把，竟有銀班指，非尋常拜把之物。且陳斌固係招人起意之人，而湯完現做大哥，豈可輕縱。又蔡蔭一案，雖無歃血，而兩次拜把，既屬再犯，且其夥漸增，尤爲不法。臣擬將湯完、陳斌俱行令曉示立斃杖下，以示懲警，餘人照例解審問流。蔡蔭二次拜把爲首，亦應行令曉示杖斃，餘二次拜把者，加重枷責，押過海交原籍禁管安插（註一四五）。

引文中所稱「向因奸匪曾經爲變」，即指康熙六十年（一七二一）四月二十日朱一貴起事而言。福建總督高其倬認爲台灣地方，遠隔重洋，「風習不純，人情易動」，不比內地，結盟拜會案件，不應照例擬究。基於政治上的考慮，爲防範未然，遂將湯完、陳斌改擬「立斃杖下」，以示懲警，蔡蔭亦行令曉示杖斃，其餘人犯照例解審問流，或解回原籍禁管安插。高其倬原摺奉硃批：「知道了，料理的是。」湯完、陳斌、蔡蔭三人，俱被立斃杖下，較當時現行例加重懲處，已開就地正法的先例，可以說明清代地方官審擬異姓結拜或結盟拜會案件因地而異的情形。

康熙十年（一六七一），清朝律例中關於禁止異姓結拜的規定，已經在條款內容上把〈雜犯〉變成了〈謀叛〉罪。乾隆五年（一七四〇），清廷重修《大清律例》，正式刊佈，全書凡四十七卷，四三六門，計一〇四九條，其中有關禁止異姓結拜的條款，移置於第二十三卷〈賊盜・謀叛〉項下，其條文與雍正朝所訂內容，基本相同，並無重大增補。乾隆初年以來，閩粵地區的結盟拜會案件，雖然層見疊出，但清廷迄未針對秘密會黨的活動制定取締專條。乾隆二十九年（一七六四）十月初八日，福建巡撫定長具摺奏請嚴訂結會樹黨治罪專條，其原摺略謂：

> 閩省山海交錯，民俗素稱強悍，凡抗官拒捕械鬥逞兇之案，歷所不免。近經嚴立科條，有犯必懲，此風已稍爲斂戢。惟臣自抵任來，留心訪察，知閩省各屬，向有結會樹黨之惡習，凡里巷無賴匪徒，逞強好鬥，恐孤立無助，輒陰結黨與，輾轉招引，創立會名，或陽托奉神，或陰記物色，多則數十人，少亦不下一、二十人。有以年次而結爲兄弟者，亦有恐干例禁而並無兄弟名色者。要其本意，皆圖遇事互相幫助，以強凌弱，以眾暴寡，而被侮之人，計圖報復，亦即邀結匪人，另立會名，彼此樹敵，城鄉效尤，更間有不肖兵役潛行入夥，倚藉衙門聲勢，里鄰保甲，莫敢舉首，小則魚肉鄉民，大則逞兇械鬥，抗官拒捕，亦因此而起，是結會樹黨之惡習，誠爲一切奸宄不法之根源。臣察知此弊，歷次通行嚴飭查拏，並剴切出示，曉以利害，更於地方官謁見時諄諄告誡，雖現在少有發覺之案，但恐漸染既深，惡習未能悉除，且參酌律例，並無匪徒結會樹黨治罪之專條。惟例載異姓人歃血訂盟焚表結拜弟兄不分人數多寡，照謀叛未行律爲首者擬絞監候，其無歃血盟誓焚表事情，止結拜弟兄，爲首者杖一百，爲從者各減一等等語，外省如遇有異姓人結會樹黨之案，多照此例分別辦理。惟是例內特嚴於歃血盟誓焚表，若止結拜弟兄者，原無以人數多寡區別之明文，而承問官拘泥例文，易啓避重

就輕之弊。蓋歃血盟誓焚表，事屬秘密，過後既少有形跡可驗，各犯到案，斷不肯據實供明，承審之員，亦樂於從輕完結，故若訊無歃血盟誓焚表，即使結會樹黨，並結拜弟兄至數十人之多者，皆得概予杖責釋放，間有比例量為酌加，亦終不足使匪徒懲創，以致釀成巨案，水懦易犯，諒由於此。臣愚以為凡鄉民無知結會，如香會、神會等名色，雖各處多有，然不過春秋祈報，初非有意為匪，即或另有愚民因情分相投，聯為同氣，亦不過數人而止，若夫糾約多人創會樹黨，結拜弟兄，其蓄心已非善良，其招引必多匪類，似不得以其並無歃血盟誓焚表概為輕恕，應即按其人數之多寡，定厥罪之差等，以免邊海匪徒肆行無忌，輾轉蔓延，為害無窮也。臣悉心斟酌，請嗣後凡異姓人結拜弟兄，如實有歃血訂盟焚表情事，仍不分人數多寡，為首之人照例擬絞外，其雖無歃血盟誓焚表，但經糾眾結拜弟兄數至三十人以上者，無論有無創會，將為首之人，即照歃血盟誓焚表例擬絞監候；數至二十人以上者，將為首之人杖一百，流三千里；數在十人以上者，將為首之人杖一百，徒三年；其為從之人，如曾轉為糾約多人者，各照為首例減一等；此係被誘聽從入夥者，准再減一等；若數在十人以下，為首者仍照原例杖一百，為從減一等；若雖無弟兄名色，而非實係春秋祈報，托名創會樹立黨與者，均按其人數，分別首從，照糾眾結拜弟兄例，各減一等，如有文武衙門兵丁胥役入夥者，雖為從各照為首之人一例問擬；鄉保失察，或知情不首，分別治罪；借端誣告者，照律究懲；至該管文武及地方官如平日失於覺察，迨經告發，或上司訪聞，即能捕獲要犯據實詳究者，仍照定例免其議處；若不准理，又不緝拏，並獲犯到案故減人數，曲爲開脱者，從重參處。如此庶匪徒不敢任意糾眾結黨，而地方官既不敢瞻顧失察處分，諱匿不究，亦得按人數以定爰書，莫敢姑息養奸，懲匪僻而靖海疆，似不無裨益（註一四六）。

由前引奏摺可知福建巡撫定長針對秘密會黨活動而奏請增訂的治罪專條，其內容主要包括兩個部分：一方面是將結會樹黨案件仍舊援引雍正三年（一七二五）修訂條例辦理；一方面按照結拜人數多寡，以定罪情輕重。福建巡撫定長原摺指出原訂律例，並無結會樹黨治罪專條，外省遇有結會樹黨案件，多照禁止異姓人歃血訂盟焚表結拜弟兄定例分別辦理。定長奏請增訂治罪專條，也將異姓結拜與結會樹黨正式聯擊起來，充分說明秘密會黨在性質上就是一種異姓結拜組織。定長原奏於乾隆二十九年（一七六四）十一月經刑部議覆增訂成例，並載入〈欽定大清會典事例〉之中。但對照定長原奏與刑部議准條例後，可知定長按人數多寡以定罪情輕重的建議，並未被清廷所採納。姑且不論這條律例的增訂和當時福建天地會活動是否有密切關係，但是清廷卻首次正式將取締閩省結會樹黨與禁止異姓人結拜弟兄合併增入大清律例之中，就是針對閩省會黨活動，在原有禁止〈奸徒結盟〉的條例上增添“結會樹黨”字樣，這就同時充分表明福建結盟拜會風氣的盛行。

乾隆三十八年（一七七三），廣東揭陽縣有縣民四十餘人聚眾結盟，不序年齒，共推年僅二十二歲的陳阿高爲大哥。此案經廣東巡撫德保覈審，擬以絞候，發回監禁。有陳阿高素好的林阿裕等，探知陳阿高罪名已定，起意糾眾劫獄，乘揭陽縣署理知縣交卸之際，約期舉事，寅夜爬城，因地保等人發覺喊叫，始行逃逸。次年正月，清高宗頒降諭旨稱：

此案皆由陳阿高擬罪過輕，匪徒見其久縶囹圄，遂爾潛謀滋事，致皆身罹重典。使陳阿高犯案時，即行正法，林阿裕等無隙可乘，轉得杜其奸謀，亦即可全其軀命，所謂辟以止辟，用意正復如此。及查覈原案，則陳阿高之問擬絞候，尚係德保比例加重，是此條舊定之例，原未允協。夫以歃血訂盟，謂不分人數多寡，殊覺顢頇失當。豈以十人內外，與多至四、五十人者，漫無區別乎？即如陳阿高一案，結盟至四十餘人之多，又係該犯起意聚眾，且陳阿高年僅二十二歲，案犯較其年長者尚多，而眾皆推之爲首，即屬匪黨巨魁，更非序齒結拜弟兄者可比，自當另定條例，以示創懲，所有陳阿高罪名，已諭令李侍堯歸於林阿裕等案內，從重定擬。至嗣後遇有此等案件，如何定例之處，著刑部詳細妥議具奏（註一四七）。

由前引諭旨可知廣東巡撫德保辦理陳阿高一案，已較原訂條例加重懲處，但清高宗認爲舊例過輕，歃血結盟不分人數多寡，年少居首，亦未論及，顢頇失當，故飭刑部詳加修訂。刑部遵旨研擬條例具奏，其原奏略謂：

凡異姓人但有歃血訂盟，焚表結拜弟兄者，照謀叛未行律，爲首者擬絞監候，爲從減一等。若聚眾至二十人以上，爲首者擬絞立決，爲從發雲貴兩廣極邊煙瘴充軍。其無歃血盟誓焚表事情，止序齒結拜弟兄，聚眾至四十人之多，爲首者擬絞監候，爲從減一等。若年少居首，並非依齒序列，即屬匪黨巨魁，首犯擬絞立決，爲從發極邊煙瘴充軍。如序齒結拜，數在四十人以下，二十人以上，爲首者杖一百，流三千里，不及二十人，杖一百，枷號兩個月，爲爲從各減一等（註一四八）。

《欽定大清會典事例》中所載乾隆三十九年（一七七四）改定條例，就是根據刑部奏准條文略加修改而增入的，例如刑部原奏內「爲從發極邊煙瘴充軍」，《欽定大清會典事例》作「爲從發雲貴兩廣極邊煙瘴充軍」，其餘文字出入不大。康熙、雍正現行例中，禁止異姓結拜，並無按人數多寡定罪的規定，乾隆三十九年（一七七四）改定條例，首次按人數多寡以定罪情輕重，以免漫無區別。這條律例的增訂，充分說明異姓結拜活動規模的擴大以及秘密會黨的盛行，不但會黨林立，而且各會黨成員也是人數衆多。

乾隆年間，台灣秘密會黨更加活躍，在林爽文領導天地會起事以前，小刀會的活動，最爲頻繁，都集中在彰化一帶。乾隆四十八年（一七八三），福建水師提督黃仕簡、福建台灣道楊廷樺提審小刀會各要犯覆鞫後，除林阿騫等九人爲小刀會首夥，又因攻莊搶殺，歸入械鬥案內被正法外，其餘各犯俱依例審擬。黃仕簡等人所援引的條例如下：

> 查例載結會樹黨，陰作記認，魚肉鄉民，凌弱暴寡者，照兇惡棍徒例，發雲貴兩廣極邊煙瘴充軍，爲從減一等，各衙門兵丁胥役入夥者，照爲首例問擬各等語（註一四九）。

將前引條例與前列簡表互相對照後，可知黃仕簡等人所援引的就是乾隆二十九年（一七六四）改定的條例，而文字稍簡略。黃仕簡將林文韜等十四名小刀會成員均照例發雲貴兩廣極邊煙瘴充軍，從重改遣伊犁等處，給種地兵丁爲奴，夥犯林豹等十名俱照爲從減等杖徒例，從重照兇惡棍徒例發雲貴兩廣極邊煙瘴充軍。由此可知地方官審擬台灣小刀會案件，無論首夥各犯，均比例加重，從重懲辦。至於兇橫不法兵丁楊祐、曾篤等人，黃仕簡審擬時是照兇惡棍徒例充軍，從重改遣伊犁等處，給種地兵丁爲奴。多羅質郡王永瑢議覆小刀會案件時則以兵丁楊祐、曾篤將林文韜擒至營盤，騎壓身上，剜瞎眼睛。控縣關提時，抗不到案，恃伍逞兇，目無法紀，實與光棍無異，未便如黃仕簡等人所擬，應改照光棍爲從例擬絞。但因台灣爲海疆重地，兵丁肆橫，凌虐百姓，釀成事端，情罪較重，於是請旨將楊祐、曾篤即行正法（註一五〇）。

台灣諸羅縣的添弟會與雷公會，是屬於同籍同姓的械鬥組織。乾隆五十一年（一七八六）七月，捐職州同楊文麟恐養子楊光勳與親生子楊媽世彼此爭鬥，釀成慘案，於是赴縣城首告楊光勳結拜添弟會，楊光勳亦訐告楊媽世倡立雷公會。同年閏七月初四日，署諸羅縣知縣董啓埏等差遣兵役查拏會黨。閏七月初七日，石溜班汛把總陳和帶兵四名押解添弟會成員張烈一名，行抵斗六門，楊光勳率衆劫囚，殺害把總陳和及兵役。斗六門汛把總陳國忠率領兵役往援，添弟會成員持刀拒捕。台灣鎭總兵官柴大紀等率同文武員弁馳赴諸羅，先後拏獲楊光勳等八十九名審究。柴大紀等人所援引的律例爲「律載謀叛不分首從皆斬，其拒敵官兵者，以謀叛已行論。又例載閩省民人結會樹黨，不論人數多寡，爲首者照兇惡棍徒例，發雲貴兩廣極邊煙瘴充軍，爲從減一等等語。」（註一五一）其中除謀叛律外，所稱閩省民人結會樹黨云云，就是援引乾隆二十九年（一七六四）改定的會黨治罪專條，而不是援引乾隆三十九年（一七七四）新例。楊光勳爲首倡立添弟會，又同何慶等人率黨劫囚，張能等下手殺害弁兵，張光輝等放火，拒敵官兵，李鴻等傷斃巡檢家丁，以上十八名俱照謀叛不分首從皆斬律，擬斬立決，因其情罪重大，於閏七月二十九日恭請王命，先行正法梟示。陳輝等二十八名，因聽從入會，又聽從劫囚，各持刀棍在場助勢，同惡共濟，除何郎等八名先被槍傷斃命不議外，其餘陳輝等二十名，均照謀叛律擬斬立決梟示，各犯家屬緣坐，財產入官。楊媽世是監生，爲首結會樹黨，不便照常例擬軍，從重改發伊犁充當苦差。添弟會成員張泮等二十五名，雷公會成員潘吉等二十四名，以上共四十九名，聽糾入會，俱從重發雲貴兩廣煙瘴充軍，改發極邊足四千里。清代地方大吏以台灣地方遠隔重洋，不比內地，對結盟拜會案件的審理，都持懲治當嚴的態度，雖然援引現行律例，但俱比例加重，並非按照常例辦理。

台灣天地會起事以後，閩粵內地亦奉旨嚴辦會黨，破獲天地會案件多起。乾隆五十二年（一七八七）十一月十六日，福建漳浦縣人張媽求糾邀何體等共一〇八人結拜天地會，於同年十二月二十日夜間焚搶鹽場衙署、稅館，戕害兵民，張媽求等人被拏獲後經閩浙總督李侍堯等人審擬，所援引的律例如下：

> 律載：凡謀叛俱共謀者，不分首從皆斬，妻妾子女給付功臣之家爲奴，財產入官，女許嫁已定，子孫過房與人，聘妻未成者俱不坐，父母子孫兄弟不限籍之同異，皆流二千里。又例載：兇惡棍徒，糾眾商謀，放火搶奪，其本非同夥，借名救火，乘機搶掠財物者，照搶奪律治罪。又閩省民人有結會樹黨，陰作記認，魚肉鄉民，凌弱暴寡者，不論人數多寡，爲首者發極邊煙瘴充軍，爲從減一等各等語（註一五二）。

由前引條文可知閩浙總督李侍堯等人所援引的律例，主要包括謀叛律、兇惡棍徒搶奪律及乾隆二十九年（一七六四）改定閩省結會樹黨治罪專條。張媽求等人是會首黨夥，首先起意謀劫縣城倉庫，焚搶稅關、鹽館、戕殺多命，方開山等人雕刻印信，同惡相濟，俱從重凌遲處死。此案被押赴市曹，分別凌遲斬梟傳示犯事地方者共八十七人。

林爽文起事期間，諸羅縣崎內莊人李效倡言天地會黨夥欲來搶掠，莊民紛紛逃避，乘間攫取所遺銀物。清軍平定林爽文後，李效恐被告發，於乾隆五十四（一七八九）六月間倡立遊會，同年八月，李效等十六人被拏獲，八月二十二日，解往台灣府審訊，台灣鎮總兵官奎林、台灣道萬鍾傑等人所援引的條例包括光棍爲首斬立決例及乾隆二十九年（一七六四）閩省結會樹黨治罪專條，於審明後恭請王命將李效等五人綁赴市曹斬決（註一五三）。清軍平定台灣南北路後，林爽文等人被解送京師，按謀反大逆律凌遲梟示。天地會的逸犯潛匿各地，企圖復興天地會，直接或間接地加速了天地會及其他各種秘密會黨在台灣和內地各省的傳播與發展，地方大吏取締秘密會黨的活動，更是從嚴辦理。乾隆五十五年（一七九〇）九月，原籍廣東的謝志與原籍福建漳州的張標等人在台灣南投虎仔坑訂盟，復興天地會，共推張標爲大哥，宰雞歃血鑽刀盟誓，九月初二、二十一、二十五、二十九等日，張標等人多次糾人結會。張標等人被拏獲後，台灣鎮總兵官奎林援引乾隆三十九年（一七七四）新定條例審擬，應將張標等人擬絞立決，但因張標等人重興天地會，輾轉糾人，又藏匿林爽文天地會舊誓章，不法已極，而將張標等三十一名，均照謀叛不分首從皆斬律擬斬立決，於審訊後綁赴市曹，即行處斬。其餘林三元等九名，聽從糾邀，但未訂盟，俱照異姓歃血訂盟焚表結拜弟兄聚至二十人以上爲從發雲貴兩廣極邊煙瘴充軍例，從重發往黑龍江，給披甲人爲奴（註一五四）。

乾隆二十九年（一七六四），增訂結會樹黨治罪專條，是針對福建地區各種會黨活動而修改的，並非專對天地會而發的，洪二和尚傳授天地會，是後來查出來的。張標、謝志等人復興天地會一案查辦完結後，台灣鎮總兵官奎林、閩浙總督伍拉納先後奏報了台灣復興天地會的活動。乾隆五十七年（一七九二），刑部議覆張標一案後，即針對台灣復興林爽文天地會將律例作了重大的修訂，議定了典型的案例。其中最可注意的是在天地會的會名上冠以"復興"字樣，說明這條律例的修訂，與林爽文領導天地會起事有關。這是乾隆年間對取締異姓結拜及結會樹黨條款所作第三次重大的修訂，也是清廷第一次將"天地會"字樣明確地寫入了《大清律例》。過去有些學者根據這條律例中"復興天地會名目"一語，以證明天地會由來的久遠，或者證明天地會在雍正十二年（一七三四）發生過重大的改組，並以此作爲天地會創立於康熙甲寅或雍正甲寅年的一個重要依據。其實，清廷重修律例時增加"復興天地會"字樣，目的是爲了進一步取締台灣復興天地會的活動，而張標、謝志所要復興的天地會，既然是林爽文起事時的天地會，這就不能說明天地會由來的久遠，從而引伸出天地會是始於康熙年間，且於雍正年間進行復興或改組（註一五五）。乾隆五十八年（一七八三）二月，台灣鎮總兵官哈當阿拏獲陳潭等復興天地會案內逸犯廖喜等人時，即援引新例從嚴審擬。乾隆五十九年（一七九四），鳳山縣拏獲小刀會鄭光彩等首夥共四十九名，亦照新例審擬斬立決，於審明後綁赴市曹處斬。新例原本是針對復興天地會而增訂的，但地方官也援引這條新例來審擬小刀會。

乾隆五十七年（一七九二），清廷針對台灣復興天地會而修訂的新例，原本是暫時性的條例，清廷原以爲台灣復興天地會的活動，數年以後，即可平息。因此，在新例中有「俟數年後此風漸息，仍照舊例辦理」等語。所謂"舊例"，即指乾隆二十九年（一七六四）或乾隆三十九年（一七七四）的現行條例而言。但自嘉慶初年以來，不但台灣結會樹黨的風氣，並未漸息，而且閩粵內地及其鄰近地區如江西、廣西、雲南、貴州、湖南等省，其結盟拜會案件，更是層見疊出。因此，迄未恢復舊例。嘉慶年間（一七九六至一八二〇），清廷因應各省秘密會黨的盛行，曾先後將有關取締秘密會黨活動的律例作了四次的修訂。第一次修訂是在嘉慶八年（一八〇三），根據乾隆三十九年（一七七四）所訂條例作了部分的增訂。乾隆三十九年（一七七四）所訂條例中對年少居首非依齒序列的結盟拜會活動，不論人數多寡，其首犯擬絞立決。嘉慶八年（一八〇三），將年少居首非依齒序列的結盟拜會活動，規定在四十人以上的首犯始擬絞立決，其未及四十人的首犯定為擬絞監候，這部分的修訂，充分反映嘉慶初年非依齒序列的結盟拜會活動，已極普遍。第二次修訂是在嘉慶十六年（一八一一），將嘉慶八年（一八〇三）改定條例內增入乾隆二十九年（一七六四）閩省結會樹黨治罪專條，遂將兩例合併為一條，並刪略"閩省民人"等字樣，以擴大新例的適用範圍。第三次修訂也是在嘉慶十六年（一八一一），其內容是根據乾隆五十七年（一七九二）新例而改定的，所修改的文字，頗值得注意，將「台灣不法匪徒」修改為「閩粵等省不法匪徒」等字樣。乾隆五十七年（一七九二）新例是專指台灣復興天地會而言，第三次修訂條例，則泛指「閩粵等省」，這個條例的修改，充分反映閩粵等省內地秘密會黨的盛行，而將台灣一府使用的專條，擴大為內地各省適用的通例。第四次修訂是在嘉慶十七年（一八一二），這次修訂，主要是綜合歷年舊例，歸併為一條，以減少援引條例的紛歧。

乾嘉時期，由於清朝律例經過多次修訂，地方大吏審擬秘密會黨案件時所援引的條例，往往因人而異，因地而別，並不一致。嘉慶初年以來，各省督撫或援引乾隆二十九年（一七六四）結會樹黨治罪專條，或援引乾隆三十九年（一七七四）異姓結拜按人數多寡治罪條例，或援引乾隆五十七年（一七九二）台灣復興天地會治罪新例，或援引嘉慶十六年（一八一一）閩粵等省復興天地會治罪通例，甚至援引取締"邪教"的"左道異端惑衆律"從重治罪。地方大吏因援引律例互異，其情罪輕重，遂各不相同。嘉慶三年（一七九九）七月初九日，台灣嘉義縣人徐章糾邀胡番婆等十人結拜小刀會，鑽刀飲酒，拜天立誓。胡番婆等人被拏獲後，福建水師提督兼管台灣鎮總兵官哈當阿援引乾隆五十七年（一七九二）新例審擬，胡番婆聽從入會，又輾轉糾人，於是按照新例擬斬立決。嘉慶六年（一八〇一）十二月二十五日，台灣府知府吳逢聖等審擬鳳山縣小刀會逸犯林專，亦援引乾隆五十七年（一七九二）新例，將林專擬斬立決，於審明後恭請王命，將林專綁赴市曹正法（註一五六）。地方官既援引新例審擬小刀會，遂使新例逐漸成爲通例。

嘉慶五年（一八〇〇）十二月，福建同安縣人陳姓到廣東海康縣傳授天地會，海康縣人林添申向陳姓學習天地會隱語暗號。嘉慶六年（一八〇一）六、七月間，多次糾人結拜天地會，各起天地會，俱奉林添申爲總會首。會中表文內有「復明萬姓，一本合歸洪宗，同掌山河，共享社稷」等字樣，表後書寫"天運辛酉年"字樣，林添申等人被拏獲究辦，兩廣總督覺羅吉慶等人審擬林添申結拜天地會一案所援引的律例如下：

> 律載：大逆者凌遲處死；又例載：不法匪徒潛謀糾結，復拜天地會名目，搶劫拒捕者，首犯與曾經糾人，及情願入夥，希圖搶劫之犯，俱擬斬立決。其聽誘被脅而素非良善者，俱擬絞立決等語（註一五七）。

林添申照大逆律凌遲處死，方庭相等四人，照「不法匪徒」潛謀糾結復拜天地會名目擬斬立決，丁承恩等四人，照聽誘被脅擬絞立決，以上九人因情罪較重，於審明後恭請王命，即將林添申凌遲處死，方庭相等七人分別斬絞，游紹賢一名先已病斃，仍行戮屍，林添申等九人首級俱於犯事地方懸掛梟示。嘉慶七年（一八〇二）九月，兩廣總督覺羅吉慶等人審擬廣東香山縣黃名燦結拜天地會一案，亦援引「不法匪徒潛謀糾結復拜天地會名目」，審擬治罪。所謂「不法匪徒」，新例原文作「台灣不法匪徒」，是針對台灣復興天地會而修訂的，兩廣總督覺羅吉慶等人雖然援引乾隆五十七年（一七九二）新例，卻將"台灣"字樣刪略，使這條新例，適用於廣東內地，其目的就是藉新例從嚴懲治內地會黨。從覺羅吉慶等人援引台灣復興天地會治罪專條審擬林添申等結會案件，可以反映嘉慶初年廣東地區秘密會黨的盛行，及社會動亂的擴大。

由於內地閩粵等省秘密會黨蔓延日廣，地方官辦理秘密會黨案件時，多援引台灣復興天地會治罪專條，嘉慶十六年（一八一一），清廷修訂律例時，即將乾隆五十七年（一七九二）新例內「台灣不法匪徒」修改爲「閩粵等省不法匪徒」，使新例適用於內地閩粵各省。嘉慶十九年（一八一四）八月初一、九月初一、十月十五等日，江西崇義縣人鍾體剛多次糾人結拜添弟會，充當老大。嘉慶二十年（一八一五）二月，江西巡撫阮元審擬鍾體剛結拜添弟會一案時所援引的條例如下：

> 例載：閩粵等省不法匪徒，潛謀糾結，復興添弟會名目，首犯與曾經糾人之犯，俱擬斬立決；如平日並無爲匪，僅止一時隨同入會者，俱發遣新疆酌撥種地當差等語（註一五八）。

鍾體剛屢次糾結添弟會，照例斬決，江西巡撫阮元經審明後即將鍾體剛綁赴市曹處斬，仍傳首犯事地方梟示。江西巡撫阮元將辦理經過具摺奏明，其原摺奉硃批：「甚是」。嘉慶二十年（一八一五）七月，兩廣總督蔣攸銛審擬廣東增城縣民鄭大食四結拜添弟會一案時，也是援引嘉慶十六年（一八一一）修訂條例究辦，將鄭大食四擬斬立決，於審明後，恭請王命，綁赴市曹，先行斬決，仍傳首地方，懸竿示衆（註一五九）。嘉慶十六年（一八一一）修訂的條例，雖然將台灣地區擴大爲閩粵內地，但仍然是針對天地會而言，江西巡撫阮元、兩廣總督蔣攸銛辦理添弟會案件時，都比照取締天地會治罪條例審擬。因此，雖然援引嘉慶十六年（一八一一）修訂新例，但將新例原文內「復興天地會名目」改爲「復興添弟會名目」，使新例適用於天地會以外的其他會黨。

道光年間（一八二一至一八五〇），有關取締秘密會黨的條例，僅作了局部文字的修改。道光五年（一八二五），因嘉慶十七年（一八一二）定例內各衙門兵丁胥役入夥照爲首例問擬，恐與例首歃血訂盟等項首犯罪應擬絞者相混，於胥役下增「隨同結會樹黨陵弱暴寡者」十一字；將「照爲首例問擬」一句，改爲「照爲首例與起意糾結之犯一體擬軍」；將兇惡棍徒「發雲貴兩廣極邊煙瘴充軍」，改照現行例擬「發極邊足四千里充軍」。道光六年（一八二六），修改新疆遣犯部分，將嘉慶十七年（一八一二）定例內發新疆酌撥種地當差之犯改發雲貴兩廣極邊煙瘴充軍，到配所加枷號三個月。道光二十四年（一八四四），將新疆遣犯照舊發往，仍復原例。

道光六年（一八二六），台灣分類械鬥規模擴大，巫巧三爲首結拜兄弟會，人數衆多，疊次攻打貓裡、南港、中港、後壠等處漳、泉各莊。巫巧三等人在中港街殺斃男婦三命，又在後壠商同吳阿生等人擄獲素有嫌隙的泉籍移民朱雄、趙紅二名，綑縛樹上支解。兵役先後拏獲兄弟會首夥巫巧三等四百餘名，閩浙總督孫爾準將審擬兄弟會經過繕摺具奏。其原摺指出巫巧三除糾鬥殺人結拜兄弟罪止斬絞不議外，其支解朱雄等二命，從重科斷，即依支解人者凌遲處死律凌遲處死；嚴阿奉除結拜兄弟罪止擬絞不議外，其糾鬥殺人，即依台灣械鬥殺人例斬立決；劉萬盛等七名，起意糾鬥，俱依台灣械鬥爲首糾約聚衆例斬立決；吳阿生等三名，除結拜爲從輕罪不議外，其聽糾出鬥，又聽從巫巧三支解二命，俱依支解人爲從加功律斬立決；羅弗生等七十二名，聽糾結拜，助鬥殺人，側依台灣械鬥殺人例斬立決。以上八十四名內除巫巧文等八名在監病故外，其餘巫巧三等七十六名因情罪重大，於審訊後恭請王命，綁赴市曹，分別凌遲處斬，傳首犯事地方，懸竿示衆（註一六〇）。由閩浙總督孫爾準所援引的條例加以觀察，可知兄弟會是一種分類械鬥極爲濃厚的秘密會黨，除巫巧三等人依支解人凌遲處死律凌遲處死外，其餘俱依台灣械鬥殺人例斬立決。

太平軍起事以後，秘密會黨多與盜賊、土匪、散兵游勇，互相結合，肆行搶掠，攻掠城鎮，對社會造成嚴重的侵蝕作用。有軍務省分，以幅員遼闊，搶劫盜竊案件，解往省城勘審，道路遙遠，長途押解，疏脫堪虞，所需兵役既多，解費亦鉅。地方大吏爲一時權宜之計，多將搶劫盜竊案重犯，奏明就地正法。咸豐三年（一八五三），清廷頒佈諭旨：「各直省如有土匪嘯聚成群，肆行搶劫，該地方官於捕獲訊明就地正法，至尋常盜案，仍著照例訊辦。」（註一六一）由於會黨與盜賊土匪的結合，會黨案件也開始按照土匪搶劫案件就地正法章程從重辦理，地方大吏多將各營縣拏獲結會及搶劫重犯遵照諭旨於訊明後批飭就地正法，於年終彙奏（註一六二）。

同治初年，軍務雖然逐漸肅清，但各省盜風仍極熾盛，廣東等省尤甚。同治二年（一八六三），兩廣總督毛鴻賓、廣東巡撫郭嵩燾奏陳辦理地方事宜，旋奉諭旨：「廣東省廣州府屬及佛岡直隸同知拏獲匪犯仍行解省勘審外，其距省較遠之各府廳州縣所拿獲拜會從逆拒敵官兵者，及迭次行劫夥衆持械拒捕傷人罪應斬梟斬決各犯，由各該州縣審實後，即解送該管道府覆審，錄供具詳該督撫審明情節確實，即飭令就地正法。」（註一六三）地方大吏雖然援引就地正法章程嚴辦會黨，但是會黨活動並未停止。

太平天國自道光三十年（一八五〇）起事，至同治三年（一八六四）覆亡，歷時長達十五年。其間從太平軍在金田發難至奠都天京，爲時僅二年餘。初起時，人數不過二萬，奠都天京後，號稱有二百萬之衆。嗣後西征北伐，攻城掠地，太平軍所到，如摧枯拉朽，一直到咸豐六年（一八五六），太平軍在長江流域佔有江蘇、安徽、江西、湖北的大半，可以說是太平天國的鼎盛時期，但是它的盛世極爲短暫。導致太平天國由盛轉衰的因素很多，除了太平天國的內鬨及太平軍早期的各種失策外，湘淮軍的興起，可以說是太平天國的致命打擊。同治三年（一八六四）六月，湘軍攻破天京，太平天國覆亡。

太平天國革命運動失敗以後，各地會黨的勢力，同時也遭受重大的挫折。在同治初期，會黨案件，已顯著的減少。據地方大吏奏報，從太平天國覆亡至同治末年，活動較頻繁的會黨，主要爲金錢會、青龍會、八卦會、小刀會、紅會、黃會、白會、天順會、江湖會、哥老會、哥弟會等。同治二年（一八六三）五月間，湖南查辦青龍會，是月二十三日，拏獲頭目周太和等人。湖南巡撫毛鴻賓具摺指出青龍會聲勢浩大，分佈於益陽、寧鄉、安化、沅江、龍陽、華容、安鄉各屬，其頭目多在益陽一帶，胡花臣等人即爲大頭目（註一六四）。

咸豐十一年（一八六一），浙江平陽縣等地金錢會起事後，曾攻陷福建福鼎縣等地，失敗後，曾改立紅布會，繼續活動。同治三年（一八六四）五月初，地方官稟報平陽縣金錢會散放紅布，改名八卦會，會首趙辛卯，又名趙阿虎。五月十三日，趙辛卯在平陽北港地方豎旗起事，分股進攻福建福寧府。五月十五日，兵役拏獲遊僧九名及爬城八卦會員四名（註一六五）。福建沿海州縣，結盟拜會的風氣，向來極爲盛行，先後查獲烏白旗、紅白旗、小刀會、千刀會等會黨。其中永春州屬上場堡、埔頭鄉一帶，是小刀會聚居的地區，同治四年（一八六五）六月間，小刀會聚衆搶毀永春釐局。上場堡顏姓、埔頭鄉林姓及西門街李梓等，族大人多，亦隨同小刀會搶掠釐局（註一六六）。

湖南桂陽州所屬地方，界連廣東，向多會黨。寧遠縣人李春籠與張添一等結拜紅、白、黃三會，李春籠是黃會頭目，平日在外扮作乞丐，到處邀人入會，至同治五年（一八六六），李春籠已邀得五百餘人。李春籠與盧明生等約定調齊碼子，計劃起事。因嘉禾縣城較小，兵勇不多，於十月二十三日夜三更時分，由南鄉梓木墟、塘村墟一帶潛至東門攻城（註一六七），因會黨人數少，寡不敵衆，起事失敗。

咸同年間以來，由於哥老會的盛行，更擴大了社會的動亂。關於哥老會的起源時間、地點及其名稱的由來，衆說紛紜。平山周著《中國秘密社會史》一書認爲「哥老會或稱哥弟會，其成立在乾隆年間。同治時，平定粵匪以後，湘勇撤營，窮於衣食之途，從而組織各團體，於是哥老會始盛。」（註一六八）哥老會的盛行，確實始自同治年間。但其成立在乾隆年間的說法，並未作任何論證，缺乏說服力。朱金甫選〈清代檔案中有關哥老會源流的史料〉一文認爲「哥老會當然就是源出于天地會，由天地會而仁義會而江湖會到哥老會，這就是它的源流。」（註一六九）川楚早期會黨是閩粵系統或天地會系統的派生現象，哥老會是川楚晚出的一個會黨，以天地會爲"源"，而哥老會爲"流"，是說得通的，廣義的天地會，可以包括哥老會。但是哥老會的組織及其特徵，與天地會等閩粵系統的各種會黨，不盡相同。由天地會而仁義會到哥老會一脈相承的發展，過於籠統。陶成章撰〈教會源流考〉一文謂「天國之命運日促，李秀成、李世賢等，知大仇未復，而大勢已去，甚爲痛心疾首。逆知湘勇嗣後必見重於滿政府，日後能有左右中國之勢力者，必爲湘勇無疑，於是乃隱遣福建、江西之洪門兄弟投降於湘軍，以引導之，復又避去三點、三合之名稱。因會黨首領有老大哥之別號，故遂易其名曰哥老會。」（註一七〇）湘勇是否見重於清廷？其勢力能否左右中國？都不可預測。李秀成等隱遣洪門兄弟降於湘軍的說法，純屬臆度，並無史實根據，不足徵信（註一七一）。哥老會的得名，是否由老大哥易名而來，亦未加論證。

迪凡撰〈四川之哥老會〉一文認爲哥老會是通江之名稱，其各地分會雖有不同，然必暗合"哥老"二字，或"洪"字的形義，以明系統。其在兩湖者稱爲江湖會，"江湖"二字，取"洪"字之偏旁，"哥"字之"工"（註一七二）。以拆字法來解釋江湖會名稱的由來，並不妥當。江湖會似因活躍於川楚間而得名，道光年間已破獲江湖會案件，哥老會名稱的正式出現，晚於江湖會，所謂江湖會爲哥老會的分會，江湖會的命名暗合"哥老"或"洪"字形義的說法，都與史實不合。哥老會的得名，與"嘓嚕"有密切關係。乾隆初年，川陝總督慶復具奏時已指出「四川嘓嚕子多係福建、廣東、湖南、陝西等省流棍入川。」（註一七三）四川巡撫紀山具奏時指出自乾隆八年（一七四三）到任以後即訪有嘓嚕棍徒，分別遞解回籍，惟其由來，實非一日（註一七四）。嘓嚕又稱啯嚕子，是清代前期閩粵等省流入四川的游民團體，乾隆年間，活躍於四川的嘓嚕才是哥老會的源頭。同治五年（一八六六）正月，羅惇衍具奏時已指出「各營勇紛紛拜會，名曰江附會，又一名幗老會，其匪首則稱為老帽，出入營盤，官不敢禁，致養癰貽患。」（註一七五）江附會即江湖會，幗老即嘓嚕，幗老會即哥老會的同音異字。由此可知無論哥老是嘓嚕的同音字或音轉，哥老會是因嘓嚕而得名的說法，確實是值得重視的。"嘓嚕"與"哥老"發音相同，雖然不能說嘓嚕就是哥老會，但就探討哥老會名稱的由來而言，嘓嚕確實是源頭。

關於哥老會的起源時間及地點問題，同光年間的地方大吏就已經提出各種不同的看法。劉錚雲撰〈湘軍與哥老會——試析哥老會的起源問題〉一文曾歸納成三種不同的看法：第一種看法認為哥老會起自軍營，例如兩廣總督劉坤一、湖南巡撫王文韶、荊州將軍巴揚阿等人都持相同的看法；第二種看法認為哥老會起自軍營的散勇，例如湖廣總督李瀚章、張之洞等人都認為咸豐初年軍興以後各營遣撤的散勇，倡立了哥老會；第三種看法認為哥老會是起於四川省，例如湖南巡撫劉崑、湖廣總督郭柏蔭、陝甘總督左宗棠等人都持同樣的看法。劉錚雲指出，就哥老會與湘軍的關係看來，哥老會應如劉坤一等人所說的起自軍營中，並在軍中茁壯滋長。再就當時哥老會組織名稱演變的情形而論，劉崑等人所說的哥老會始於四川，實際指的是早期哥老會的組織乃倣自當時活躍於四川的嘓嚕與紅錢會等團體。哥老會的產生則是由於曾國藩為了提高戰力，非但沒有禁止流行於湘軍中的異姓結拜，反而要利用結拜兄弟的關係組織"兄弟兵"。這些兄弟兵逐漸演變成湘軍中的互助組織，並進而倣效當時川湘一帶的會黨組織而有了江湖會、哥老會的名號（註一七六）。劉錚雲分析同光年間有關哥老會起源的看法，提供了我們了解哥老會起源問題的線索。

光緒元年（一八七五），兩廣總督劉坤一具奏時指出「哥老會始於軍營」（註一七七）。川陝總督左宗棠多次提及哥老會的起源問題，例如〈左文襄公全集〉奏稿卷三一謂「哥老會者本川黔舊有嘓嚕之別名也。」；同書書牘卷十一謂「哥老會匪本四川嘓嚕之變稱，始以結拜爲同心。」；書牘卷二六謂「此種會匪名色即四川嘓嚕一種，因土俗口語而訛。」（註一七八）比較左宗棠和劉坤一兩人的看法後，可知劉坤一所說哥老會起源於湘軍的軍營，是哥老會源流問題的“流”，而左宗棠所說哥老會本四川嘓嚕的別名或變種，因土俗口語而訛，則爲哥老會源流問題的“源”。河南巡撫劉崑具摺奏稱：

> 數月以來，臣詳查卷宗，細加考究，哥弟會之起，始於四川，流於貴州，漸及於湖南，以迄於東南各省。向來會匪名目不一，如添弟、串子、紅教、黃教、白教、道教、佛教，及青龍、白虎等會，類皆踵白蓮之餘習，託免劫以爲詞，或合或分，忽散忽聚，其蓄謀思逞，本不亞於廣西。自前撫臣張亮基奏明嚴行拏辦，准令各州縣官便宜從事。今大學士兩江督臣曾國藩在籍幫辦團練，聯絡眾志，紳民之氣始振，會匪之勢漸衰。然潛謀聚眾之案，尚復無歲無之，軍興十餘年，湖南兵勇遍布各省，其在營往往與同營同哨之人結爲弟兄，誓同生死，當時頗資其力，浸淫既久，一二狡黠之徒因而煽結，於是哥弟會之黨以眾，而其勢亦遂愈張。比年金陵克復，閩粵肅清，各營勇丁多半裁撤回籍，獷悍之性，已屬難馴，若入會之人，更不能保其無事，故東南之大局既定，而湖南之隱患方長（註一七九）。

哥弟會即哥老會的別名，起於四川，流於湖南，平定太平天國後，湖南等地的哥老會卻方興未艾，隱患方長。徐安琨著《哥老會的起源及其發展》一書已指出，「哥老會的出現，是以嘓嚕爲最初的基本型態，其後吸收、融合了白蓮教和其他會黨組織的某些特色，經過長期的演變過程，逐漸發展成爲秘密會黨的型態。」（註一八〇）從嘓嚕到哥老會，中經長期的演變，吸取了許多要素。蔡少卿著《中國近代會黨史研究》一書亦指出，嘓嚕出現在先，哥老會出現在後，可以確信，哥老會發源於四川的嘓嚕會，是由嘓嚕會逐步演變而成的（註一八一）。由嘓嚕演變而來的哥老會，具備異姓結拜的共同要素，吸收了閩粵系統或天地會系統的許多要素，但因其組織及特徵，與閩粵天地會系統不盡相同，似可將江湖會、哥老會、哥弟會等會黨稱之爲川楚系統或哥老會系統。

在現存文獻中，哥老會的名稱最早見於湘軍營中。咸豐九年（一八五九），歲次己未，曾國藩改訂湘軍營規。《曾文正公全集》詳載營規條文，其中有一條記載如下：

> 禁止結盟拜會，兵勇結盟拜會鼓眾挾制者嚴究，結拜哥老會傳習邪教者斬（註一八二）。

哥老會名稱出現以後，爲各地普遍使用，哥老會勢力日益茁壯，蔓延迅速，攻城掠地，隱患日深。湖南新化縣屬帽子坡地方，與邵陽、漵浦兩縣犬牙交錯，是同治初年哥老會的活動地區。同治二年（一八六三）五月初一日夜間，哥老會突至邵陽縣屬小沙江地方，逼令居民遷徙他處，強留穀米。次日，哥老會自漵浦武岡絡繹而來，豎立紅白旗幟，其首領爲唐老九，爲會中大王。五月初三日，分二股進兵，衆至數千人。湖南巡撫毛鴻賓具摺指出「帽子坡大股雖已撲滅，而悍黨之潛遁及餘匪之伏匿鄉村者均尚不少，非搜捕淨盡，即不免死灰復燃之患。訪察其中，多有田興恕

軍營革退及潰逃之勇，倡立哥老會，與黔匪互通聲息。」（註一八三）

同治四年（一八六五）五月間，安徽徽州府休寧縣各營，相繼鬧餉譁變，毆傷道員。兩江總督曾國藩指出，「近年江湖有哥老會者，黨羽最衆，徽休譁餉之勇，多係入會之匪，或聞風潛匿，或預先離營。」又說「湘勇素講紀律，此次所以忽不畏法，則皆由於哥老會從中煽亂。有都司龍家壽者爲哥老會巨魁，刻錢塗硃，以爲符信，聚衆斂費，謂之放票。當其鬧餉之際，龍家壽私造令箭、令旗，鳴鑼傳令，大張條示，其黨奉命惟謹。」（註一八四）哥老會充斥於各營，將弁往往充當會首。同治五年（一八六六）正月間，各省官軍會集廣東嘉應州，哥老會亦假冒官軍潛至嘉應。是年春間，在湖北被裁汰的藍翎都司銜守備沈滄海竟潛至福建汀州府境內結交哥老會，乘營勇遣撤時，煽惑軍士不繳軍器（註一八五）。左宗棠具摺指出軍興以來，各省軍營所保武職，無慮數十萬員，其中有打仗驍勇，積功已洊保至二、三品，而性情粗獷不知禮義，其才僅止充當勇丁者，各營因其技勇可取，不能不予以收錄，仍編入行伍中，但因其已保至武職大員，不甘充當散勇，常懷觖望，一被糾邀，即起異心，加入江湖會或哥老會。左宗棠原奏中有一段話說：「近年哥老會匪涵濡卵育，蠢蠢欲動，江楚黔蜀各省所在皆有。其由會中分股聚徒者謂之開山，誘人入會者謂之放飄，凡官軍駐紮處所，潛隨煽結，陝甘兩省游勇成群，此風尤熾。」（註一八六）放飄即放票，聚衆斂錢，誘人入會，分股聚徒，輾轉糾邀，枝榦互生，開山放飄，哥老會遂滋蔓難圖。例如游勇遊擊馬幅喜，綽號蒼蠅子，原來就是四川哥老會成員，因川中捕急，逃至陝西，溷跡湘果營中，經營官查覺，馬幅喜又逃至鄜州張村驛。該營副將楊明貴、千總唐思幅等人也是哥老會成員，馬幅喜即與楊明貴等人誘結營勇，放飄做會。蕭保和曾在楚軍新左營充當親兵什長，保舉花翎遊擊，加入哥老會後潛至福建建寧府一帶，率領散勇伺搶行旅。蕭保和被捕後，在身上搜出結拜哥老會旗簿及五鳳山長清會歌訣（註一八七）。同治六年（一八六七）四月二十七日夜間，湖南湘鄉縣十九都毛田等處哥老會首領曾廣大率領數十人突入紳士謝徵岳家中，脅令充當會首。謝徵岳不從，被迫投水。旋有哥老會黨五、六百人將謝徵岳房屋焚燬，連燒數十家，然後赴觀音山水月庵齊集起事（註一八八）。廣西道監察御史李德源具摺奏稱，「兩湖地方有哥老會之日，皆係散勇爲之，自數十百人以至數千萬人，愈集愈多，地方官兵單力薄，無法禁止。」（註一八九）哥老會或哥弟會聲勢浩大，可想而知。哥老會初起時，各股不過百數十人，常於四、五月間正値青黃不接米價昂貴之際，或逢水災飢民乏食之時，以劫富濟貧爲名，糾集黨衆，乘機起事。

同治八年（一八六九）初，湖南水災地區較廣。入春以後，米價昂貴，江湖會總堂老帽賴榮甫即二蒙花，見貧民覓食艱難，易於號召，遂於二月初八日密邀張玉林等至家商議起事。賴榮甫自封公爵，並封張玉林爲侯爵，康學池爲伯爵，胡桂一爲子爵，周倫奐爲男爵，胡就文爲神機軍師。二月十二日夜，賴榮甫率衆前往寧家山祭旗起事，分爲五隊，每隊約八、九十人，均以紅布裹頭，間用硃墨塗臉。賴榮甫等自戴全紅風帽，騎馬率衆，由寧家山至田心廟，沿途裹脅貧民，號稱二、三千，至紳民胡暉家放火燒屋後，分股縱火擄人，計劃逕撲縣城，直下湘潭，進薄省城（註一九〇）。署理湖廣總督湖北巡撫郭柏蔭具摺時指出，「竊查江湖會匪從前惟川黔兩省爲多，軍興以來，間有投效入營者，轉相勾煽，遂至蔓延。」（註一九一）江湖會先在川黔等地盛行，軍興以後，江湖會成員亦投効入營，江湖會遂於湘軍營中日益蔓延。其中蕭朝羲即蕭朝舉是湖北早期江湖會首領之一，立有蓬萊、天台等山名，設有老帽、陪堂、紅旗等項職稱，蕭朝羲自稱大老帽，總理山堂事務。江湖會在沿江偏僻地方，到處肆掠，造成嚴重的社會問題。散兵游勇，蔓延日廣，山東、河南、直隸等省聚衆搶劫案件，層見疊出，同治八年（一八六九），清廷頒降諭旨，飭令山東、河南、直隸等省將夥劫等案，仍照就地正法章程辦理。

同治九年（一八七〇），入夏以後，米價日昂，貧民糴食益艱，散兵游勇藉故禁穀出境，到處攔搶，各地會黨乘機滋事。湖北施南府屬宣恩縣，地處偏僻，接壤川湘。是年七月間，四川彭水縣人哥弟會首領楊竹客即楊玉春潛入宣恩縣境內招人入會，在貓兒洞、穿洞河一帶率衆訛索富戶錢米，因知縣訪聞查拏，楊竹客即於七月十六日聚衆祭旗起事，楊竹客自稱忠義王，封夏葛彥爲二王，郎先詳爲左相，楊先春爲右相。楊竹客等率領哥弟會大隊前往板栗園地方，沿途燒搶，計劃攻撲宣恩縣城，除湖北外，湖南湘鄉縣有哥老會聚衆數千人攻撲縣城，瀏陽縣哥老會焚署劫獄等案。是年八月，湖廣總督李瀚章奏報辦理楊竹客哥弟會一案時認爲，「施郡距省寫遠，所獲各犯，若提省審辦，不特有需時日，至稽顯戮，抑且長途跋涉，或恐疏虞。」（註一九二）因此，李瀚章即批飭施南府趕緊提取楊竹客等要犯訊明後就地分別正法梟示。九月初二日，湖南湘潭縣屬朱亭地方，哥老會製旗起事，戕殺清吏，焚燒縣丞衙署，連克淦田、黃茅、山門、淥口、朱洲、劍陵等地，並佔領湘潭、湘鄉、攸縣及衡山交界的鳳凰山、蓮花寨，作爲大本營，江西萍鄉、萬載等縣因之震動（註一九三）。湖南巡撫劉崑具摺指出，「會匪多軍營當勇之人，獷悍性成，時而相聚謀亂，無論何地，不需多日，數十百人即可猝然起事。」

（註一九四）是年閏十月，河南道監察御史張景青為解散會黨奏請將東南各省搶劫各案變通辦理，其原奏略謂：「今東南各省會匪、游勇未淨，正與直隸等省情形相同，擬請嗣後東南各省遇有會匪、土匪、游勇搶劫之案，但係明火執杖者，一經獲犯，亦照直隸等省辦理，則因時制宜，匪黨可期斂跡矣。」（註一九五）伏莽日多，亂幾久動。清軍平定太平軍多年，各省仍然照就地正法章程辦理會黨案件，充分反映會黨活動的頻繁，及其對社會造成侵蝕作用的日趨嚴重。

張大源即張淙源，原籍湖南，曾投營充勇，因誤事被革退，投入張啓源會內，後來又起意商同哨弁曾廣幅等結拜哥老會。同治九年（一八七〇）八月間，張大源與曾作華等東渡臺灣糾人起事。張鳳翥向在河南軍營當勇，遣散回籍後，創立大明山哥老會，自稱大老哥，在湖北孝感縣等地邀人入會。同治十年（一八七一）二月間，湖南益陽縣拏獲哥老會頭目梁義勝，搜出太極圖令字木戳及順天山洗平堂仁義香來江水標布十二塊。在龍陽縣拏獲頭目田勝湖，搜出五台山忠義堂長情香平安水標布多張。因首夥多人被拏，是年四月，哥老會即在龍陽、益陽、安化三縣交界的地方聚衆起事。四月十二日，攻破益陽縣城。十六日，攻陷龍陽縣城，進逼常德府城（註一九六）。哥老會隨地放飄，分立山堂及香水等名目，分股糾衆，以致蔓延益廣，徒黨日滋。

湖南臨湘縣境內的藥姑山，袤延百餘里，與巴陵及湖北蒲圻、通城、崇陽等縣接壤，林深箐密。同治十二年（一八七三）七月間，哥老會在藥姑山起事，首領為傅春淋等人，先年曾在各路軍營當勇，加入哥老會，嗣因遣撤回籍，起意糾人拜會，製備旗幟，刊刻木質號片圖記。七月二十七日夜間，傅春淋等在藥姑山聚衆起事，先後在傅家沖、蘇步場一帶搶劫（註一九七）。湖北鄖西縣與陝西白河縣交界的盧寨保鐵廠地方，也破獲江湖會，其首領劉榮先是已革武生，同治十三年（一八七四）三月十二日，劉榮先與曾光珠等聚衆拜會，約期起事（註一九八）。同年四月間，湖北廣濟縣人周玉獻在外行醫，教打拳棍，在江西鄱陽借住王勝揚家，結盟拜會，取會名爲太平天順，簡稱天順會，共推王勝揚爲首，先後糾邀一千人，約期七月二十二日起事，計劃進攻饒州府城（註一九九）。就同治年間而言，是以川楚系統或哥老會系統的會黨活動最爲頻繁。太平天國覆亡後，各省奉旨裁撤湖南鄉勇，散兵游勇所至，結盟拜會，一呼百應，千百成群，遂成燎原之勢。爲嚴辦會黨，一經獲犯，即就地正法。給事中王憲成、陞任司業孫詒經、侍郎鮑源深、夏同善先後奏請停止就地正法章程，但刑部議覆須俟數年後察看情形，再奏明辦理。就地正法章程，起自咸豐三年（一八五三），因當時土匪成群，肆行搶劫，爲權濟一時，暫准按照就地正法章程辦理。軍務肅清後，哥老會到處開堂放飄，燒殺搶劫，攻城掠地，所以仍難恢復舊制。同治十三年（一八七四），御史鄧慶麟又奏請飭令軍務肅清省分，停止就地正法章程。但各省大吏覆奏時，都表示礙難停止。閩粵系統的各種會黨，多強調內部的互助，多爲自力救濟組織。哥老會系統的會黨，其成員多爲散兵游勇，到處劫掠，明火執杖，對社會造成更大的侵蝕作用，就地正法章程就是將會黨視同土匪盜劫案件辦理，從重量刑，但是並未達到社會控制的效果，光緒年間，哥老會更加盛行。爲了便於說明，可將光緒年間各省會黨案件的分佈列出簡表如下：

表一四：光緒年間會黨案件分佈簡表

| 年分 | 會名 | 省府廳州縣 | 備註 |
| --- | --- | --- | --- |
| 元年（1875） | 哥老會 | 貴州郎岱廳、平遠、下江、永從等州縣。 | 青龍山白虎堂。 |
| 二年（1876） | 哥老會<br>哥老會<br>哥老會<br>仁義會<br>金錢會 | 四川綏定府。<br>江西東鄉、萬載等縣。<br>安徽廬州府。<br>安徽銅陵縣。<br>浙江溫州永嘉縣。 | |
| 三年（1877） | 哥老會<br>哥老會<br>哥老會<br>砍刀會<br>天地會 | 直隸天津。<br>湖北監利縣。<br>湖南臨湘縣。<br>直隸武強縣。<br>廣東瓊州府陵水、定安等縣。 | 始安堂。 |
| 四年（1878） | 花子會<br>哥老會 | 廣東南海縣。<br>湖南桃源、平江、湘陰等縣。 | |
| 五年（1779） | 哥老會<br>哥弟會<br>哥老會 | 湖北應城、恩施、建治等縣。<br>湖南黔陽縣。<br>貴州貴陽府。 | |
| 六年（1780） | 哥老會 | 貴州安順等府，水城等廳、威寧等州，桐梓、畢節、龍泉、修文、興義、清鎭等縣。 | |

| | | | |
|---|---|---|---|
| 七　年 | 洋鎗會 | 浙江臺洲臨海等縣。 | |
| （1781） | 哥老會 | 安徽蕪湖縣。 | 福壽山仁義堂。 |
| | 哥弟會 | 湖北咸豐、來鳳等縣。 | |
| | 哥弟會 | 四川黔江縣。 | |
| | 哥弟會 | 湖南龍水縣。 | |
| | 哥老會 | 江西南昌府。 | |
| | 哥老會 | 貴州興義府。 | 文星山武曲堂。 |
| | 三點會 | 廣東長樂縣。 | |
| 八　年<br>（1782） | 哥老會 | 湖北樊城。 | 楚鄂山永樂堂鄖陽香長江水。 |
| | 哥老會 | 湖南平江縣。 | 中將山太平堂。 |
| | 哥老會 | 江西饒州府。 | |
| | 添地會 | 廣東高州。 | |
| 九　年 | 哥老會 | 湖南巴陵縣。 | 九華山大新堂。 |
| （1883） | 哥老會 | 湖南龍陽縣、平江縣。 | 龍虎山中義堂洞庭水太平香。 |
| | 哥老會 | 江西湖口、彭澤縣。 | 雙龍山湘中水。 |
| | 哥老會 | 江蘇儀徵縣。 | |
| | 龍華會 | 湖北黃梅縣。 | |
| | 哥老會 | 雲南雲南府。 | |
| | 哥老會 | 貴州開州。 | |
| | 三點會 | 廣東惠州歸善縣。 | |
| 十　年 | 黑旗會 | 福建莆田縣。 | |
| （1884） | 白旗會 | 福建莆田縣。 | |
| | 三點會 | 廣東惠州歸善縣。 | |

| | | | |
|---|---|---|---|
| 十一年（1885） | 哥老會 | 福建崇安縣。 | 東南山仁義堂。 |
| | 哥老會 | 浙江仙居縣、杭州府。 | |
| | 哥老會 | 安徽蕪湖縣。 | 文武山忠義堂。 |
| | 哥老會 | 廣東瓊州府。 | |
| | 哥老會 | 直隸天津、通州。 | |
| | 哥弟會 | 廣東。 | |
| 十二年（1886） | 哥老會 | 廣東肇慶村。 | |
| | 哥老會 | 貴州南關。 | |
| | 哥老會 | 福建崇安、浦城等縣。 | |
| | 哥老會 | 浙江台州府。 | |
| | 哥弟會 | 湖南安鄉縣。 | 金礄山。 |
| | 烏龍會 | 湖南武陵縣。 | |
| 十三年（1887） | 哥弟會 | 湖南桃源、武陵、永順等縣。 | |
| | 哥老會 | 安徽寧國府、宣城縣。 | 九華山公議堂。 |
| 十四年（1888） | 哥老會 | 安徽繁昌縣。 | 華蓋山九華堂釆石水。 |
| | 哥老會 | 四川大足縣。 | |
| | 哥老會 | 湖北漢陽縣。 | 福壽山仁義堂。 |
| | 清明會 | 湖北嘉魚縣。 | |
| | 哥老會 | 安徽蕪湖縣。 | 天官山地靈堂三山香五嶽水。 |
| | 忠義會 | 浙江淳安、臨安等縣。 | |
| 十五年（1889） | 忠義會 | 浙江臨安縣。 | |
| | 哥老會 | 福建順昌、崇安等縣。 | |

| | | | |
|---|---|---|---|
| | 哥老會 | 江西高安、吉安、湖口、鉛山等府縣。 | 龍鳳山忠義堂五湖水。 |
| | 哥老會 | 新疆塔城。 | |
| | 江湖會 | 湖北興山、房縣。 | |
| | 江湖會 | 陝西城固縣。 | |
| 十六年（1890） | 哥老會 | 湖南澧州。 | |
| | 哥老會 | 四川大足縣。 | |
| | 哥老會 | 陝西平利縣。 | |
| 十七年（1891） | 哥老會 | 安徽安慶府。 | 金龍山明義堂。 |
| | 哥老會 | 湖北德安府雲夢、潛江等縣。 | 北梁山仁義堂。 |
| | 哥老會 | 四川江北廳。 | 蓮花山順義堂。 |
| | 哥老會 | 湖南巴陵縣。 | 天福金龍山。 |
| | 哥老會 | 江西饒州等府。 | |
| | 桃園會 | 福建長汀縣。 | |
| | 哥老會 | 陝西城固縣。 | |
| 十八年（1892） | 哥老會 | 江西萍鄉縣。 | 武嶽山洪福堂；天全山合義堂。 |
| | 哥老會 | 江西九江縣。 | 天下西雷山福緣忠義堂三合鎭江水。 |
| | 哥老會 | 江西崇仁、贛、光澤等縣。 | |
| | 哥老會 | 湖南醴陵、臨湘、湘陰、益陽、華容、衡陽、慈利、黔江等縣。 | 寶華山、飛龍山、福壽山、楚金山、英雄山。 |
| | 哥老會 | 湖北襄陽、漢川等縣。 | 金台山、乾坤山、雙龍山、五龍 |

| | | | |
|---|---|---|---|
| | 哥老會 | 江蘇上海、江寧、瓜州鎮。 | 山、九華山、萬福山、公義堂、天順堂、西華山龍華山、玉龍山、洞君山。 |
| | 哥老會 | 安徽太和縣。 | |
| | 哥老會 | 江南陳州、許州。 | 萬里終南山。 |
| | 哥老會 | 浙江湖州府。 | |
| | 哥老會 | 陝西南鄭縣。 | |
| | 哥老會 | 雲南羅平州、南寧縣、平彝縣 | |
| | 哥老會 | 貴州興義府。 | |
| 十九年（1893） | 同勝會 | 浙江定海廳、安吉縣。 | |
| | 趙公會 | 廣東南雄州。 | |
| | 趙公會 | 江西南安、大庾、崇義等縣。 | |
| | 三點會 | 廣東南雄州。 | |
| | 三點會 | 江西大庾縣。 | |
| | 哥老會 | 廣西永安州。 | |
| | 哥弟會 | 湖南寶慶府、靖州府、郴州、華容、衡陽、慈利等縣。 | |
| | 哥老會 | 福建汀州府。 | |
| | 哥老會 | 安徽廣德州、南陵縣。 | |
| 二十年（1894） | 哥老會 | 湖南酃縣。 | |
| | 哥老會 | 江西東鄉、鉛山、龍泉等縣。 | |
| | 哥老會 | 安徽蕪湖、南陵等縣。 | |
| | 哥老會 | 福建浦城縣。 | |
| | 哥老會 | 陝西南鄭縣。 | |
| | 江湖會 | 四川成都府。 | |

| | | | |
|---|---|---|---|
| | 天地會 | 江西永寧、龍泉等縣。 | |
| 二十一年（1895） | 三點會<br>兄弟會 | 廣東廣州。<br>廣東瓊州府。 | |
| 二十二年（1896） | 沙包會<br>哥老會<br>三點會 | 江西長寧縣。<br>甘肅西寧縣。<br>江西長寧縣。 | |
| 二十三年（1897） | 哥老會<br>哥老會<br>哥老會<br>三點會 | 浙江分水縣。<br>廣西興安、灌陽、全州等州縣。<br>陝西紫陽、合水等縣。<br>廣東高州石城、雷州遂溪等縣。 | |
| 二十四年（1898） | 哥老會<br>哥老會<br>哥老會<br>哥老會<br>哥老會 | 湖北利川、長樂、長陽、巴東等縣。<br>浙江溫州府永嘉縣。<br>四川大足縣。<br>陝西渭南縣。<br>貴州鎮遠縣。 | |
| 二十五年（1899） | 哥老會<br>哥老會<br>哥老會<br>哥老會<br>天元會 | 安徽涇縣。<br>江蘇鎮江縣。<br>貴州仁懷縣。<br>陝西紫陽縣。<br>浙江浦江、桐廬、諸暨等縣。 | |

| | | | |
|---|---|---|---|
| 二十六年（1900） | 哥老會 | 安徽安慶府、寧國府、大通等地。 | |
| | 哥老會 | 湖北利川、石首、江夏、襄陽、黃陂、宜城、南漳、漢口、沔陽等地。 | |
| | 哥老會 | 江蘇江浦縣。 | |
| | 哥老會 | 河南信陽州。 | |
| | 三合會 | 廣東歸善縣。 | |
| 二十七年（1901） | 哥老會 | 江西湖口、萍鄉等縣。 | |
| | 哥老會 | 安徽寧國府。 | |
| | 哥老會 | 浙江杭州府。 | |
| | 三點會 | 廣西桂林府。 | |
| 二十八年（1902） | 哥老會 | 河南魯山縣。 | |
| | 哥老會 | 貴州羅斛廳。 | |
| 二十九年（1903） | 哥弟會 | 江西萍鄉、安源等縣。 | |
| | 哥老會 | 湖南衡陽縣。 | |
| | 洪江會 | 湖南醴陵縣。 | 迴龍山。 |
| | 三點會 | 雲南開化府。 | |
| 三十年（1904） | 同仇會 | 湖南醴陵縣。 | 岳麓山。 |
| | 光復會 | 江蘇上海。 | |
| | 哥老會 | 湖南長沙、零陵等縣。 | 風雲山聚會堂。 |
| | 洪江會 | 江西新昌、高安、南昌、新喻、龍南等縣。 | 臨潼山忠義堂天下黃河水西嶽華山香。 |
| | 在園會 | 河南彰德、汝州、安陽、湯陰 | |

| | | | |
|---|---|---|---|
| | | 等縣。 | |
| | 哥老會 | 廣西柳州。 | |
| 三十一年（1905） | 哥老會 | 安徽安慶府。 | |
| | 哥老會 | 陝西西鄉縣。 | |
| | 哥老會 | 湖南邵陽縣。 | |
| | 洪江會 | 湖南瀏陽縣。 | |
| | 洪江會 | 江西武寧、靖安等縣。 | 富有山樹義堂天下水萬國香。 |
| | 江湖會 | 山西絳縣。 | |
| | 三點會 | 江西大庾、仁化、萍鄉、龍南等縣。 | |
| | 三點會 | 廣東連州翁源等縣。 | |
| 三十二年 | 哥老會 | 江蘇溧陽縣。 | 泰龍山聚興堂。 |
| | 哥老會 | 江西萍鄉縣。 | 大名山忠信堂。 |
| | 哥老會 | 江西南康都昌縣。 | 坤龍山至德堂。 |
| | 哥老會 | 江西撫州臨川等縣。 | 昆侖山忠義堂。 |
| | 哥老會 | 直隸通州、高邑縣。 | 精忠山報國堂。 |
| | 洪江會 | 湖南醴陵、瀏陽等縣。 | 金華山。 |
| | 洪江會 | 江西萍鄉、萬載、臨江等縣。 | |
| | 三點會 | 江西贛州、南安、大庾等府縣。 | |
| | 三點會 | 廣東南雄縣。 | |
| | 洪蓮會 | 江西鄱陽縣。 | 昆侖山。 |
| | 鞭剛會 | 江西臨江縣。 | |
| | 江湖會 | 河南懷慶府。 | |
| | 仁義會 | 河南汝寧府西平、遂平、淮寧等縣。 | |

| | | | |
|---|---|---|---|
| 三十三年（1907） | 哥老會 | 陝西鎮安縣。 | |
| | 龍華會 | 湖北襄陽、穀城等縣。 | |
| | 龍華會 | 河南新野縣。 | |
| | 江湖會 | 河南鄧州。 | |
| | 九龍會 | 浙江嵊縣。 | |
| | 洪江會 | 福建順昌縣。 | |
| | 五穀會 | 福建順昌縣。 | |
| 三十四年（1908） | 哥老會 | 陝西臨潼、富平等縣。 | |
| | 哥老會 | 河南鄧州、河北鎮。 | |
| | 洪江會 | 江西崇義縣。 | |
| | 三點會 | 江西南安縣。 | |

資料來源：台北國立故宮博物院、北京中國第一歷史檔案館典藏《宮中檔》硃批奏摺、《軍機處檔・月摺包》奏摺錄副、《上諭檔》、《外紀簿》等。

表中所列會黨名稱包括：哥老會、仁義會、金錢會、砍刀會、天地會、花子會、洋鎗會、哥弟會、三點會、添地會、龍華會、黑旗會、白旗會、烏龍會、清明會、忠誠會、江湖會、趙公會、沙包會、天元會、三合會、洪江會、同仇會、光復會、在園會、洪蓮會、鞭剛會、九龍會、五穀會、桃園會等共三十種名稱，其中天地會、三點會、三合會、桃園會、添地會、黑旗會、白旗會、忠義會、金錢會、花子會、沙包會、鞭剛會、趙公會、光復會等會黨，可以說是屬於閩粵系統或天地會系統的會黨。江湖會又稱英雄會，在園會即江湖會。哥老會、哥弟會、江湖會、仁義會、在園會、洪江會、清明會、紅蓮會、天元會、龍華會、同仇會等會黨，可以說是屬於川楚系統或哥老會系統的會黨。簡表中所列會黨案件共一七六起，其中哥老會及哥弟會案件共一一二起，約佔百分之六十四，可以看出光緒年間哥老會的盛行。

哥老會盛行的地區，主要分佈於湖南長沙府長沙、湘潭、瀏陽、醴陵、益陽、湘鄉、湘陰、攸等縣，寶慶府邵陽、新化等縣，岳州府巴陵、臨湘、華容、平江等縣，常德府武陵、桃源、龍陽等縣，澧州安鄉、慈利等縣，衡州府酃、衡陽等縣，永州府零陵等縣，辰州府辰谿、漵浦等縣，沅州府芷江、黔陽等縣，永順府永順等縣；湖北武昌府嘉魚等縣，漢陽府沔陽州、孝感、漢陽等縣，黃州府廣濟、黃梅等縣，安陸府京山、天門、潛江等縣，德安府雲夢、應城等縣，荊州府監利等縣，襄陽府南漳、穀城等縣，鄖陽府鄖西、房等縣，宜昌府興山巴東、長樂、長陽等縣，施南府恩施、宣恩、來鳳、咸豐、利川、建始等縣；江西南昌府南昌縣、饒州府鄱陽縣、廣信府鉛山縣、南康府都昌縣，九江府湖口、彭澤縣，撫州府臨川、崇仁、東鄉等縣，臨江府新喻縣、瑞州府高安縣、袁州府萍鄉、萬載等縣，吉安府蓮花廳、贛州府贛縣；安徽安慶府、穎州府太和縣、徽州府休寧縣、寧國府涇、宣城縣，池州府建德、石埭縣，太平府蕪湖、繁昌縣，廣德州建平縣；江蘇揚州府、鎮江、溧陽、儀徵、吳縣、江寧、上海、瓜州鎮等地；浙江台州府、溫州府、永嘉、臨海、淳安、臨安、湖州府、定海廳、安吉、浦江、桐廬、諸暨、杭州府、嵊縣等地；四川綏定、成都、江北、大足等府廳縣；貴州貴陽府開州、修文、安順府、郎岱廳、清鎮、鎮遠府鎮遠、遵義府桐梓、石阡府龍泉、黎平府永從、大定府、威寧州、水城廳、畢節、興義府興義等縣；陝西城固、南鄭、紫陽、合水、渭南、西鄉、鎮安、臨潼、富平等縣；甘肅西寧等縣；河南陳州、許州、信陽州、魯山、彰德、汝州、安陽、陽陰、懷慶、汝寧、西平、遂平、淮寧、鄧州、河北鎮等地；直隸天津、通州、武強、高邑等地；山西絳縣等地；新疆塔城等地；福建順昌、崇安、汀州、浦城等縣；廣西興安、灌陽、全州、柳州等地。大致而言，湖南、湖北、江西、安徽、江蘇、浙江、四川、貴州等省是哥老會較盛行的地區，也是天地會系統及哥老會系統會黨重疊的地區，各種會黨活動都很頻繁。其次，福建因鄰近江西，廣西則與湖南接壤，哥老會案件，亦屢有破獲，但廣東、雲南地區，哥老會案件卻較罕見。至於陝西、甘肅、河南、直隸等省，哥老會的活動，亦頗活躍，而天地會系統的會黨案件，則屬罕見。哥老會的分佈，與哥老會的起源及湘軍的用兵、裁撤，都有密切的關係。天地會系統的會黨，其分佈情形，與閩粵等省的人口流動方向，有密切的關係。湘軍各營將弁勇丁被革退後的散兵游勇，或向原籍回流，或浪跡江湖，也成爲流動人口。由於人口流動的頻繁，哥老會系統及天地會系統的各種會黨，都隨著流動人口的流動而突破地域限制。在地方大吏查辦哥老會案卷中抄錄頗多要犯的供詞，各要犯多供出其籍貫、結會地點、出身背景或職業，分析各會員的出身背景或職業等資料後，有助於了解哥老會的性質，爲了便於說明，可將光緒年間哥老會案件所錄各要犯原籍、結會地點及出身背景或職業列出簡表如下：

表一五：光緒年間哥老會成員出身背景簡表

| 姓名 | 原籍 | 結會地點 | 出身背景或職業 | 備註 |
|---|---|---|---|---|
| 丁玉龍 | 貴州 | | 勇丁 | |
| 弋祥發 | 湖南湘鄉縣 | 江西饒州 | 開設烟館 | |
| 王有發 | 江西臨川縣 | 江西饒州 | 裁縫 | |
| 王幅堂 | 湖南 | 江西 | 舵工 | |
| 王矮子 | 江西臨川縣 | 江西饒州 | 裁縫 | |
| 王呈祥 | 湖南長沙縣 | 安徽南陵縣 | 木匠 | |
| 戈添發 | | | 做糕餅 | |
| 石文科 | | | 營勇 | |
| 朱雲林 | 江西鄱陽縣 | 江西饒州 | 營兵 | 小貿傭工 |
| 朱潤生 | 湖南湘鄉縣 | 江西饒州 | 開設烟館 | |
| 朱其相 | 貴州施秉縣 | 貴州貴陽府 | 陞用知縣 | |
| 朱紫文 | | | 營勇 | |
| 朱德逵 | | | 營勇 | |
| 朱雲標 | | | 開設烟館 | |
| 米國安 | 湖南鳳凰廳 | 浙江 | 營勇 | |
| 余大發 | 江西鉛山縣 | 福建崇安縣 | 測字算命 | |
| 余棟臣 | 四川大足縣 | 四川大足縣 | 炭丁 | |
| 李光發 | 江西金谿縣 | 江西饒州 | 饒州營千總 | |
| 李世貴 | 湖南湘鄉縣 | 廣東肇慶府 | 營勇 | |
| 李典 | 湖南安化縣 | 湖北荊州 | 勇丁 | |
| 李金堂 | 湖南湘鄉縣 | 福建崇安縣 | 吃糧 | |
| 李桂芳 | | | 都司 | |
| 李榮貴 | | | 水勇 | |
| 李甫亭 | 河南龍山縣 | 貴州開州 | 裁縫 | |
| 李丙甲 | 安徽太和縣 | 安徽太和縣 | 測字 | |
| 李寶堂 | 江西萍鄉縣 | 江西 | 行醫算命 | |
| 李交貴 | 浙江常山縣 | 福建崇安縣 | 做紙 | |

| | | | | | |
|---|---|---|---|---|---|
| 李有發 | 江西鉛山縣 | 福建崇安縣 | 剃頭 | | |
| 李錦篆 | 湖南長沙縣 | 安徽 | 駕船 | | |
| 李清明 | 湖北荊州 | 安徽安陵縣 | 鍼匠 | | |
| 吳　成 | 江西鄱陽縣 | 江西饒州 | 營兵 | | 小貿傭工 |
| 吳矮子 | 江西仁安縣 | 福建崇安縣 | 做紙 | | |
| 何甫喜 | 江西東鄉縣 | 福建崇安縣 | 做紙 | | |
| 沈滄海 | | 福建汀州 | 都司銜守備 | | |
| 沈恒勝 | | | 把總 | | |
| 呂　先 | | | 捕快 | | |
| 周成生 | 江西新建縣 | 江西饒州 | 醫生 | | |
| 周　標 | 湖南湘鄉縣 | 江蘇清江浦 | 營勇 | | |
| 周　于 | 江西新建縣 | 江西吳城鎮 | 官醫 | | |
| 周岳山 | 河南信陽縣 | 安徽廣德州 | 木匠 | | |
| 周子意 | 江西鄱陽縣 | 安徽建德縣 | 勇丁 | | |
| 邱海章 | 湖南 | 福建 | 營勇 | | |
| 邱志儒 | 湖南 | 湖南瀏陽縣 | 營勇 | | |
| 易桂林 | 湖南長沙縣 | 安徽安慶府 | 水師礮兵 | | |
| 易　瀚 | 湖南湘鄉縣 | 浙江 | 把總 | | |
| 林正太 | | | 營勇 | | |
| 林長發 | 湖南 | 安徽南陵縣 | 勇丁 | | |
| 金　剩 | 湖南長沙縣 | 安徽 | 捕役 | | |
| 姚士林 | 江西鉛山縣 | 江西 | 縣學武生 | | |
| 姚仁山 | 江西南昌府 | 江西鉛山縣 | 城守營兵 | | |
| 姚幗青 | | 安徽南陵縣 | 勇丁 | | |
| 姚春和 | | | 六品軍功 | | |
| 洪　升 | 江西高安縣 | 江西新昌縣 | 武生 | | |
| 徐　茂 | 陝西南鄭縣 | 四川 | 傭工 | | |
| 徐樹堂 | 湖南湘陰縣 | 湖南武陵縣 | 篾匠 | | |
| 徐耀庭 | 浙江鄞縣 | | 工匠 | | |
| 胡學斌 | 湖北鍾祥縣 | 安徽安陵縣 | 墾荒 | | |
| 唐厚桂 | 江西新建縣 | 江西饒州 | 駕船 | | |

| | | | | | |
|---|---|---|---|---|---|
| 唐厚生 | 江西新建縣 | 江西饒州 | 駕船 | | |
| 唐太春 | | 陝西綏德州 | 勇丁 | | |
| 唐恩幅 | | | 千總 | | |
| 唐逢桂 | | | 守備 | | |
| 馬幅喜 | 四川 | 陝西 | 遊擊 | | |
| 馬福益 | 湖南醴陵縣 | 湖南長沙府 | 營勇 | | |
| 夏金得 | 江西鉛山縣 | 福建崇安縣 | 剃頭 | | |
| 孫月雲 | 湖南 | 湖南 | 傭工 | | |
| 秦添沅 | 安徽太和縣 | 安徽阜陽縣 | 賣藥 | | |
| 高子清 | 湖北武昌縣 | 安徽蕪湖縣 | 駕船 | | |
| 張其富 | 湖南長沙縣 | 安徽蕪湖縣 | 營勇 | | |
| 張順誠 | 湖北黃陂縣 | 安徽 | 水師營兵 | | |
| 張慶亭 | 江西德化縣 | 湖北 | 營勇 | | |
| 張國安 | 湖北 | 福建崇安縣 | 吃糧 | | |
| 張大坤 | 山東 | 直隸 | 銳字營什長 | | |
| 張半仙 | 湖南武陵縣 | 河南汝州 | 賣卜 | | |
| 張少卿 | 湖南湘潭縣 | 江西 | 營勇 | | |
| 張紫亭 | 湖南 | | 營勇 | | |
| 張　標 | 江西德化縣 | | 捕快 | | |
| 張啓堂 | 河南淅川廳 | 江蘇 | 營兵 | | |
| 陳德才 | 湖北江夏縣 | 湖南 | 營勇 | | |
| 陳先知 | 陝西洵陽縣 | 湖北襄陽縣 | 駕船 | | |
| 陳福林 | | | 水師營勇 | | |
| 陳　常 | 江西崇仁縣 | 江西崇仁縣 | 文生 | | |
| 陳鴻賓 | 江西武寧縣 | 江西武寧縣 | 開設烟館 | | |
| 陳鴻恩 | 湖北 | 湖北 | 武生 | | |
| 陳希賢 | 貴州 | 貴州威寧州 | 文生 | | |
| 黃　祺 | 湖南長沙縣 | 甘肅西寧縣 | 營勇 | | |
| 黃上輔 | 四川 | | 營勇 | | |
| 黃鏡臣 | 湖南 | | 營勇 | | |
| 黃雲得 | 江西上饒縣 | 福建崇安縣 | 做紙 | | |

| | | | | | |
|---|---|---|---|---|---|
| 黃有發 | 湖北鍾祥縣 | 安徽安陵縣 | 墾荒 | | |
| 曹菁停 | 湖南 | 安徽南陵縣 | 勇丁 | | |
| 曹長年 | 湖南 | | 營勇 | | |
| 郭文彬 | 湖南 | | 勇丁 | | |
| 郭祖漢 | | 甘肅 | 候選知縣 | | |
| 郭嘉昌 | 安徽太和縣 | 安徽太和縣 | 武舉 | | |
| 郭昌翎 | 安徽太和縣 | 安徽太和縣 | 武舉 | | |
| 郭堯曦 | 安徽太和縣 | 安徽太和縣 | 武舉 | | |
| 郭其昌 | 安徽太和縣 | 安徽太和縣 | 武舉 | | |
| 曾廣幅 | | | 營勇 | | |
| 曾老大 | 湖北涇 縣 | | 搬運工 | | |
| 曾有群 | 江西 | | 傭工 | | |
| 喻毛子 | 江西臨川縣 | 江西饒州 | 貿易 | | |
| 溫元和 | 湖南醴陵縣 | 福建 | 營勇 | | |
| 陽明貴 | | | 副將 | | |
| 葉兆紅 | | | 營勇 | | |
| 閔達齋 | 湖北應城縣 | 河南信陽州 | 貿易 | | |
| 楊登峻 | 湖北來鳳縣 | 湖北咸豐縣 | 文生 | | |
| 楊海泰 | | 貴州貴陽府 | 總兵 | | |
| 楊青山 | 湖南瀏陽縣 | 江西萬載縣 | 營勇 | | |
| 楊元德 | 湖南 | 貴州鎮遠縣 | 算命教拳 | | |
| 楊炳笙 | 四川岳池縣 | 河南信陽州 | 小本營生 | | |
| 楊四海 | 湖北 | | 開賭場烟館 | | |
| 彭長勝 | 湖南湘鄉縣 | 浙江 | 營勇 | | |
| 彭雲山 | 河南彰德府 | 江西高安縣 | 營兵 | | |
| 賈樹增 | 湖南 | 安徽南陵縣 | 勇丁 | | |
| 鄔宏勝 | 江西 | | 營勇 | | |
| 雷太和 | 江西南昌縣 | 湖南瀏陽縣 | 煤礦工 | | |
| 葉坤山 | 四川江北廳 | 湖南 | 開設茶館 | | |
| 熊鼎山 | 湖南衡州 | 江西崇安縣 | 營勇 | | |
| 熊海樓 | 湖南 | 安徽南陵縣 | 營勇 | | |

| | | | | |
|---|---|---|---|---|
| 陶桂有 | 湖南 | 安徽南陵縣 | 勇丁 | |
| 魯老八 | 湖北黃陂縣 | 江西饒州 | 做水烟袋 | |
| 劉鈺貴 | 湖北廣濟縣 | 浙江 | 營勇 | |
| 劉志和 | 湖南湘鄉縣 | 江西萍鄉縣 | 煤礦工頭 | |
| 劉吉芬 | | | 守備 | |
| 劉金彪 | | 江西鉛山縣 | 賣藥 | |
| 劉金龍 | 江西南昌縣 | 江西饒州 | 教拳棒 | |
| 鄧海山 | | 江西萍鄉縣 | 勇丁 | 行外科等 |
| 鄧雲輝 | 湖南長沙縣 | 湖南醴陵縣 | 勇丁 | |
| 鄭自謙 | 河南鄧州 | 河南鄧州 | 醫生 | |
| 龍松年 | 湖南益陽縣 | 湖北樊城 | 軍營書識 | 即龍大勝 |
| 龍進昌 | 廣西南丹縣 | 貴州 | 唱戲 | |
| 龍家壽 | | | 都司 | |
| 龍正文 | | | 都司 | |
| 歐陽珍 | 廣東連州 | 貴州貴陽府 | 都司 | |
| 戴鳳祥 | | | 營勇 | |
| 盧玉成 | 湖南湘潭縣 | 湖南醴陵縣 | 開張飯店 | |
| 濮雲亭 | 貴州松桃廳 | 湖南 | 營勇 | |
| 聶二鴿子 | 江西南昌縣 | 江西饒州 | 傭工 | |
| 謝永青 | | 陝西綏德州 | 勇丁 | |
| 鍾少春 | 湖南 | 安徽南陵縣 | 勇丁 | |
| 譚照田 | 湖南 | 安徽 | 勇丁 | |
| 羅世亨 | | | 千總 | |
| 嚴鈺成 | 湖南 | 安徽南陵縣 | 勇丁 | |

資料來源：台北國立故宮博物院典藏《軍機處檔・月摺包》、國史館《月摺檔》；北京中國第一歷史檔案館典藏軍機處奏摺錄副。

簡表中所列哥老會要犯共計一四四人，其原籍分隸湖南、江西、貴州、四川、安徽、浙江、陝西、湖北、山東、河南、廣西、廣東等省，其中原籍在湖南者共四十四人，約佔總人數的百分之三十，其次爲江西共二十九人，約佔百分之二十。其結會或活動地點，主要分佈於江西、安徽、貴州、福建、四川、湖北、廣東、浙江、湖南、陝西、直隸、河南、甘肅等省，其中江西共二十八人，約佔百分之二十，其次爲安徽共二十五人，約佔百分之十七。可以說明哥老會的起源，與湖南有密切關係，而其活動地點，則以江西、安徽等省較爲頻繁，哥老會案件，層出不窮。就哥老會成員的出身背景或職業而言，其充當各營弁員、營兵、勇丁及武舉、武生出身者，表中所列人數，共計八十一人，約佔百分之五十六，充分顯示哥老會的盛行，各軍營員弁、兵勇扮演了重要的角色。其餘開設煙館、裁縫、舵工、木匠、做糕餅、測字算命、剃頭、做紙、篾匠、行醫、賣藥、教打拳棒、做水煙袋、礦工等等，多屬於浪跡江湖，小本營生，傭工度日的流動人口，或販夫走卒，其中有不少是各營勇丁被裁撤或革退後，從事各行業，以求溫飽者。例如江西金谿縣人李光發，拔補饒州營千總，因緝捕不力，被參劾降爲把總，並未歸標，即在饒州地方行醫，教打拳棒度日。光緒八年（一八八二）五月間，經欒正龍邀入哥老會，被推爲元帥，給與“黑風帥印”四字木印一顆，黑旗一面，會員均聽調度，並傳授“詳清”二字口號。會中隱語，糾人入會，稱爲“進香”，起事爲“開花”，放火爲“堅江旗桿”。見會中人，遞送茶煙，屈第二指爲暗記。江西鄱陽縣人朱雲林、吳成，都是饒州營兵，誤操革伍後，小貿傭工度日。光緒八年（一八八二）七月間，經李光發邀入哥老會（註二〇〇）。江西萍鄉縣拏獲鄧海山，鄧海山供出先在各營當勇，辭退後在原籍行外科，教拳棒度日。後遇湖南人屈希元等結拜哥老會，倡立武嶽山洪福堂（註二〇一）。湖南益陽縣人龍松年，即龍大勝，又名慶延松，亦名延青蓮，是長江流域哥老會大龍頭。曾在軍營充當書識，辭退後居安慶，託名外科治病，在長江上下游糾人入會。光緒八年（一八八二），在湖北樊城開設楚鄂山永樂堂郧陽香長江水（註二〇二）。此外，如熊鼎山先充勇丁，遣撤後賣糕餅爲生。

哥老會的組織，既受嘓嚕、江湖會、紅錢會、仁義會及天地會的影響，其組織極爲複雜，名目繁多。就其內部組織而言，最常見的有龍頭、坐堂、陪堂、禮堂、刑堂、值堂等名稱。湖北穀城縣人王啓瑞，初在原籍加入哥老會，後來潛至宣城、建平、吉陽等縣，糾人入會，倡立紫壽山集義堂。王啓瑞供出會中職稱，包括龍頭、坐堂、陪堂、禮堂、刑堂、値堂、監證、香長、心腹、文聖賢、武聖賢、桓侯當家、披紅當家、插花當家等名號（註二〇三）。江西鉛山縣人姚士林於光緒十年（一八八四），考入縣學武生。光緒十五年（一八八九）七月間，經賣草藥的劉金彪邀入哥老會，買布票一張，出錢一百文，票子是白洋布做的，長約五、六寸，寬二寸多，票子上面橫寫“龍飛鳳舞山人和忠義堂”，兩旁直寫“共居五湖水”、“同歸四海鄉”。姚士林供出會內有上四牌、下四牌，沒有四、七兩牌。龍頭老大、聖賢老二、當家老三、管事老五，這是上四牌；下四牌，巡風老六、大九、小九、老滿，又叫老么，並無大八，小八名目。副龍頭在當家之上，聖賢之下，並有禮堂、刑堂、陪堂、執堂、坐堂、新副等名目。會中暗號，內口號是“杏黃旗上寫大字”；外口號是“替天行道第一人”。會員髮辮打一結子，衣服胸衿第二扣子不扣。喫茶拿煙，一手掇茶碗，一手用第二指勾彎。起旱叫做“線子”，坐船叫做“底子”，見面稱爲“紅家人”，就曉得是會內人（註二〇四）。

陝西涇陽縣人鐵通，即馬通，又名鐵世忠，亦名馬百川，先在陝甘投營當勇，鬧事斥遣後，經哥老會總頭目蕭潮幅糾邀入會。後來自開萬里終南山會，扮作賣藥治病的醫生，在河南陳州、許州等處放飄。據鐵通供稱，會中設有正龍頭、副龍頭、坐堂、陪堂、禮堂、刑堂、智堂、護印、香長、心腹十個職位。凡是老大皆可自行另開山堂，老大以外，又有聖賢老二、王侯老三、紅旗老五，是上四等；巡撫老六、順八老八、尖口老九、銅掌老么，是下四等。內口號是“乾坤正氣”，外口號是“萬福來朝”（註二〇五）。湖南長沙縣人熊海樓，曾當營勇，因事斥革。光緒十三年（一八八七）正月間，熊海樓在安徽宣城縣結會，會名是戴公山龍泉水金蘭香結義堂，其對句爲“五湖英雄齊聚會；四海豪傑定家邦”。會中內部組織設有龍頭、盟證、香長、坐堂、培堂、刑堂、禮堂、執堂、新副、聖賢、當家、桓候、紅旗、黑旗、巡風、花管、大滿、小滿、幺滿等職稱。會中何淋、王南山各稱爲總老貓，即老帽（註二〇六）。由此可知哥老會的內部組織，雖然大同小異，但變化頗大，名目不盡相同。

山堂是哥老會的基本組織，同時也是哥老會的會名，會中老大既可另開山堂，以致山堂林立，哥老會遂蔓延日廣，枝榦互生，滋蔓難圖。哥老會完整的會名，包括山名、堂名、水名、香名四個。就現存檔案中所見山名，包括：八寶山、九華山、九臺山、九龍山、小乾坤山、大乾坤山、大名山、大明山、文星山、文武山、天全山、天臺山、天官山、天軍山、天圓山、天福山、天福金龍山、天寶山、天下西雷山、天順山、天龍山、太吉山、太行山、太雄山、中將山、中華山、孔龍山、五龍山、五洋山、五歸山、五鳳山、五臺山、四合山、四方山、玉皇山、玉筆山、玉龍山、北梁山、西梁山、西華山、回崙山、迴龍山、合龍山、仰輝山、狗頭山、青原山、青崙山、青龍山、來龍山、金象山、金台山、金龍山、金礄山、金華山、金鳳山、忠頂山、忠信山、東南山、岳麓山、風雲山、武嶽山、洞君山、臥龍山、狼福山、秦龍山、坤龍山、昆崙山、浮龍山、春寶山、楚金山、楚荊山、楚鄂山、富有山、順天山、萬福山、萬福雙龍山、萬福龍頭山、萬里終南山、萬化山、福壽山、臨潼山、精忠山、紫壽山、蓮花山、箭賢山、華蓋山、飛龍山、飛虎山、雙龍山、寶華山、鳳凰山、龍虎山、龍華山、龍飛鳳舞山、黔清山、蓬萊山、戴公山、漢家山、爵華山、聖龍山、雀華山、覺華山等等。堂名包括：九華堂、大新堂、三結堂、中義堂、元武曲堂、仁義堂、公義堂、公議堂、天順堂、太平堂、白虎堂、五湖四海堂、永樂堂、至德堂、合義堂、孝義堂、忠孝堂、忠信堂、忠義堂、地靈堂、英傑堂、洪福堂、明義堂、報國堂、結義堂、荊義堂、集賢堂、集義堂、福緣忠義堂、樹義堂、義順堂、聚會堂、聚興堂、護國堂、洗平堂、積賢堂、傑義堂、西勝堂、西北堂、洪福堂、英雄保國堂、聖星堂、樂善堂等等。水名包括：三仙水、三臺鎮江水、千秋水、五湖水、五河水、五嶽水、天下水、天下黃河水、四海水、去如水、平安水、甘露山、來江水、成功水、定海水、長江水、長清水、洞庭水、漢江水、青龍水、采石水、銀河水、湘中水、梁山水、龍泉水等等。香名包括：三山香、三江香、太平香、五湖香、必成香、西嶽華山香、同歸四海香、仁義香、名華山、富貴香、長情香、金蘭香、松柏香、來如香、忠孝香、桃園香、普渡香、萬國香、郥陽香、蓋世香等等。哥老會倡立了各種山名，堂名、水名、香名，以明系統，各有歸屬。例如湖北龍陽縣人曹小湖，先拜沅江人羅富為師，加入哥老會，羅富病故後，曹小湖接掌山主，其會名為"龍虎山、中義堂、洞庭水、太平香"（註二〇七）。

湖南安化縣人李典即李春陽，先在兵營當勇，後來在湖北荊州沙市地方開立蓮花山、義順堂、甘露水、普渡香”。李典在會內是龍頭大爺，在福建時稱爲小霸王（註二〇八）。由哥老會系統的各種會黨分化出來的山堂，到處林立，盤根錯節，會中有會，更增加了官方取締的困難。

天地會系統的會黨成員，在清代前期，多以兄弟相稱，會首稱爲大哥，其餘有二哥、三哥，或尾弟、尾二等，名稱簡單。清代後期，其內部組織，頗多變化，有紅棍、白扇、鐵板等名目。兩廣總督兼廣東巡撫袁樹勛具奏時指出：

> 粵東會匪，向止三點會，係洪逆亂平之後，其遺黨暗用洪字偏旁，互相勾結，蹤跡甚爲詭秘。近年此風日熾，膽敢設立堂名，分派頭目，到處糾邀，不從者肆行逼脅，開台拜會，夜聚曉散，習以爲常。爲首坐台者，曰東主，曰老母；轉糾夥黨者，曰保母，曰保舅；贊助謀畫者，曰白扇；供奔走者，曰鐵棍，曰草鞋；其資格較深者，曰金花，曰雙金花，名目不一。大抵初則惑眾斂錢，繼則糾黨搶劫，劫財不足，復擄人勒贖。計一省之中，勾結日廣，幾於無處蔑有，而以惠、潮、高、廉各屬爲最多。近來附省之順德、東莞、新會等縣，亦蔓延遍地。此外，有小刀會、劍仔會諸名目，皆與三點會聯成一氣。小刀會係各攜一小刀以爲記號，十餘年前，惟惠、潮等府有之，劍仔會係以東洋小劍爲記，於近數年始行發見（註二〇九）。

除白扇、鐵棍外，還有紅棍、鐵板等名目。例如江西龍南縣人吳盛發加入三點會後，被封爲紅棍，袁連珍被封爲白扇，黃月譜等人被封爲四糾，劉德華被封爲鐵板（註二一〇）。除了三點會、三合會、小刀會外，也出現了劍仔會。四川地區的會黨，也是名目繁多。四川職員王朝鉞具稟時亦云：

> 四川會黨之風，甲於天下，而拉搕搶劫之匪，即出於會黨之中。一朝犯案，懸賞通緝，又恃有當公之會黨包庇調停，羽翼遍川，實難懲治。擒其渠者，而小者又大，羿木未壞，彎樹重生，誅不勝誅，良可浩歎。查川省會黨以西南爲最，東北次之，各屬鄉場市鎮，均有西會、成會、四義會、大義會、少英會等名目，各有碼頭，各有公口名片，大小圖章，其掌管者爲坐堂大爺。每一碼頭有五牌管事三四名、七八名不等，專司公項錢財，迎送賓客各事（註二一一）。

四川地區除哥老會外，還有西會、成會、四義會、大義會、少英會等，名目繁多。

光緒七年（一八八一）七月，御史胡隆洵以軍務肅清已久，奏請將會盜案件仍照舊例辦理。但各省覆奏時，均稱就地正法章程，礙難停止。例如湖南、湖北覆稱，遣散勇丁，搶劫爲生，刀痞哥會，層見迭出。安徽覆稱，散勇紛至沓來，哥會齋教，靡地蔑有。廣東覆稱，結黨拜會，任意橫行。廣西覆稱，肇亂地區，獷悍成風。四川覆稱，會黨梟匪，實繁有徒，游勇散練，動多勾聚。散兵游勇，成爲哥老會的主要來源，加入哥老會，倡立山堂，成爲散兵游勇的社會適應模式。光緒八年（一八八二）正月，貴州巡撫林肇元具摺指陳哥老會的隱患，遠過於外患，其原摺略謂：

> 竊惟現在天下之大患，一爲各國外夷，一爲哥弟會匪。外夷之患，顯而共見，既設海防以禦之矣；會匪之患，隱而漸彰，其根頗深，其蔓甚遠，不思所以弭之，其患恐更切於外夷。臣謹舉其略爲我聖主陳之，從來奸宄竊發，莫不詭託主名，行其詐術，以爲煽惑人心，糾結黨羽之具。往代無論矣，洪逆秀全結上帝之會，爲滔天之逆，其已事也。

乃洪逆方平，而哥弟會又起，創爲堂名，造發號片，結數十百人，或數百人爲一會，稱其首爲坐堂大爺，別其稱爲老冒。又連數會或十數會之黨群，尊一首爲總老冒。其結會之所，或深山古寺，或僻人居，入會者歃血羅拜，屠牛飲酒，人領一號片而去，亦有先發號片，名爲放飄，收集人數而後聚，而爲會者，每一會必立盟單，載名氏於其上，弁以悖亂之言，納之於老冒，堂名不一，而所謂口號堂語，則無遠近或異也。其始一二猾賊倡之，無業之游民，撤營之游勇從之，繼遂轉相煽惑，或肆行劫制，則守地方之練營，保身家之百姓亦從之，甚且豪紳武夫，入歧途而不悔，圖擁眾以爲雄，則薦紳之家亦爲之。其聲息潛通，氣勢連結，達之數百里，數千里而無閡也。其彼此傳書，速於官家之置郵；其彼此相顧，甚於父子之同命。臣初從軍，由湘而鄂，尚未聞此，由鄂而川，則確見此，繼而入黔，黔染川習，亦復有此。昔歲入都，來往於兩湖、江西，大江南北，所至察其風土，而又知此習之無地不有，而大省爲尤盛，推之西北各省，恐亦在所不免，其聲息氣勢，較洪逆秀全之上帝會尤遠且閎也。奸氏伏亂，一至如此，萬一有稍雄桀者，出而號召，其間遠近響應，禍起蕭牆，猝然而莫之備，事變之發於內地，視禦外夷爲尤急矣！夫亦安知不糾約外夷而爲內外交攻之計耶？而況各省會匪，或起或滅之案，已防不勝防耶（註二一二）？

各省會黨爲患，由隱而漸彰，終於顯而共見，就地正法章程，確難停止。光緒八年（一八八二）二月，御史陳啓泰又奏陳各省覆奏就地正法章程，皆以勢難停止爲辭，遷就新章，流弊滋多，一案既出，但憑州縣稟報，督撫即批飭正法，其中以假作眞，移甲作乙，改輕爲重，皆所不免，覆盆之枉，昭雪無從。因此，奏請先行停止就地正法章程，仍照舊例解勘，分別題奏。旋經刑部議定章程，其要點如下：

> 除甘肅省現有軍務，廣西爲昔年肇亂之區，且勦辦越南土匪，以及各省實係土匪、馬賊、會匪、游勇案情重大，並形同叛逆之犯，均暫准就地正法，仍隨時具奏，備錄供招咨部查核外，其餘尋常盜案，現已解勘具題者，仍令照例解勘，未經奏明解勘者，統予限一年，一律規復舊例辦理。倘實係距省寫遠地方，長途恐有疏虞，亦可酌照秋審事例，將人犯解赴該管巡道訊明，詳由督撫分別題奏，不准援就地正法章程先行處決，以重憲典而免冤濫（註二一三）。

刑部奏定章程內仍有各省會黨暫准就地正法的條文，各省拏獲會黨遂多援引刑部奏定章程就地正法。

各省會黨蔓延既廣，爲有效的取締會黨，消弭盜匪，地方大吏多主張將會黨與盜匪分開辦理，以防範會盜結合。兩江總督曾國藩主張不問會與不會，但問匪與不匪。曾國藩明知無會而不匪，但因黨夥既衆，爲安反側，不得不將尙未爲盜匪的會黨從會匪中分化出來，採取嚴辦會匪而姑寬會黨的權宜之計。王家璧在左宗棠營中時，亦曾談及解散會黨一事。王家璧亦認爲「但當察其匪不匪，不必究其會不會。爲匪而不在會，於法必誅，在會而不爲匪，雖實不坐。如此辦理，則有罪者誅，無辜獲免，非但用法當平，亦可陰散其黨。若一概疾之已甚，彼則懼而協以謀我，殆猶治絲而棼之也。」（註二一四）但因會盜結合，設官分職，攻城掠地，而造成嚴重的社會侵蝕。光緒十七年（一八九一）六月初六日，清廷以各省哥老會行蹤詭秘，往往與游勇地痞暗相勾結，動輒糾集黨羽，乘機起事，江蘇、安徽、湖北、江西等省，屢有焚燬教堂事件，深恐涓涓不息，將成江河。因此，由軍機處寄信各省督撫嚴飭地方文武，隨時留心，實力查緝，嚴懲首要，解散脅從。湖廣總督張之洞奉到〈寄信上諭〉後，即札飭署按察使惲祖翼詳繹例意，參考成案，妥擬懲辦章程。惲祖翼所擬章程內容如下：

> 鄂省爲南北衝要，游匪素多，往來無定，最易潛匿，會匪幾至無地無之，始則長江上下游一帶，隨處皆有，根株盤結，消息靈通。該匪等開立山堂，散放飄布，分授僞職僞號，往往與教匪游勇地痞暗相勾結，乘機煽亂，各屬所獲會匪各案，起到飄布印章板片及所訊名目口號，詞意悖逆，顯然謀爲不軌。上年沿江一帶會匪，蓄謀滋事，動成巨案。若非先事捕其渠魁，散其夥黨，誠如聖諭所云，養癰貽患，必致有關大局，亟應明定章程，從嚴懲辦，以遏亂萌。擬請嗣後責成州縣，隨時訪查，如有會匪溷跡境內，立即會督營汛嚴密拏獲，悉心研審，如係會匪首開堂放飄者，及領受飄布，輾轉糾夥，散放多人者，或在會中名目較大，充當元帥、軍師、坐堂、陪堂、刑堂、禮堂等名目者，與入會之後雖未放飄輾轉糾人而有夥同搶劫情事者，及勾結教匪煽惑擾害者，一經審實，即開錄詳細供摺，照章稟請覆訊，就地正法，此外如有雖經入會，並非頭目，情罪稍輕之犯，或酌定年限監禁，或在籍鎖帶鐵桿石墩數年，俟限滿後查看是否安靜守法，能否改過自新，分別辦理。其無知鄉民被誘被脅，誤受匪徒飄布，希冀保全身家，並非甘心從逆之人，如能悔罪自首呈繳飄布者，一概寬免究治。其有向充會匪，自行投首，密報匪首姓名，因而拏獲，亦一律宥其既往，准予自新。若投首後又能作線引拏首要各

犯到案究辦，除免罪之外，仍由該地方官酌量給賞，總期嚴懲首要，解散脅從，以除奸宄而安善良。地方文武員弁，能拏獲會匪著名首要，審實懲辦，即將尤爲出力員弁核其情節，照異常勞績隨案請給優獎，如有希圖保獎，妄拏無辜，或姑息徇縱，不拏不辦，以及曲爲開脫，一經查出，即行嚴參。如此明定章程，各州縣有所遵循，自必隨時留心，實力查緝，不敢輕縱玩忽，該匪黨亦各知所儆懼，地方可期安謐（註二一五）。

前引章程內明白標出會黨首領，舉凡元帥、軍師、坐堂、陪堂、刑堂、禮堂等較大頭目，以及會中成員輾轉糾人入會而有夥同搶劫情事者審實後就地正法的條文。湖廣總督張之洞指出光緒八年（一八八二），刑部奏定通行章程，各省會黨本有就地正法的條文，無如州縣狃於積習，毫無遠慮，往往牽引異姓結拜弟兄舊例，曲爲開脫，以致「伏莽日滋，寖成巨患。」（註二一六）近年以來，會黨日熾，沿江沿海爲尤甚，滋蔓愈廣，蓄謀愈險，若不及早懲遏，將來終恐爲大局之憂。因此，張之洞將湖北所議章程奏明通行各屬，俾有遵守。薛福成具奏時也指出湖南營勇，旋募旋撤，不下數十萬人，以致湖南哥老會尤爲盛行，恃衆滋衆滋事，焚燬教堂，逞一時之意，國家卻受無窮之累，「其情甚爲可惡，其案較爲難辦。」（註二一七）遣撤散勇，散則爲民，聚則爲盜，開山立堂，散放票布，數十百人，明目張膽，執械持槍，肆行搶劫，以致明火案件，層見迭出，無縣無之。光緒十八年（一八九二）十一月，刑部議覆時，亦以各省會黨「時有蠢動」，若不從嚴懲治，將來必致滋蔓難圖。湖北省既經分別輕重酌議章程，其他各省亦應照辦，以昭畫一。刑部具奏後，奉旨「如所議行」。刑部即行文湖廣總督、湖北巡撫及各直省督撫、將軍、都統、府尹、一體遵辦（註二一八）。各省奉到刑部行文後，俱遵照通行章程辦理，但哥老會起事案件，仍然層出不窮。戊戌政變後，湖南瀏陽人唐才常在上海成立自立會，以哥老會爲主力，組織自立軍，並倣照哥老會散放票布的辦法，散發富有票。光緒二十六年（一九〇〇），拳變發生後，保皇派積極聯絡哥老會。是年七月十五日，自立軍在安徽大通舉事，結果雖然失敗，但是哥老會的勢力，仍舊方興未艾。各省爲消弭隱患，對會黨案件，都從嚴辦理，遵照通行章程，要犯均就地正法。例如光緒三十年（一九〇四）四月江西省拏獲哥老會要犯黃祺、周標、何壽等三名，署理江西巡撫夏旹懲辦黃祺等人所援引的章程如下：

> 查光緒十八年通行章程內開，拿獲會匪如訊係爲首開堂放飄者，或在會中名目較大，一經審實就地正法，傳首示眾。如雖經入會，並非頭目，情罪稍輕之犯，或酌定年限監禁等語（註二一九）。

湖北所議章程，經刑部議准後，成爲直省適用的通行章程，引文內容，就是摘錄光緒十八年（一八九二）刑部議准通行章程的要點。署理江西巡撫夏旹根據通行章程作成了判決，黃祺、周標因係會黨頭目，歷年開堂放飄糾黨入會，並受要職、印信，近年又互相勾結，潛圖不軌，「逆跡昭彰」，即於光緒三十年（一九〇四）四月十八日將黃祺、周標二人綁赴市曹斬決梟示。何壽被誘入會，得受憑據、職任，甫經半月，尚未輾轉糾人，情罪稍輕，即照章監禁五年。

清朝末年，實行新政，律例方面，頗多修訂。光緒三十一年（一九〇五）三月，修訂法律大臣伍廷芳、沈家本等具摺奏請考訂法律，先將律例內重刑變通酌改。三月二十日，內閣奉上諭云：

> 我朝入關之初，立刑以斬罪爲極重。順治年間，修訂律例，

沿用前明舊制，始有凌遲等極刑，雖以懲儆兇頑，究非國家法外施仁之本意。現在改定法律，嗣後凡死罪至斬決而止，凌遲及梟首、戮屍三項，著即永遠刪除。所有現行律例內凌遲、斬梟各條，俱改爲斬決。其斬決各條，俱改爲絞決。絞決各條，俱改爲絞監候入於秋審情實。斬監候各條，俱改爲絞監候，與絞候人犯仍入於秋審，分別實緩辦理。至緣坐各條，除知情者仍治罪外，餘著悉予寬免。其刺字等項，亦著概行革除，此外當因當革，應行變通之處，均著該侍郎等，悉心甄採，從速纂訂，請旨頒行，務期酌法準情，折衷至當，用副朝廷明刑弼之至意，將此通諭知之（註二二〇）。

光緒十八年（一八九二）十一月，刑部議准的通行章程，成爲現行律例，明白規定拏獲會首或較大頭目就地正法後，還要將其首級在犯事地方懸掛梟示，傳首示衆。光緒三十一年（一九〇五）三月二十日，諭內閣將斬梟改爲斬決，梟首著永遠刪除，因此，現行律例內斬梟各條，俱改爲斬決，但仍保留就地正法條例。光緒三十二年（一九〇六）二月，江西巡撫胡廷幹辦理三點會頭目陳己官等人一案所援引的條例如下：

查光緒十八年，奉准刑部奏定通行章程，內開：嗣後拿獲會匪，如訊係爲首開堂放飄，及領受飄布，輾轉糾伙，散放多人，或在會中名目較大，充當元帥、軍師、坐堂、陪堂、刑堂、禮堂等名目，與入會之後，雖未放飄轉糾人，而有夥同搶劫情事，一經審實，即開錄詳細供摺，照章稟請覆訊，就地正法，傳首犯事地方，懸竿示眾。此外如有雖經入會，並非頭目，情罪稍輕之犯，或酌定年限監禁等語。又光緒三十一年三月二十日，內閣奉上諭：梟首著永遠刪除，現行律例內斬梟各條，俱改為斬決等因，欽遵在案（註二二一）。

江西巡撫胡廷幹援引通行章程，並遵照內閣奉上諭，以陳己官係三點會頭目，輾轉糾人，陳北石、聶其珍、周二生、劉長毛四犯，係充當三點會鐵板，與坐堂名異實同，又復糾夥搶劫多次。鄧矮古、吳毛俚、李癸狗等三犯，迭次夥同搶劫，均屬罪大惡極，與正法例章相符，胡廷幹於核明後，除首犯陳己官業已投河身死不議外，即批飭將陳北石等七犯照章就地正法，仍遵新章，免其傳首示衆。

宣統二年（一九一〇）刊印的《大清現行刑律》，其中關於會黨就地正法一節，與光緒十八年（一八九二）刑部議覆湖廣總督張之洞新定章程詞句近似，經修改後增入《大清現行刑律》。張之洞原奏是針對湖北省會黨就地正法而擬定的章程，刑部奏准後通飭各省一體照辦，遂成為全國各省適用的現行刑律。自從會黨案件就地正法新定章程通行後，各省已不再援引取締異姓結拜弟兄條例辦理，各省拏獲會黨要犯即按照新定通行章程或《大清現行刑律》就地正法，這是清代律例發展中的重大改變，嗣後會黨成員被就地正法的人數越來越多。據兩廣總督岑春煊奏報自光緒二十九年（一九〇三）至光緒三十二年（一九〇六）四年內，廣東各屬就地正法會盜土匪人數計：廣州府屬共二千九百餘名，南雄等府屬共一百六十餘名，惠州、潮州、嘉應三屬共一千四百餘名，肇、陽、羅、高、廉、欽六屬共五千四百五十餘名，通省各屬合計共九千九百餘名，其中多為拜會首要（註二二二）。廣西各屬所辦人數亦極衆多，其中光緒三十一年（一九〇五），計四千二百餘名，光緒三十二年（一九〇六），計二千七百餘名。兩廣總督張人駿具摺時指出有人奏每年廣西各屬稟報正法人數「

恆二、三萬」，其未稟報者不知若干（註二二三）。其奏報人數，或屬傳聞之詞，亦可見被正法人數的衆多。國立故宮博物院現存《廣西各府廳州縣辦匪表冊》，共三函，計十冊，其中光緒三十三年（一九〇七）含三、四、五、六、十、十一、十二等月分，光緒三十四年（一九〇八）含七、八、九等月分，每月一冊，其被正法及格斃人犯，可列簡表如下。

表一六：廣西各府廳州縣劫擄拜會就地正法人犯統計表

| 年月／刦擄人犯／拜會人犯／地區 | 光緒三十三年 | | | | | | | | 光緒三十四年 | | | |
|---|---|---|---|---|---|---|---|---|---|---|---|---|
| | 三月 | 四月 | 五月 | 六月 | 十月 | 十一月 | 十二月 | 合計 | 七月 | 八月 | 九月 | 合計 |
| 桂林府 | | | | | | | | | 1 | | | 1 |
| | | | | | | | | | | | | |
| 中渡廳 | | | 1 | | | | 2 | 3 | 1 | | | 1 |
| | | | | | | | | | | | | |
| 興安縣 | | | | 2 | | | | 2 | | | | |
| | | | | | | | | | | | | |
| 永福縣 | | | | | | 1 | 2 | 3 | | 1 | | 1 |
| | | | | | | | | | | | | |
| 灌陽縣 | | | | | | 3 | | 3 | | | | |
| | | | | | | | | | | | | |
| 平樂府 | | | | | | | | | 5 | 2 | 7 | 14 |
| | | | | | | | | | | | | |
| 平樂縣 | | | | | 5 | | 1 | 6 | | | | |
| | | | 1 | | | | | 1 | | | | |

| | | | | | | | | | | | | |
|---|---|---|---|---|---|---|---|---|---|---|---|---|
| 永安州 | 9 | | 64 | 14 | | | | 87 | | | | |
| | | | | | | | | | | 1 | | 1 |
| 恭城縣 | | | | | | | 2 | 2 | | | | |
| | | | | | | | | | | | | |
| 富川縣 | | 3 | | | | | | 3 | | | | |
| | | | | | | | | | | | | |
| 賀縣 | 15 | | | | | 4 | 1 | 20 | | | | |
| | | | | | | | | | | | 2 | 2 |
| 荔浦縣 | 1 | | | 1 | | | | 2 | | | | |
| | | | | | | | | | | | | |
| 昭平縣 | 4 | 2 | 9 | | | | 8 | 23 | | | | |
| | | 4 | | | 2 | | | 6 | 2 | | | 2 |
| 修仁縣 | | 2 | | | | | | 2 | | | | |
| | | | | | | 2 | | 2 | | | | |
| 信都廳 | | | | | 2 | | 4 | 6 | | | | |
| | | | | | | | | | | 1 | | 1 |
| 梧州府 | 2 | 4 | | 1 | | | | 7 | 3 | 1 | 4 | 8 |
| | 17 | | | | | | 1 | 18 | 13 | 2 | | 15 |
| 蒼梧縣 | 2 | 4 | | 5 | | | | 11 | | | | |
| | | 1 | 4 | | 3 | | | 8 | | | | |
| 藤縣 | 55 | 16 | 7 | | 4 | | 9 | 91 | | | | |
| | | | 3 | | | | | 3 | | | | |
| 容縣 | | 33 | | | | 6 | 3 | 42 | | | | |
| | | 13 | | | | | | 13 | | | | |

| | | | | | | | | | | | | |
|---|---|---|---|---|---|---|---|---|---|---|---|---|
| 岑溪縣 | 5 | | | 1 | | | | 6 | | | | |
| | | | | | | | | | | | | |
| 懷集縣 | 1 | 6 | 5 | 3 | | | | 29 | | 1 | | 1 |
| | | | 6 | | | | 14 | 6 | | | | |
| 鬱林直隸州 | 25 | 11 | 13 | 13 | 11 | 47 | 25 | 145 | 67 | 16 | 70 | 153 |
| | | | | 5 | | | | 5 | 17 | | | 17 |
| 博白縣 | | 11 | | | 15 | 12 | 20 | 58 | | | | |
| | | | 7 | 5 | | | | 12 | | | | |
| 北流縣 | 17 | 4 | 8 | 4 | 4 | 13 | 44 | 94 | | | | |
| | | | | | | | | | | | | |
| 陸川縣 | 4 | 5 | 14 | 5 | 9 | | 16 | 53 | | | | |
| | | 5 | | | | | | 5 | | | | |
| 興業縣 | | | 2 | 1 | | 6 | 3 | 12 | 3 | | | 3 |
| | | | 15 | | | | 3 | 18 | | | | |
| 柳州府 | 3 | 3 | | | 4 | | | 10 | 2 | 4 | | 6 |
| | | | | | | | | | | | | |
| 馬平縣 | 4 | | | | 7 | | | 11 | | | | |
| | | | | | | | | | | | | |
| 雒容縣 | | | | 2 | | 3 | 1 | 6 | | | | |
| | | | | | | | | | | | | |
| 羅城縣 | | | | | 1 | 2 | | 3 | | | | |
| | | | | | | | | | | | | |
| 柳州 | | | | | | | | | 16 | 3 | | 19 |
| | | | | | | | | | | | | |

| | | | | | | | | | | | | |
|---|---|---|---|---|---|---|---|---|---|---|---|---|
| 來賓縣 | 9 | 6 | | | 7 | | | 22 | | | | |
| | | | | | | | | | | | | |
| 柳城縣 | | | 4 | | | 1 | | 5 | | | | |
| | | | | | | | | | | | | |
| 融縣 | | | 2 | | 3 | | 1 | 6 | | | | |
| | | | | | | | | | | | | |
| 象州 | | 2 | 1 | | | 4 | 5 | 12 | | | | |
| | | | | | | 3 | 1 | 4 | | | | |
| 慶遠府 | | 3 | | 1 | | 3 | 5 | 12 | | | 1 | 1 |
| | 4 | | | | | | 1 | 5 | | | | |
| 宜山縣 | | | | | | 3 | | 3 | | | | |
| | 4 | | 2 | | | 1 | | 7 | | | | |
| 思恩縣 | 2 | 8 | | | | | | 10 | | | | |
| | | | | | | | | | | | | |
| 河池州 | 11 | 1 | | 1 | | | 2 | 15 | | | 1 | 1 |
| | | | | | | | | | | | | |
| 東蘭州 | | | | | 1 | | 27 | 28 | | | | |
| | | | | | | | | | | | | |
| 安化廳 | | | 1 | | | | | 1 | | | | |
| | | | | | | | | | | | | |
| 思恩府 | 6 | 8 | | | | | | 14 | 2 | | 11 | 13 |
| | | | | | | | | | | | | |
| 武緣縣 | 1 | 1 | 5 | | | | | 7 | 2 | 9 | | 11 |
| | | | | | | | | | | | | |

| | | | | | | | | | | | | |
|---|---|---|---|---|---|---|---|---|---|---|---|---|
| 賓州 | 16 | 6 | 2 | 7 | 4 | 6 | | 41 | | 3 | | 3 |
| | | | | | | | | | | | | |
| 遷江縣 | 11 | | 3 | 4 | | 3 | | 21 | | | | |
| | | | | | | | | | | | | |
| 上林縣 | 1 | 5 | 2 | | | | 3 | 11 | | | | |
| | | | | | | | | | | | | |
| 那馬廳 | | | | | | | 1 | 1 | | | | |
| | | | | | | | | | | | | |
| 潯州府 | 6 | 17 | 31 | 10 | 25 | 9 | 19 | 117 | 101 | 29 | 33 | 163 |
| | | | | | | | | | 1 | | | 1 |
| 桂平縣 | 15 | | | | | | | 15 | | | | |
| | 4 | | | | | | | 4 | | | | |
| 平南縣 | 16 | 4 | 22 | 16 | 12 | 5 | 32 | 107 | | | | |
| | | 2 | 12 | | | | | 14 | | | | |
| 武宣縣 | | | | | 1 | | 2 | 3 | | | | |
| | | | | | | | | | | | | |
| 貴縣 | 11 | | | | 12 | 5 | 16 | 44 | | | | |
| | 12 | 14 | | 9 | | | | 35 | | | | |
| 南寧府 | | 2 | | 8 | | | | 10 | 9 | 32 | 2 | 43 |
| | | | | | | | | | | | | |
| 宣化縣 | 2 | | 1 | | 5 | | | 8 | 12 | | | 12 |
| | | | | | | | | | 12 | | | 12 |
| 新寧州 | 5 | 2 | | 2 | | 2 | 1 | 12 | | 1 | | 1 |
| | | | | | | | | | 1 | | | 1 |

| | | | | | | | | | | | | |
|---|---|---|---|---|---|---|---|---|---|---|---|---|
| 永淳縣 | 3 | | | 1 | | | 1 | 5 | | | | |
| | | | | | | | | | | | | |
| 隆安縣 | 3 | | | | | | | 3 | | | 1 | 1 |
| | | | | | | | | | | | | |
| 橫州 | 4 | 2 | 12 | 3 | | | 6 | 24 | | | | |
| | 6 | | | | | | | 9 | | | | |
| 上思直隸廳 | | | | | 1 | | | 1 | | | | |
| | | | | | | | | | | | | |
| 太平府 | | | | 3 | | | 1 | 4 | | 1 | | 1 |
| | | | | | | | | | | | | |
| 龍州廳 | | | | | 3 | 2 | 11 | 5 | | 6 | | 6 |
| | | | | | | 3 | | 14 | | | | |
| 崇善縣 | | 1 | | | | | | 1 | | | | |
| | | | | | | | | | | | | |
| 養利州 | | | | | | | | | 1 | | | 1 |
| | | | | | | | | | | | | |
| 寧明州 | | | | | | | 5 | 5 | 2 | | | 2 |
| | | | | | | | | | | | | |
| 凌雲縣 | | 2 | | | | | 2 | 4 | | | | |
| | | | | | | | | | | | | |
| 西林縣 | 1 | | | | 4 | 2 | 1 | 8 | | | 6 | 6 |
| | | | | | | | | | | | | |
| 西隆州 | | 2 | | | | | | 2 | | | | |
| | | | | | | | | | | | | |

| | | | | | | | | | | | | |
|---|---|---|---|---|---|---|---|---|---|---|---|---|
| 鎮安府 | | 1 | 1 | | | | | 2 | | | | |
| | | | | | | | | | | | | |
| 天保縣 | | | 1 | | | 6 | 1 | 8 | | | | |
| | | | | | | | | | | | | |
| 奉議州 | 6 | 2 | 3 | 10 | | | 2 | 23 | | | | |
| | | | 1 | | | | | 1 | | | | |
| 百色直隸廳 | 7 | 17 | 1 | 5 | | | 3 | 33 | 2 | 1 | | 3 |
| | | | | | | | | | | | | |
| 恩隆縣 | 7 | 7 | 2 | 1 | | 3 | 3 | 23 | | 3 | | 3 |
| | | | | | | | | | | | | |
| 恩陽州 | 1 | 2 | | | 1 | 1 | | 5 | | | | |
| | | | | | | | | | | | | |
| 合計 | 338 | 244 | 268 | 143 | 146 | 161 | 311 | 1611 | 275 | 116 | 138 | 529 |

資料來源：軍機處存廣西各府廳州縣辦匪表冊。

廣西巡撫將會盜就地正法案件彙製表冊，呈報軍機處，前表係據廣西呈報表冊製作而成，包括劫擄、拜會兩項就地正法及格斃人犯，其中光緒三十三年（一九〇七）三、四、五、六、十、十一、十二等七個月分，共計一六一一人，平均每月爲二三〇人，以三月分人犯最多，計三三八人，約佔總人犯百分之二十一，其次爲十二月分，計三一一人，約佔總人犯百分之十九。在各月分中合計劫擄及拜會兩項人犯最多的地區是鬱林直隸州，計一五〇人，其次是平南縣，計一二一人，潯州府計一一七人，北流縣計九十四人，藤縣計九十一人，永安州計八十七人。在各人犯總數內書明"拜會"字樣的人犯，共計一九〇人，約佔總人犯百分之十二。會黨分佈最多的地區是貴縣，計三十五人，其次是興業縣，計十八人，平南縣、龍州廳各十四人，容縣十三人，博白縣十二人，此外南寧府、橫州、宜山等府州縣，又次之。光緒三十四年（一九〇八）七、八、九等三個月分劫擄及拜會兩項人犯，共計五二九人，其中七月分人犯最多，計二七五人，約佔總人犯百分之五十二，其次爲九月分，計一三八人，約佔百分之二十六，八月分計一一六人，約佔百分之二十二，平均每月被正法及格斃人犯爲一七六人。在各月分中合計劫擄及拜會兩項人犯較多地區是鬱林直隸州，共一七〇人，潯州府計一六四人，南寧、宣化、梧州等府次之。在各人犯總數內，各月分拜會人犯共四十七人，約佔總人犯百分之九。表冊中所開劫擄人犯中多屬於搶劫被捕的會黨成員，因表冊中未書明結會或拜台字樣，以致會黨人數比例偏低。在表冊內詳錄電文，開列犯罪事實，例如光緒三十三年（一九〇七）三月初四日電文記載梧州府拏解何四等六名，供認拜會劫擄得贓。三月初八日電文記載，桂平縣兵練拏解江日安等四名，供認聽糾拜會，迭劫得贓，並斃事主。同日電文記載宜山縣兵練拏獲黃五等四名，供認拜會劫殺過客。其餘各月日電文多載明各犯拜會夥劫打單焚搶拉生擄人勒贖等項犯罪事實，由此可知光緒年間廣西各屬會黨多屬於竊盜集團，對廣西社會造成嚴重的侵蝕作用。光緒三十三年（一九〇七）五月初九日電文中記載廣西興業縣會黨頭目劉晚等率領會員五十餘人，與兵練作戰，殺傷多人，會黨使用各種西方新式武器，被官方搜獲的武器包括：單響鍼鎗一枝，九響鍼鎗四枝，吉鎗三枝，短鎗三枝，由於會黨採購新式洋鎗，更助長了廣西會黨的勢焰。據廣西巡撫張鳴岐奏報，綜計自光緒三十二年（一九〇六）起，截至光緒三十四年（一九〇八）止，先後擒獲懲辦人犯共六千數百名，臨陣格斃人犯共六百數十名，奪獲鎗一千四百餘枝（註二二四），各起會黨，動輒數百人，蔓延及於滇黔等邊遠地區。根據現存軍機處奏摺錄副，可將光緒十九、二十七、二十九、三十三等年貴州各府廳州縣就地正法會盜案件及人數，列出簡表如下：

表一七：貴州各府廳州縣會盜案件一覽表

| 年分／人數／案件／地區 | 光緒十九年 | | 光緒廿七年 | | 光緒廿九年 | | 光緒卅三年 | |
|---|---|---|---|---|---|---|---|---|
| | 案件 | 人數 | 案件 | 人數 | 案件 | 人數 | 案件 | 人數 |
| 遵義府 | 5 | 8 | 6 | 15 | 2 | 8 | 42 | 94 |
| 黔西州 | 1 | 4 | 1 | 4 | 3 | 10 | 16 | 40 |
| 龍泉縣 | 1 | 1 | | | | | 1 | 2 |
| 古州廳 | 2 | 4 | | | | | 1 | 2 |
| 水城廳 | 1 | 1 | | | | | | |
| 湄潭縣 | 1 | 2 | 1 | 4 | | | | |
| 普安廳 | 4 | 5 | | | | | | |
| 普安縣 | 1 | 5 | | | | | | |
| 興義府 | 3 | 4 | 1 | 3 | 1 | 3 | | |
| 貞豐州 | 1 | 2 | | | | | | |
| 都匀府 | 2 | 4 | 4 | 8 | 6 | 18 | 2 | 2 |
| 鎮遠府 | 2 | 4 | 3 | 10 | 7 | 18 | 5 | 8 |
| 臺拱廳 | 1 | 2 | | | | | | |
| 羅斛廳 | 1 | 4 | | | | | | |
| 貴筑縣 | 1 | 5 | | | | | 3 | 4 |
| 貴陽府 | 2 | 3 | | | | | 1 | 2 |
| 普定縣 | 3 | 17 | 3 | 3 | 1 | 4 | | |
| 郎岱廳 | 1 | 3 | | | | | 1 | 5 |
| 永寧州 | 2 | 5 | 3 | 5 | | | | |

| | | | | | | | | |
|---|---|---|---|---|---|---|---|---|
| 鎮寧州 | 2 | 9 | 1 | 2 | 1 | 3 | | |
| 清鎮縣 | 2 | 4 | | | 1 | 2 | 1 | 4 |
| 歸化廳 | 1 | 2 | | | | | | |
| 思南府 | | | 1 | 3 | 1 | 2 | | |
| 思州府 | | | 1 | 1 | 1 | 1 | 1 | 1 |
| 定番州 | | | 1 | 1 | 1 | 4 | 1 | 1 |
| 開州 | | | 1 | 5 | | | 2 | 6 |
| 銅仁府 | | | 1 | 1 | | | 5 | 6 |
| 貴東道 | | | 2 | 4 | | | | |
| 石阡府 | | | 2 | 10 | 1 | 4 | | |
| 大定府 | | | 2 | 4 | | | 1 | 4 |
| 餘慶縣 | | | 1 | 2 | | | 2 | 4 |
| 甕安縣 | | | 2 | 3 | 1 | 1 | 2 | 4 |
| 清平縣 | | | 1 | 2 | | | | |
| 畢節縣 | | | | | 1 | 3 | 1 | 5 |
| 黎平府 | | | | | 2 | 2 | 1 | 3 |
| 荔波縣 | | | | | 1 | 4 | | |
| 修文縣 | | | | | 2 | 6 | 11 | 22 |
| 安平縣 | | | | | | | 1 | 5 |
| 麻哈州 | | | | | | | 1 | 6 |
| 平越州 | | | | | | | 1 | 2 |
| 天柱縣 | | | | | | | 1 | 1 |
| 松桃直隸州 | | | | | | | 1 | 2 |
| 正安州 | | | | | | | 1 | 4 |
| 綏陽縣 | | | | | | | 1 | 2 |
| 安番州 | | | | | | | 1 | 1 |
| 合計 | 40 | 98 | 38 | 90 | 33 | 93 | 108 | 231 |

資料來源：《軍機處檔・月摺包》奏摺錄副。

由前列簡表可以看出光緒十九年（一八九三）分，貴州省各屬詳報拏獲會黨強劫就地正法共四十案，總計先後就地正法人犯共九十八名，各起案件主要分佈於遵義、黔西、龍泉、古州、水城、湄潭、普安、興義、貞豐、都匀、鎮遠、台拱、羅斛、貴築、貴陽、普定、郎岱、永寧、鎮寧、清鎮、歸化等府廳州縣。光緒二十七年（一九〇一）分，共三十八案，計九十名，其分佈地點，除前舉各屬外，還包括思南、思州、定番、開州、銅仁、貴東、石阡、大定、餘慶、甕安、清平等道府廳州縣。光緒二十九年（一九〇三）分，共三十三案，計九十三名，其分佈地點，除前舉各屬外，還包括畢節、黎平、荔波、修平等府縣。光緒三十三年（一九〇七）分，共一〇八案，計二三一名，其分佈地點，除前舉各屬外，還包括安平、麻哈、平越、天柱、松桃、正安、綏陽、安番等州縣。就分佈地點而言，可以看出會盜案件由近及遠，分佈日廣的情形。合計各年分，可以看出貴州各屬會盜強劫就地正法案件最頻繁的地點，是在遵義府，共五十五案，計一二五人，其次是黔西州，共二十一案，計五十八人，再次爲鎮遠府，共十七案，計四十人，各屬被就地正法的人數越來越多。

湖南地區，由於鄰近江西、兩粵，會黨盛行。據湖南巡撫岑春蓂彙案奏報就地正法人數，光緒三十四年（一九〇八）分，自正月起至十二月底止，先後據長沙、永順等府，及長沙、善化、湘潭、瀏陽、衡陽、衡山、常寧、零陵、祁陽、寧遠、道州、永明、江華、新寧、武岡、龍陽、芷江、黔陽、麻陽、永順、保靖、桑植、龍山、郴州、桂東、石門、慈利、安福、安鄉、靖州、會同、晃州、鳳凰等州廳縣稟報，共獲一百五十八名，有的是糾結拒捕，有的是開堂放飄，有的是開會設教，有的是結夥行竊，俱批飭就地正法，應斬梟者改爲斬決（註二二五）。光緒、宣統時期，地方大吏援引光緒十八年（一八九二）通行章程，或宣統二年（一九一〇）《大清現行刑律》，將會黨首夥批飭就地正法，其人數衆多，充分反映社會動亂的擴大，較之乾嘉時期，實不可同日而語。民變之起，發之猝者易滅，釀之久者難圖。秘密會黨源遠流長，隨著社會經濟的變遷，日積月盛，久成燎原之勢。清廷制訂律例，嚴懲會黨，無非辟以止辟。但各省州縣依然遍地有會，遍地有匪，其社會控制，確實效果不彰。

【註釋】

註　一：《宮中檔》，第二七二六箱，一包，一三號，道光元年二月初二日，兩廣總督阮元奏摺。

註　二：《清宣宗成皇帝實錄》，卷一八〇，頁一七，道光十年十一月乙亥，據劉光三奏。

註　三：《清宣宗成皇帝實錄》，卷一八八，頁三，道光十一年五月乙卯，寄信上諭。

註　四：《軍機處檔・月摺包》，第二七六八箱，一〇一包，七一三二號，道光十六年五月十八日，李紹昉奏摺。

註　五：《軍機處檔・月摺包》，第二七四九箱，一四八包，七九八二五號，道光二十七年十一月十八日，江西巡撫吳文鎔奏摺錄副。

註　六：《軍機處檔・月摺包》，第二七八〇箱，二一包，八七二七二號，咸豐元年十月二十六日，兩廣總督徐廣縉等奏摺錄副。

註　七：沈懋良著《江南春夢庵筆記》，見簡又文著《太平天國全史》（香港，簡氏猛進書屋，民國五十一年九月），上冊，頁五。

註　八：黃鈞宰著《金壺七墨》（台北，廣文書局，民國五十八年九月），《金壺浪墨》，卷四，頁七。

註　九：《清史稿》，列傳二六二，洪秀全列傳，頁一。

註一〇：《軍機處檔·月摺包》，第二七八〇箱，六包，八三六五八號，洪大全供單。

註一一：毛以亨撰〈太平天國與天地會〉，《申報月刊》，第四卷，第一號。見蕭一山編《近代秘密社會史料》，卷二，頁一六。

註一二：《宮中檔》，第二七〇九箱，一一包，一四八九號，咸豐元年十一月初九日，湖廣總督程矞采奏摺。

註一三：《月摺檔》（台北，國立故宮博物院），咸豐元年十月初七日，湖廣總督程矞采奏摺。

註一四：淺井紀撰〈關於道光青蓮教案〉，《東海史學》（東京，一九七七），第一一號，頁五七。

註一五：莊吉發撰〈清代青蓮教的發展〉，《大陸雜誌》，第七十一卷，第五期（台北，大陸雜誌社，民國七十四年十一月），頁二六。

註一六：《軍機處檔·月摺包》，第二七四九箱，一五八包，八一九九八號，道光二十八年四月二十七日，廣西巡撫鄭祖琛奏摺錄副。

註一七：《欽定勦平粵匪方略》（台北，國立故宮博物院，同治間朱絲欄寫本），卷一，頁二五，道光三十年九月十三日，據通政使羅惇衍奏。

註一八：《清史稿》，列傳二六二，洪秀全列傳，頁一。

註一九：《宮中檔》，第二七〇九箱，一〇包，一四〇三號，咸豐元年十月二十日，賽尙阿奏摺。

註二〇：《宮中檔》，第二七〇九箱，五包，七五七號，咸豐元年六月二十日，賞尙阿奏摺。

註 二 一：《軍機處檔．月摺包》，第二七八〇箱，一包，八二四九三號，咸豐元年十二月十七日，賽尙阿奏摺錄副；《宮中檔》，第二七〇九箱，一二包，一六七三號，咸豐元年十二月初六日，賽尙阿奏摺。

註 二 二：陸寶千著《論晚清兩廣的天地會政權》（台北，中央研究院近代史研究所，民國六十四年五月），頁三一五。

註 二 三：《軍機處檔．月摺包》，第二七八〇箱，二〇包，八六九四五號，咸豐二年十月二十三日，署理兩廣總督廣東巡撫葉名琛奏摺錄副。

註 二 四：《軍機處檔．月摺包》，第二七四九箱，一四三包，七八八一九號，道光二十七年八月二十日，湖南巡撫陸費瑔奏摺錄副；一五一包，八〇六六〇號，道光二十七年十二月二十四日，湖廣總督裕泰等奏摺錄副。

註 二 五：《月摺檔》，咸豐元年十月初七日，湖廣總督程矞采奏摺。

註 二 六：《軍機處檔．月摺包》，第二七八〇箱，六包，八三六三九號，咸豐二年三月初八日，湖廣總督程矞采奏摺。

註 二 七：郭廷以編著《近代中國史事日誌》（台北，中央研究院近代史研究所，民國五十二年三月），第一冊，頁一七九至頁一八三。

註 二 八：《軍機處檔．月摺包》，第二七八〇箱，六包，八三八五九號，咸豐二年三月二十九日，內閣學士勝保奏摺。

註 二 九：《宮中檔》，第二七〇九箱，一一包，一六一〇號，咸豐元年十一月二十七日，湖廣總督程矞采奏摺。

註三 〇：《宮中檔》，第二七〇九箱一三包，一八二六號，咸豐二年正 月二十六日，湖廣總督程矞采奏摺。

註 三 一：《宮中檔》，第二七〇九箱，三一包，五〇六七號，咸豐三年九月二十五日，湖南巡撫駱秉章奏摺。

註 三 二：《宮中檔》，第二七〇九箱，一六包，二一五二號，咸豐二年五月十三日，湖廣總督程矞采奏摺。

註 三 三：《軍機處檔．月摺包》，第二七八〇箱，二三包，八七五七六號，鄒焌奏摺附片。

註 三 四：《宮中檔》，第二七一四箱，二九包，四五二七號，咸豐三年七月十八日，湖南巡撫駱秉章奏摺。

註 三 五：《宮中檔》，第二七〇九箱，九六包，一五八四〇號，奏片。

註 三 六：《宮中檔》，第二七〇九箱，七包，一〇二一號，咸豐元年八月十五日，湖廣總督程矞采奏摺。

註 三 七：《軍機處檔．月摺包》，第二七八〇箱，二四包，八八六九四號，咸豐二年十二月二十四日，廣西巡撫勞崇光奏摺錄副。

註 三 八：《論晚清兩廣的天地會政權》，頁二。

註 三 九：《宮中檔》，第二七〇九箱，二〇包，二六九三號，咸豐二年九月二十九日，湖北提督博勒莽武奏摺。

註 四 〇：《軍機處檔．月摺包》，第二七八〇箱，二五包，八八五一八號，咸豐二年十二月二十九日，候補鹽運使但明倫奏摺。

註 四 一：《軍機處檔．月摺包》，第二七八〇箱，二四包，八七八三二號，咸豐二年十二月初一日，湖南巡撫張亮基奏摺錄副。

註 四 二：《月摺檔》，咸豐五年正月二十六日，湖南巡撫駱秉章奏摺。

註 四 三：《宮中檔》，第二七〇九箱，三包，四六二號，咸豐元年四月十六日，閩浙總督裕泰等奏摺。

註 四 四：黃嘉謨撰〈英人與廈門小刀會事件〉，《中央研究院近代史研究所集刊》，第七期（台北，中央研究院近代史研究所，民國六十七年六月），頁三一七。

註 四 五：《月摺檔》，咸豐元年二月十一日，福建巡撫徐繼畬奏摺附片。

註四六：《中央研究院近代史研究所集刊》，第七期，頁三二九。

註四七：《月摺檔》，咸豐三年五月十二日，兼署閩浙總督福建巡撫王懿德奏摺。

註四八：《清文宗顯皇帝實錄》，卷一〇〇，頁二八，咸豐三年七月戊午，據陳慶鏞奏。

註四九：《軍機處檔．月摺包》，第二七八〇箱，二六包，八八七四九號，咸豐三年正月十二日，福建巡撫王懿德奏摺錄副。

註五〇：《月摺檔》，咸豐八年六月初六日，福建台灣鎮總兵官邵連科等奏摺。

註五一：《月摺檔》，咸豐八年九月二十五日，署理閩浙總督福建巡撫慶端奏摺。

註五二：《軍機處檔．月摺包》，第二七四九箱，一四八包，七九八二五號，道光二十七年十一月十八日，江西巡撫吳文鎔奏摺錄副。

註五三：《宮中檔》，第二七〇九箱，一〇包，一四五〇號，咸豐元年十月二十六日，署理江西巡撫王植奏摺；《軍機處檔．月摺包》，第二七八〇箱，二一包，八七二七九號，咸豐元年十一月十五日，署理江西巡撫王植奏摺錄副。

註五四：《宮中檔》，第二七〇九箱，二六包，三八八四號，咸豐三年四月十九日，江西巡撫張芾奏摺。

註五五：《軍機處檔．月摺包》，第二七八〇箱，二四包，八七九九一號，咸豐二年十二月初九日，張芾奏片。

註五六：《宮中檔》，第二七〇九箱，二六包，三九六〇號，咸豐三年四月二十八日，署理湖南巡撫駱秉璋奏摺。

註五七：《軍機處檔．月摺包》，第二七八〇箱，一八包，八六四〇〇號，咸豐二年九月初七日，署理江西巡撫張芾奏摺錄副。

註五八：《太平天國全史》，上冊，頁六八五。

註五九：《太平天國全史》，上冊，頁六六八。

註六〇：俞樾等纂《上海縣志》（台北，國立故宮博物院，同治十年刊本），卷十一，頁三一。

註六一：熊其英纂《青浦縣志》（台北，國立故宮博物院，光緒五年刊本），卷一〇，兵防，頁二一。

註六二：《宮中檔》，第二七〇九箱，三〇包，四七七二號，咸豐三年八月二十三日，向榮、許乃釗奏摺。

註六三：《宮中檔》，第二七〇九箱，三一包，四八五三號，咸豐三年九月初一日，兩江總督怡良奏摺。

註六四：《北華捷報》，第一六九期，頁四七，一八五三年十月二十二日，劉麗川致各國領事函。

註六五：羅孝全撰〈小刀會首領劉麗川訪問記〉，《逸經》，第二十六期（香港，民國二十六年三月），頁二八。

註六六：《太平天國全史》，上冊，頁六八七。

註六七：《上海小刀會起義史料匯編》（上海，上海人民出版社，一九五八年九月），頁三八。

註六八：盧耀華撰〈上海小刀會的源流〉，《食貨月刊復刊》，第三卷，第五期（台北，食貨月刊社，民國六十二年八月），頁九。

註六九：平山周著《中國秘密社會史》（台北，古亭書屋，民國六十四年八月），頁二五。

註七〇：方裕謹編選〈咸豐十一年浙江平陽金錢會案〉，《歷史檔案》，一九九三年，第三期（一九九三年八月），頁三九。

註七一：孫衣言著《遜學齋文鈔》，見聶崇岐編《金錢會資料》（上海，上海人民出版社，一九五八年五月），頁四六。

註七二：符璋等纂《平陽縣志》，武衛志二，卷一八，頁一三。見《金錢會資料》，頁八一。

註七三：《左文襄公全集》（台北，文海出版社，民國六十八年七月），奏稿，卷九，頁六六。同治三年六月二十七日，查明失察會匪釀變之員弁從重擬結摺。

註七四：《歷史檔案》，一九九三年，第三期，頁三九。

註七五：《歷史檔案》，一九九三年，第三期，頁四二，咸豐十一年十月二十五日，閩浙總督慶端等奏摺。

註七六：《金錢會資料》，頁一八六。

註七七：《宮中檔》，第二七一四箱，七二包，一二一二九號，咸豐十年三月三十日，署理四川總督曾望顏奏摺。

註七八：連橫著《台灣通史》（台北，文海出版社，民國六十九年六月），卷三三，頁八八三。署彰化縣知縣雷以鎮，《月摺檔》作"雷以鎔"。

註七九：《月摺檔》，同治三年正月二十七日，台灣道兼理學政丁日健等奏摺。

註八〇：《月摺檔》，同治元年六月初四日，閩浙總督慶端奏摺。

註八一：邵雍撰〈台灣八卦會起義述略〉，《歷史檔案》，一九九〇年，第四期（一九九〇年十一月），頁一〇一。

註八二：韓山文（Theodore Hamburg）著《洪秀全之異夢及廣西亂事始原》，見〈太平軍史料〉㈠，頁三七八。

註八三：《國父全書》（台北，國防研究院，民國五十五年一月），中國國民黨時代，專論，頁一〇四四。

註八四：陳少白講述，許師慎筆錄《興中會革命史要》（台北，中央文物供應社，民國四十五年六月），頁九。

註 八 五：尹誠善、馮雅春著《孫中山與中國國民黨》（長春，吉林文史出版社，一九九一年五月），頁四一。

註 八 六：馮自由著《中華民國開國前革命史》（台北，世界書局，民國四十三年四月），第一冊，頁一八。

註 八 七：《清德宗實錄》，卷三七八，頁一，光緒二十一年十月癸未，寄信上諭。

註 八 八：《國父全書》，孫文學說，有志竟成，頁三四。

註 八 九：《宮中檔》（台北，國立故宮博物院），第二七一一箱，一八包，三三四八號，光緒二十六年十二月初一日，署兩廣總督廣東巡撫德壽奏摺。

註 九 〇：《中華民國開國前革命史》，第一冊，頁九〇。

註 九 一：章壽彭等纂修《歸善縣志》（台北，國立故宮博物院，乾隆四十八年刊本），卷二，頁四。

註 九 二：《宮中檔》，第二七一一箱，一八包，三四四〇號，光緒二十六年九月十四日，德壽奏摺。

註 九 三：《興中會革命史要》，頁四七。

註 九 四：宮崎滔天著，啓彥譯《三十三年之夢》（台北，帕米爾書店，民國七十三年一月），頁二二二。

註 九 五：鄒魯撰〈庚子惠州之役〉，《中華民國開國五十年文獻》（台北，正中書局，民國五十二年十月），第一編，第九冊，頁五五八。

註 九 六：《萬國公報》，第三十一冊，卷一四四，頁二三載：「閏八月十五日，三合會黨出自惠州，官兵拒之，大戰終日，陣亡官兵二員，傷三十員，士卒死者甚多。」

註 九 七：《宮中檔》，第二七一一箱，一八包，三三四〇號，德壽奏摺。

註 九 八：《清議報》，第六十三冊，頁一〇，中國近事，惠州軍務，光緒二十六年九月二十一日。

註 九 九：《三十三年之夢》，頁二二三。

註一〇〇：《清議報》，第六十三冊，頁九，中國近事，會黨致函西報。光緒二十六年九月十一日。

註一〇一：《清議報》，第六十四冊，頁七，中國近事，惠事略紀。光緒二十六年十月初一日。

註一〇二：《清議報》，第六十四冊，頁八，惠事略紀。光緒二十六年十月初一日。

註一〇三：《中華民國開國前革命史》，第一冊，頁一〇六。

註一〇四：《辛亥革命前十年間民變檔案史料》，下冊，頁四五九，光緒三十三年四月二十六日，兩廣總督周馥奏摺錄副；《東方雜誌》，光緒三十三年，第七期（上海，東方雜誌社，光緒三十三年七月），頁七四。

註一〇五：《中華民國開國前革命史》，第二冊，頁一五七。

註一〇六：馮自由著《革命逸史》（台北，台灣商務印書館，民國五十八年三月），第五集，頁一一五。

註一〇七：《辛亥革命前十年間民變檔案史料》，下冊，頁四四二，光緒三十年三月十二日，署兩廣總督岑春煊奏摺。

註一〇八：《東方雜誌》，光緒三十三年，第七期，頁八三。

註一〇九：《辛亥革命前十年間民變檔案史料》，下冊，頁四五六，光緒三十三年四月十四日，軍機處收電檔。

註一一〇：《辛亥革命前十年間民變檔案史料》，下冊，頁四六二，光緒三十三年五月初六日，軍機處收電檔。

註一一一：按王和順，清朝文書又作黃和順，廣東語中"王"、"黃"音近。三那抗捐，會黨首領劉思裕與黃世欽率眾起事，告示中“總統漢軍大元帥黃”，或指黃和順即王和順，或指黃世欽，或指黃興。

註一一二：《東方雜誌》，第四年，第十期（光緒三十三年十月），頁一一八。

註一一三：《軍機處檔．月摺包》，第二七三〇箱，一四五包，一六九一一六號，光緒三十四年十一月二十三日，兩廣總督張人駿奏摺錄副。

註一一四：《辛亥革命前十年間民變檔案史料》，下冊，頁四七二，光緒三十二年十一月十九日，兩廣總督張人駿奏摺。

註一一五：《東方雜誌》，第五年，第一期（光緒三十四年一月），軍事，頁二四。

註一一六：《外交報》，己酉三月二十五日，第二四一期，頁五。見《外交報彙編》（台北，廣文書局，民國五十三年十二月），第二十七冊，頁一八五。

註一一七：《東方雜誌》，第五年，第五期（光緒三十四年五月），雜俎，頁一三。

註一一八：《軍機處檔．月摺包》，第二七四六箱，一包，一七四九〇二號，光緒三十四年十一月二十七日，雲貴總督兼管雲南巡撫錫良奏摺；《東方雜誌》，第五年，第七期（光緒三十四年七月），記載，頁一四。

註一一九：《收電檔》（台北，國立故宮博物院），宣統二年正月初三日，收署理兩廣總督致軍機處請代奏電；《軍機處檔．月摺包》，第二七七七箱，三二包，一八六三六三號，宣統二年正月二十六日，袁樹勛奏摺；《東方雜誌》，第七年，第二期（宣統二年二月），記載，頁一六；《東方雜誌》，第七年，第五期（宣統二年五月），奏牘，頁七二。

註一二〇：《東方雜誌》，第八卷，第三號（宣統三年四月），頁一九六五八。

註一二一：譚人鳳草擬〈社團改進會意見書〉，轉引自《文史資料選輯》（中國文史出版社，一九八六年），第三十四輯，頁一三六。

註一二二：《革命逸史》，初集，頁三四。

註一二三：陳劍安撰〈廣東會黨與辛亥革命〉，《紀念辛亥革命七十周年青年學術討論會論文選》（北京，中華書局，一九八三年八月），頁三一。

註一二四：《革命逸史》，第四集，頁三八。

註一二五：蔡少卿著《中國近代會黨史研究》（北京，中華書局，一九八七年十月），頁三〇〇。

註一二六：《清史》（台北，國防研究院，民國五十年十月），第八冊，頁六一四五。

註一二七：《革命逸史》，第四集，頁五一至五八。

註一二八：《興中會革命史要》，頁四七。

註一二九：莊政著《國父革命與洪門會黨》（台北，正中書局，民國七十三年十月），頁一〇三。

註一三〇：《軍機處檔．月摺包》，第二七七〇箱，一一一包，一五六六一八號，光緒二十九年五月十七日，德壽奏摺錄副。

註一三一：《辛亥革命前十年間民變檔案史料》，下冊，頁四四一。

註一三二：《東方雜誌》，第四年，第七期（光緒三十三年五月），軍事，頁六七。

註一三三：《辛亥革命前十年間民變檔案史料》，下冊，頁三一七，光緒三十二年十月二十九日，端方檔。

註一三四：《文獻叢編》（台北，台聯國風出版社，民國五十三年三月），上冊，頁五八八，光緒三十三年六月十七日，致北京軍機處電。

註一三五：張玉法撰〈清季革命運動的背景〉，《中國現代史專題研究報告》（台北，中華民國史料研究中心，民國七十一年六月），頁九三。

註一三六：林增平撰〈會黨與辛亥革命〉，《會黨史研究》（上海，學林出版社，一九八七年一月），頁一七二。

註一三七：《紀念辛亥革命七十周年青年學術討論會論文選》，頁四四。

註一三八：瞿同祖撰〈清律的繼承和變化〉，《歷史研究》，一九八〇年，第四期（北京，中國社會科學出版社，一九八〇年八月），頁一三七。

註一三九：《清史稿》，卷一四九，〈刑法一〉，頁三。

註一四〇：《清史稿》，卷一四九，〈刑法一〉，頁四。

註一四一：同註一四〇。

註一四二：夏先範輯《胡文忠公遺集》（台北，文海出版社，民國六十七年一月），卷三，《守黔書牘》，〈致左季高姻丈〉，頁三四。

註一四三：郭建撰〈當代社會民間法律意識試析〉，《復旦學報》，一九八八年，第三期（上海，復旦大學，一九八八年五月），頁八一。

註一四四：《宮中檔雍正朝奏摺》，第十一輯，頁六八。

註一四五：《宮中檔雍正朝奏摺》，第十一輯，頁六九。

註一四六：《宮中檔雍正朝奏摺》，第二十二輯（民國七十三年二月），頁八〇四，乾隆二十九年十月初八日，福建巡撫定長奏摺。

註一四七：《清高宗純皇帝實錄》(台北，華聯出版社，民國五十三年十月），卷九五一，頁一〇，乾隆三十九年正月丙子，諭旨。

註一四八：《清高宗純皇帝實錄》，卷九五一，頁一一，乾隆三十九年正月二十二日，據刑部奏。

註一四九：《宮中檔雍正朝奏摺》，第五十五輯（民國七十五年十一月），頁八六〇，乾隆四十八年四月二十九日，福建水師提督黃仕簡奏摺。

註一五〇：《軍機處檔・月摺包》，第二七七六箱，一四〇包，三三三二〇號，乾隆四十八年七月初一日，多羅質郡王永瑢奏摺錄副。

註一五一：《天地會》㈠，頁一七三。

註一五二：《天地會》㈤，頁三七一。

註一五三：《軍機處檔・月摺包》，第二七四四箱，一七五包，四二二四一號，乾隆五十四年十一月初六日，台灣鎮總兵官奎林奏摺錄副。

註一五四：《天地會》㈤，頁三八三。

註一五五：秦寶琦撰〈天地會檔案史料概述〉，《歷史檔案》，一九八一年，第一期（北京，歷史檔案雜誌社，一九八一年二月），頁一一五。

註一五六：《宮中檔》，第二七一二箱，五三包，七〇七八號，嘉慶六年十二月二十八日，福建台灣鎮總兵愛新泰奏摺。

註一五七：《宮中檔》，第二七一二箱，五一包，六三七八號，嘉慶六年十月十二日，兩廣總督覺羅吉慶奏摺。

註一五八：《宮中檔》，第二七二三箱，九四包，一七八一八號，嘉慶二十年二月十二日，江西巡撫阮元奏摺。

註一五九：《宮中檔》，第二七二三箱，九九包，一九二六一號，嘉慶二十年七月初六日，兩廣總督蔣攸銛奏摺。

註一六〇：《軍機處檔・月摺包》，第二七四七箱，二五包，五七五一六號，道光六年十一月二十五日，閩浙總督孫爾準奏摺錄副。

註一六一：《光緒朝東華錄》(三)（台北，文海出版社，民國五十二年九月），頁一二九三，光緒八年四月辛酉，據李文敏奏。

註一六二：《軍機處檔・月摺包》，第二七六六箱，五九包，一〇六三〇九號，同治十年二月二十三日，閩浙總督英桂奏摺錄副。

註一六三：《光緒朝東華錄》(三)，頁一二四五，光緒八年正月戊申，據張樹聲奏。

註一六四：《軍機處檔・月摺包》，第二七四二箱，二包，八九一四七號，同治二年六月十六日，湖南巡撫毛鴻賓奏片。

註一六五：《軍機處檔・月摺包》，第二七四二箱，二八包，九七八五〇號，同治三年六月二十六日，福建巡撫徐宗幹奏摺錄副。

註一六六：《左文襄公全集》，奏稿，卷一五，頁五四。

註一六七：《月摺檔》，同治五年十二月初四日，湖南巡撫李瀚章奏摺。

註一六八：平山周著《中國秘密社會史》（台北，古亭書屋，民國六十四年八月），頁七六。

註一六九：朱金甫撰〈清代檔案中有關哥老會源流的史料〉，《故宮博物院院刊》，一九七九年，第二期（北京，文物出版社，一九七九年五月），頁七一。

註一七〇：陶成章撰〈教會源流考〉，見《近代秘密社會史料》，卷二，頁五。

註一七一：戴玄之撰〈天地會名稱的演變〉，《南洋大學學報》，第四期（新加坡，南洋大學，一九七〇年），頁一六一。

註一七二：迪凡撰〈四川之哥老會〉，《四川文獻》，第四一期（台北，四川文獻編輯室，民國五十五年一月），頁三九。

註一七三：《清高宗純皇帝實錄》，卷二五一，頁六，乾隆十年十月戊午，據軍機大臣奏。

註一七四：《軍機處檔．月摺包》，第二七二二箱，一三包，一七五七號，乾隆十二年十二月十八日，四川巡撫紀山奏摺錄副。

註一七五：《清穆宗毅皇帝實錄》，卷一六七，頁二八，同治五年正月己丑，據羅惇衍奏。

註一七六：劉錚雲撰〈湘軍與哥老會——試析哥老會的起源問題〉，《近代中國區域史研究討論會論文集》（台北，中央研究院近代史研究所，民國七十五年十二月），頁三九二。

註一七七：《劉忠誠公遺集》（台北，文海出版社，民國五十五年），公牘，卷二，頁三四。

註一七八：《左文襄公全集》，奏稿，卷三一，頁二三；書牘，卷一一，頁二九；書牘，卷二六，頁一六。

註一七九：《月摺檔》，同治六年十月初七日，湖南巡撫劉崑奏摺。

註一八〇：徐安琨著〈哥老會的起源及其發展〉（台北，台灣省立博物館，民國七十八年四月），頁二四。

註一八一：蔡少卿著《中國近代會黨史研究》，頁二〇七。

註一八二：《曾文正公全集》（台北，文海出版社，民國六十三年），雜著，卷二，頁四三。

註一八三：《軍機處檔．月摺包》，第二七四二箱，二包，八九一四六號，同治二年六月十六日，湖南巡撫毛鴻賓奏摺。

註一八四：《月摺檔》，同治四年十二月初一日，兩江總督曾國藩奏摺。

註一八五：《左文襄公全集》，奏稿，卷一七，頁六四。

註一八六：《月摺檔》，同治六年九月初二日，左宗棠奏片。

註一八七：《月摺檔》，同治七年八月初一日，英桂等奏片。

註一八八：《月摺檔》，同治六年六月初一日，湖南巡撫劉坤一奏摺。

註一八九：《月摺檔》，同治八年九月初六日，廣西道監察御史李德源奏摺。

註一九〇：《軍機處檔・月摺包》，第二七六六箱，三八包，一〇〇九四八號，同治九年四月十九日，湖南巡撫劉崑奏摺錄副。

註一九一：《月摺檔》，同治七年五月十六日，署理湖廣總督湖北巡撫郭柏蔭等奏摺。

註一九二：《軍機處檔・月摺包》，第二七六六箱，四五包，一〇二八一一號，同治九年八月十七日，湖廣總督李瀚章奏摺錄副。

註一九三：《軍機處檔・月摺包》，第二七六六箱，四九包，一〇三五九〇號，同治九年十月初六日，江西巡撫劉坤一奏摺錄副。

註一九四：《軍機處檔・月摺包》，第二七六六箱，五〇包，一〇三八九二號，同治九年閏十月初八日，湖南巡撫劉崑奏片錄副。

註一九五：《軍機處檔・月摺包》，第二七六六箱，五一包，一〇四一一五號，同治九年閏十月十八日，河南道監察御史張景青奏摺。

註一九六：《月摺檔》，同治十年五月初三日，湖北巡撫郭柏蔭奏摺。

註一九七：《軍機處檔・月摺包》，第二七四五箱，八一包，一一一五二五號，同治十二年八月二十八日，湖南巡撫王文韶奏摺錄副。

註一九八：《月摺檔》，同治十三年五月二十日，湖廣總督李瀚章奏摺。

註一九九：《軍機處檔・月摺包》，第二七四五箱，一〇九包，一一七六〇五號，同治十三年十一月初一日，江西巡撫劉坤一奏摺錄副。

註二〇〇：《月摺檔》，光緒八年十月二十七日，江西巡撫李文敏奏摺。

註二〇一：《月摺檔》，光緒十八年九月二十四日，江西巡撫德馨奏摺。

註二〇二：《月摺檔》，光緒十八年八月二十二日，安徽巡撫沈秉成奏摺。

註二〇三：《月摺檔》，光緒十七年十月初一日，安徽巡撫沈秉成奏摺。

註二〇四：《軍機處檔・月摺包》，第二三三九箱，四五包，一三一七六二號，光緒二十年二月二十八日，姚士林供詞。

註二〇五：《月摺檔》，光緒十八年九月二十一日，安徽巡撫沈秉成奏摺。

註二〇六：《宮中檔光緒朝奏摺》，第三輯（民國六十二年八月），頁二三二，光緒十三年五月初十日，安徽巡撫陳彝奏摺。

註二〇七：《月摺檔》，光緒九年五月初八日，湖北巡撫卞寶第奏摺。

註二〇八：《月摺檔》，光緒十八年二月初十日，湖南巡撫張煦奏摺。

註二〇九：《軍機處奏摺錄副》，第六六一卷，第二號，宣統二年五月初二日，兩廣總督兼廣東巡撫袁樹勛奏片。

註二一〇：《辛亥革命前十年間民變檔案中料》，上冊，頁三二四。光緒三十三年五月二十日，江西巡撫瑞良奏摺錄副。

註二一一：《辛亥革命前十年間民變檔案中料》，下冊，頁七九三。宣統元年十二月十九日，王朝鉞稟文。

註二一二：《軍機處檔・月摺包》，第二七三五箱，九包，一二一一三五號，光緒八年正月二十一日，貴州巡撫林肇元奏摺。

註二一三：《光緒朝東華錄》㈢，頁一二九二，光緒八年四月丁巳，據刑部奏。

註二一四：《月摺檔》，光緒三年二月初六日，王家璧奏片。

註二一五：《張文襄公全集》（台北，文海出版社，民國五十九年一月），卷三二，奏議，頁二八。

註二一六：《張文襄公全集》，卷三二，奏議，頁三〇。

註二一七：《月摺檔》，光緒十七年九月二十七日，薛福成奏片。

註二一八：《光緒朝東華錄》㈥，頁三一六一，光緒十八年十一月壬寅，據刑部奏。

註二一九：《辛亥革命前十年間民變檔案史料》，上冊，頁二九二。

註二二〇：《清德宗憲皇帝實錄》，卷五四三，頁一三，光緒三十一年三月癸巳，內閣奉上諭。

註二二一：《辛亥革命前十年間民變檔案史料》，上冊，頁二九七。

註二二二：《辛亥革命前十年間民變檔案史料》，下冊，頁四五三。

註二二三：《辛亥革命前十年間民變檔案史料》，下冊，頁六一七。

註二二四：《辛亥革命前十年間民變檔案史料》，下冊，頁六一九。

註二二五：《辛亥革命前十年間民變檔案史料》，上冊，頁四二四。

# 第五章　結　論

秘密會黨是下層社會多元性的異姓結拜組織，各異姓結拜組織，或取其特徵，或就其所執器械，或以其特殊記認，而倡立會名。會黨林立，名目繁多，有的是獨自創生的，有的是輾轉衍化的，有清一代，就是秘密會黨最爲活躍的時期。排比清代各會黨案件的分佈，有助於了解秘密會黨的發展過程。檢查現存檔案，會黨案件的正式出現，是始於雍正年間（一七二三～一七三五），包括：鐵鞭會、父母會、桃園會、子龍會、一錢會、鐵尺會等。乾隆年間（一七三六～一七九五），會黨案件更加頻繁，包括：關聖會、子龍小刀會、邊錢會、關帝會、父母會、北帝會、鐵尺會、天地會、小刀會、添弟會、雷公會、牙籤會、遊會、靝�會等。各會黨主要起源於閩粵地區，可以稱之爲閩粵系統的秘密會黨。其中天地會是較晚出現的一個會黨，最早只能追溯到乾隆中葉。林爽文起事以後，下層社會對天地會的名稱，已經家喻戶曉，耳熟能詳，天地會的隱語暗號，傳佈益廣，各會黨結盟立誓時，多模倣天地會的儀式，傳習天地會的隱語暗號。因此，閩粵系統的秘密會黨又可以稱之爲天地會系統的秘密會黨。秘密會黨的傳佈，與人口流動有密切的關係，閩粵兩省由於地狹人稠，其無田可耕無業可守的貧民，因迫於生計，而紛紛出外謀生，在清代人口的流動現象中，福建和廣東就是最突出的兩個省分。雍正、乾隆時期，秘密會黨最盛行的地區，主要在福建、廣東，隨著閩粵人口的向外流動，其鄰近省分結盟拜會的風氣，亦逐漸盛行。嘉慶十年（一八〇五）以後，江西地區先後破獲天地會、三點會、洪蓮會、邊錢會、添弟會、忠義會、五顯會、太平會、添刀會、鐵尺會、天罡會、長江會、豢巴會、關爺會等。嘉慶十一年（一八〇六）以後，廣西地區結盟拜會的風氣，亦更加盛行，先後破獲的會黨包括：天地會、添弟會、忠義會、老人會等。嘉慶十七年（一八一二）以後，雲南、湖廣秘密會黨亦相繼出現。嘉慶二十一年（一八一六）以後，貴州也開始出現各種會黨。這種傳佈現象，反映秘密會黨是隨著移民潮的出現而橫向發展。由於閩粵地區向外遷移的流動人口遠至邊境各省，而將結盟拜會的風氣，傳佈至邊陲地帶。大致而言，在太平天國起事以前，江西、廣西、雲南、貴州、湖南、四川等省的秘密會黨，主要就是閩粵會黨的派生現象，可以說是屬於閩粵系統或天地會系統的秘密會黨。例如乾隆七年（一七四二），福建漳浦縣已破獲小刀會案件，其出現早於天地會。就台灣地區而言，乾隆三十七年（一七七二），彰化小刀會的活動，在嚴煙渡台傳授天地會以前已極頻繁，漳浦縣、彰化縣的小刀會，俱未受天地會的影響。嘉慶二年（一七九七）十二月，台灣淡水港地方有楊肇等人倣照天地會儀式結拜小刀會，這個小刀會可以說是天地會系統的秘密會黨。乾隆年間，台灣諸羅縣的添弟會與彰化縣的天地會，其倡立時間、地點、人物，俱不相同，是獨自創生的異姓結拜組織，並非同音字。嘉慶年間以降的添弟會，多爲天地會的同音字，是從天地會轉化而來的秘密會黨。同時就添弟會名稱的廣泛襲用而言，還可以看出添弟會傳佈的過程。乾隆五十一年（一七八六），台灣出現添弟會。嘉慶七年（一八〇二），福建建陽縣出現添弟會，廣東博羅縣也出現添弟會。嘉慶十三年（一八〇八），廣西容縣等地出現添弟會。嘉慶十六年（一八一一），江西龍泉縣出現添弟會。嘉慶十七年（一八一二），雲南師宗縣出現添弟會。嘉慶二十一年（一八一六），貴州興義府出現添弟會。嘉慶二十三年（一八一八），湖南道州出現添弟會。嘉慶年間，福建、廣東、廣西、江西、雲南、貴州、湖南等地的添弟會，都是天地會的同音字，屬於天地會系統的秘密會黨，添弟會的倡立及其傳佈，多有軌跡可尋。福建漳浦縣人歐狼，是添弟會的會員，遷居霞浦縣。嘉慶十九年（一八一四），歐狼因貧難度，但稔知添弟會的手勢口訣等暗號，於是起意結會，先後邀得謝奶桂等三十六人結盟拜會，因盟誓時跪拜天地，父天母地，所以取名父母會。雍正年間，台灣父母會是獨自創生的秘密會黨。嘉慶年間，福建霞浦縣父母會則爲嘉慶初年以來添弟會的派生現象。台灣父母會是屬於閩粵系統的秘密會黨，霞浦縣父母會是屬於閩粵系統，同時也是天地會系統的秘密會黨。嘉慶十年（一八〇五），福建長汀縣人黃開基在南平縣拜鄭細觀爲師加入添弟會。嘉慶十九年（一八一四）二月，黃開基在順昌縣糾衆拜會，將添弟會改名爲仁義會。嘉慶年間，廣東出現三合會。嘉慶二十四年（一八一九），御史黃大名條陳積弊一摺已指出廣東三合會名目即從前的添弟會。道光十年（一八三〇）八月，廣東番禺縣人張掵在樂昌縣會遇英德縣人范孝友，談及添弟會改名三合會之事。同年十月，張掵因貿易前往湖南藍山縣。道光十一年（一八三一）正月，張掵在藍山縣糾邀李金保等結拜三合會。同年，貴州開泰縣人馬紹湯前往廣西懷遠縣找尋生意，會遇船戶吳老二。吳老二告知廣東舊有添弟會，改名三合會，會中隱語“三合河水出高溪”，是因添弟會改名三合會之意。給事中劉光三具摺時亦稱，三合會即添弟會的遺種。由此可知三合會是添弟會的派生現象，是屬於閩粵天地會系統的秘密會黨。道光九年（一八二九），江西南安府上猶縣地方有鄒學洪等人結拜添弟會。道光十年（一八三〇）十一月，寄信上諭指出南安一道，向有添弟會名目，千百成群，劫掠搶奪，又名添刀會，每人隨身帶刀一把。添弟會的本質，就是一種異姓弟兄的結拜組織，增添弟兄，以便遇事相助，會中成員隨身帶刀一把，每增兄弟一人，即添刀一把，故稱爲添刀會，又名千刀會，千百成群，以示兄弟衆多。由此可知添刀會或千刀會就是由添弟會轉化而來的秘密會黨。“三八二十一”隱寓“洪”姓，三點會即因“洪”姓而得名。李江泗原籍廣東龍川縣，是三點會的會員，後至福建邵武縣開張雜貨店。據李江泗供稱，三點會原係添弟會，又名三合會。閩浙總督鍾祥具摺時亦稱，邵武等府的三點會，就是從前閩粵各省辦過添弟會的“餘孽”，變易其名而來。易言之，三點會也是由添弟會轉化而來。道光十五年（一八三五），江西贛州府雩都縣有蕭輝章等人結拜天地會，改名長江會。道光二十四年（一八四四），廣東潮陽縣人黃悟空糾衆拜會，因天地會名稱沿用已久，恐難吸收會員，於是改名雙刀會。後來黃悟空又糾人結會，製得紅布三角“洪令”小旗，上寫“䚡黰岃”字樣，以隱藏天地會的名稱。道光二十七年（一八四七）正月，江西長寧縣有凌成榮等人結盟拜會，因天地會歷奉拏辦，恐致張揚敗露，所以改名關爺會，以蔽人耳目。由此可知長江會、雙刀會、關爺會等都是由天地會轉化而來，都是屬於閩粵天地會系統的秘密會黨，在太平天國起事以前，川楚地區的各種會黨，主要是天地會或添弟會的派生現象，是屬於閩粵天地會系統的秘密會黨。哥老會起自四川，而盛行於湖廣，受到閩粵天地會系統會黨的影響極大，吸收許多傳統的要素。但因哥老會吸收嘓嚕的組織特色，同光時期，哥老會盛行，在組織、儀式等方面又有許多獨創，頗能反映區域特徵。因此，可以稱爲川楚系統的會黨。同時因爲有許多會黨是由哥老會轉化而來，所以也可以稱之為哥老會系統的秘密會黨。舉凡哥老會、哥弟會、江湖會、在園會、洪江會、清明會、龍華會、同仇會等，可以說是屬於川楚系統或哥老會系統的秘密會黨。其中哥弟會是哥老會的別名，江湖會又名英雄會。同治六年（一八六七）二月，湖南湘鄉縣有曾廣八等率領江湖會起事案件。湖南巡撫劉崑具摺時已指出，江湖會皆各路營勇在營時輾轉拜盟，遣撤後仍復固結不解（註一）。袁世凱在直隸總督任內查明彰德府境內的在園會，是由哥老會餘黨別立名目而來（註二）。彰德府人彭雲山，曾當營兵被革，投入哥老會，後改立洪江會。湖南瀏陽縣人楊青山曾在各省充當營勇，因事被革，先入哥老會，繼入洪江會，先立刑堂，續充山主。此外，如仁義會、洪蓮會等，在太平天國起事以前，可以歸入閩粵天地會系統，而在同光時期哥老會盛行後可以歸入哥老會系統內。嘉慶十九年（一八〇五），福建長汀縣人黃開基將添弟會改為仁義會。光緒二年（一八七六）九月，江西東鄉縣拏獲仁義會要犯戴金鸞等三名。江西巡撫劉秉璋具奏時指出仁義會即哥老會（註三）。嘉慶十三年（一八〇八），福建永定縣人廖善謦等在江西安遠縣談及三點會奉官查禁，起意商改三點會為洪蓮會。光緒三十二年（一九〇六），江西破獲洪蓮會。據要犯黃淑性供稱，加入昆侖山洪蓮會，充當饒州總頭目，以仇教為名（註四）。同光時期，仁義會、洪蓮會吸收更多哥老會要素，更具哥老會特色。仁義會、洪蓮會雖然是由添弟會、三點會轉化而來，但在同光時期，已與哥老會合流，可以歸入川楚哥老會系統內。由於人口流動的頻繁，以及散兵游勇的無縣無之，閩粵天地會系統及川楚哥老會系統的秘密會黨，都打破了地域限制，而互相影響，相激相盪，彼此合流，廣義的天地會，就是包括閩粵天地會系統及川楚哥老會系統的各種會黨。

秘密會黨是多元性的異姓結拜組織，其組織形態，可以分爲內部組織和外部組織。各會黨名目不同，但都是異姓弟兄的金蘭結義，會內以兄弟相稱，即所謂內部組織，這種組織最能突顯各種會黨的共同特色。例如雍正六年（一七二八），台灣諸羅縣蔡蔭等人結拜父母會，公推蔡蔭爲大哥，以石意爲尾弟。陳斌等人結拜父母會時，公推湯完爲大哥，以朱寶爲尾弟，蔡祖爲尾二。乾隆五十一年（一七八六）十一月，林爽文領導天地會起事以後，天地會內部俱呼林爽文爲大哥，彼此以兄弟相稱。但林爽文對外卻稱順天大盟主，或盟主大元帥，此外設有都督、元帥、將軍、先鋒、軍師、提督、同知、知縣等文武職稱，都是外部組織。清代中期以降，閩粵天地會系統會黨組織的顯著變化，不在其外部組織，而在其內部組織。嘉慶十三年（一八〇八）四月，廣東南海縣人顏超等在廣西來賓縣結拜天地會，顏超將白扇一柄贈送給顏亞貴，稱爲清風扇，作爲傳會的信物。咸豐三年（一八五三）七月，御史陳慶鏞具摺指出福建上游小刀會有衣扣髮辮各暗號，並有鐵板令、草鞋令、過江龍等名目。此時所謂草鞋、鐵板也不過是會中權威性較高的指令，尚非會中職稱。道光十年（一八三〇）五月，江西清江縣人張義老聚衆結拜三點會，會中共推張義老爲老大，黃廣六善走，被推爲老滿頭，其餘分一肩至十肩。道光二十年（一八四〇）十月，貴州大定府白蟒硐人汪擺片等結拜老人會，會中公推汪擺片爲大哥，陳小蟲等十二人爲二哥，陳二纏等十二人爲三哥，張老四等十人爲四哥，張老三等九人爲五哥，許小么等二人爲么大，羅大幗等二人爲滿大。如遇事出力，則么大、滿大陞爲五哥，其餘以次遞陞，倘臨事退縮，亦以次遞降。會中雖仍以大哥、二哥等相稱，但是二哥、三哥各十二人，而且又有么大、滿大等名目。光緒十六年（一八九〇）十月間，廣東雷瓊道朱采訪聞遂溪縣有天地會逸犯結盟拜會案件，揭春亭爲大哥，李幗汰爲二哥，此外有紅棍、先生、草鞋等名目。光緒二十二年（一八九六）七月，廣東平遠縣破獲沙包會，何羅盤三充當三七鐵板，凌文仲充當金花。光緒三十一年（一九〇五），江西龍南縣人吳盛發等加入三點會，吳盛發被封爲紅棍，袁連珍被封爲白扇，黃月譜、張觀蘭、何恩明被封爲四糾，劉德華被封爲鐵板等職。光緒年間，白扇、草鞋、鐵板、紅棍、金花、四糾等都成爲會中內部組織的職稱。洪門兄弟公推出來的首領稱爲大哥，手執紅棍，可以責罰不守規章的弟兄，後來紅棍也成爲會中重要頭目的職稱。白扇原先只是傳會的憑據，持有白扇，就可以邀人結會。洪門兄弟中掌管文書的先生，手持白扇，其地位僅次於香主，因持白扇，後來白扇就成爲先生的別稱。草鞋、鐵板是負責奔走各處傳遞消息，考查弟兄的頭目。閩粵天地會系統會黨內部組織的變化，反映會黨規模的擴大，分工愈細。川楚哥老會系統會黨內部組織更爲複雜，名目繁多，各種職稱所扮演的角色，更加專業化，反映哥老會組織更趨嚴密，對內強化其約束力，對外增進其發展力，終於使川楚哥老會系統的各種會黨，形成動輒聚衆起事，攻城掠地的群衆組織。

秘密會黨的活動，與我國通俗文化的關係，極爲密切，各會黨一方面吸收了古代通俗文化的許多內容及形式，另一方面廣泛流傳於各會黨內部的隱語、口訣、詩歌等又豐富了清代通俗文化的內涵。在各會黨中流傳的隱語、詩句，是屬於一種藏頭詩的形式，又稱爲嵌字詩，即在各詩句中分別嵌入一字，作爲暗號，使會內成員易於辨認，並引起重視，而會外人則莫名其妙。除嵌字入詩外，還利用拆字法或拼字法改造新字，作爲暗號。乾隆末年，據天地會成員賴阿邊等人供稱會中流傳的詩句內有“木立斗世知天下”等語，據稱“木”字是指順治十八年（一六六一）；“立”字是指康熙六十一年（一七二二）；“斗”字是指雍正十三年（一七三五）；“世”是指乾隆三十二年（一七六七），傳說天地會起於乾隆三十二年，故以“世”字暗藏（註五），意即“世”字暗藏著“三十二”。渡台傳授天地會的嚴煙也供稱：「旗上書寫“洪號”字樣，並有五點二十一隱語，都是取洪字的意思，曉得暗號，就是同會，即素不認識之人，有事都來幫助。」（註六）隱語也是一種暗號，“洪”字可以拆成“五點二十一”，使用“五點二十一”隱語的秘密組織，就是以“洪”爲姓集團，或洪門弟兄，天地會就是洪姓集團。林爽文起事失敗以後，天地會逸犯陳蘇老等潛返福建同安縣原籍。爲了復興天地會，陳蘇老於乾隆五十七年（一七九二）八月間，糾邀陳滋等人結拜靝黖會。會中以青氣爲天，以黑氣爲地，即以“靝黖”字樣暗代“天地”二字。嘉慶十六年（一八一一）五月，廣西巡撫成林將東蘭州姚大羔所藏天地會的會簿、三角木戳等咨送軍機處，會簿中書明“青氣爲天，黑氣爲地，山乃爲會”等字樣（註七），意即以“靝黖屴”字樣暗代“天地會”三字。道光二十四年（一八四四）八月，廣東潮陽縣人黃悟空起意結拜雙刀會，會中製成紅布三角洪令小旗，旗面書寫“靝黖屴”三字，暗代天地會。嘉慶七年（一八〇二）五月，廣東香山縣人黃名燦等六人結拜天地會。會中使用“共洪和合，結萬爲記”暗號，刻成木戳，刷成紅白二號，凡是入會者，每人分給二塊，一存各人家內，一帶自己身上，作爲憑據。嘉慶十九年（一八一四）三月，江西龍南縣人鍾錦瀧聽從廣東連平州人邱利展糾邀結拜三點會，會中紅布書寫“五祖分開一首詩，身上洪英無人知，自此傳得衆兄弟，後來相見團圓時”等詩句。道光十五年（一八三五）二月，廣東添弟會黨曾大名傳授“三八二十一，合來共一宗”、“五房留下一首詩，深山洪英少人知，有人識得親兄弟，後來相會團圓時”等詩句。會黨成員的會員證，稱爲腰憑，多以布片印成八角形數層，各層文字的連綴，頗有變化，或一句中顛倒其文字，或各句中互相錯綜，務令外人難於索解，因腰憑本底樣式多成八角形，所以習稱八卦（註八）。腰憑內各層文字，多爲各會黨流傳的隱語及詩句，陸續拼湊，八卦層次日增，由簡而繁，經過長期的拼湊，愈演變而愈錯綜複雜。爲了便於說明，將後世所見天地會腰憑之一影印如下：

圖一：天地會腰憑圖式

腰憑本底樣式，近似八卦圖形，其外層上方居中爲“靝”，暗代“天”字；下方居中爲“黰”，暗代“地”字；右側居中嵌入“日”字；左側居中嵌入“月”字，日月合爲“明”字，暗藏天地會反清復明的宗旨。八卦外層左起詩句爲“五分一詩首開人，後相團時园認來，身洪無知人英上，自傳衆弟兄得此”。句中文意錯亂，但對照歷年會黨案件所錄會員供詞後，可以寫成“五人分開一首詩，身上洪英無人知，自此傳得衆兄弟，後來相見團圓時”，與供詞文意相近。靝黰會在乾隆末年僅僅是一個會黨名稱，“五人分開一首詩”等句，在嘉慶中葉，也不過是詩句而已，後來都刻成腰憑。因此，上圖式樣，其出現的上限，最早只能追溯至嘉慶年間。圖中左上角，取“忠心義氣”偏旁拼造新字，是一種組合字，是下層社會通俗文化極爲常見的造字方法。除隱語、詩句外，各會黨的口訣、手勢等暗號，也是由簡而繁，富於變化。乾隆五十二年（一七八七），天地會成員林功裕供出，會中是以三指拿煙喫茶，遇搶奪之人，則用三指按住胸膛爲暗號。問從那裡來？只說水裡來，便知同會（註九）。天地會的三指暗號，其由來或與李、朱、洪三姓倡立天地會的傳說有關，或與三八二十一的“三”有關，或指桃園劉、關、張三結義而言，以象徵異姓結拜的意義。口訣中的“水裡”，隱寓“洪”字，亦即兄弟結拜共姓“洪”的意思，是洪門弟兄的共同暗號。天地會成員許阿協亦供稱，會中以大指爲天，小指爲地，凡入會者用三指按住心坎爲號，便可免於搶奪。謝志原籍廣東，遷居台灣南投。乾隆五十五年（一七九〇）九月，謝志等十八人在南投虎仔坑結拜天地會，會中傳授用左手伸三指朝天的暗號，相見時用左手伸三指朝天的暗號，就知道是同會弟兄（註一〇）。嘉慶六年（一八〇一），廣東新寧縣的天地會已使用“開口不離本，舉手不離三”暗號。

嘉慶十七年（一八一二）九月，福建武平縣人劉奎養加入添弟會，會中暗號是以外面布衫第二鈕釦寬解不扣，髮辮盤起，辮梢向上，及“開口不離本，出手不離三”要訣。嘉慶十九年（一八一四）閏二月，李文力在福建建陽縣結拜添弟會，傳授取物喫煙俱用三指向前暗號。福建漳浦縣人歐狼，遷居霞浦縣。嘉慶十九年（一八一四）六月，歐狼在霞浦縣天岐山空廟內結拜父母會。會中除傳授“三八二十一”洪字口號及取物喫煙俱用三指暗號外，還傳授問答口白。問：從那裡來？答：從東邊來，西邊去。問：從那裡過？答：從橋下過。所謂“從東邊來”，是指旭日東昇；“西邊去”則指西方月窟，日與月隱寓“明”。“從橋下過”是因誓詞中「有忠有義橋下過，無忠無義刀下亡」等句而來。從嘉慶年間以降，各會黨紛紛效法，編造五花八門的口訣、手勢暗號，極富變化，更豐富了清代通俗文化的內涵。

關羽是三國時期蜀國名將，唐代以來，中原內地對關羽的崇拜，已經盛行，逐漸成爲佛、道二家共同崇拜的神祇。佛教寺院尊關羽爲伽藍神之一，道教崇敬關羽有過之而無不及，至明代萬曆年間（一五七三～一六二〇），關羽被道教封爲“三界伏魔大帝神威遠震天尊關聖帝君”的顯赫尊號，簡稱關帝，習稱關公。關帝信仰傳入遼東後，很快地被女眞人或滿族等少數民族所接受，歷代相沿，在各地留下了很多的關帝廟。這位由英勇善戰的忠義名將衍化而來的神祇，對崇尙武功的滿族、錫伯族，尤具吸引力，清太祖努爾哈齊、太宗皇太極父子都喜讀《三國志通俗演義》，皇太極曾引黃忠落馬，關公不殺的一段故事來指責朝鮮國王的背信棄義（註一一）。當明代後期滿族等部落首領與明朝邊將盟誓時，照例要請出雙方都篤信的關帝聖像，擺設香案祀奠，然後再刑白馬烏牛，白酒拋天，歃血盟誓（註一二）。在滿族入關前，

《三國志通俗演義》已經開始繙譯成滿文，關帝的故事，在滿族社會中，更是家喻戶曉，關帝就以戰神的形象進入了薩滿信仰的神祇行列，關帝信仰遂日益普及化。秘密會黨強調忠義千秋，各會黨的腰憑或隱語詩句，多屬於嵌字入歌的藏頭詩形式，在藏頭詩內多嵌入"忠心義氣"等字樣，各會黨所標榜的就是關帝的忠義精神，關帝秉燭達旦，春秋義薄雲，在洪門兄弟的心目中，關帝的地位高過劉備。有清一代，由於秘密會黨的盛行，關帝信仰在下層社會裡更加普及，有許多會黨的名稱，就是以關帝命名。例如乾隆元年（一七三六），福建邵武縣破獲的關聖會，就是因關聖帝君而得名。乾隆十二年（一七四七）十一月，江西人蕭其能在江西宜黃縣加入關帝會，此會黨亦因崇拜關帝而得名。道光二十七年（一八四七），江西長寧縣出現的關爺會，也是因關公崇拜而命名。有些會黨的結拜儀式，則選在關帝廟內舉行。周宗勝是廣東南海縣人，在廣西上林縣傭工度日，嘉慶十二年（一八〇七）五月，周宗勝等三十人在上林縣東山嶺關帝廟內結拜天地會。有些會黨的結拜儀式，是供設關帝神位，例如嘉慶十三年（一八〇八）三月，江西人鄒麻子等四十四人在江西樂安縣境內僻靜地方寫立關帝神位，結拜邊錢會。嘉慶二十年（一八一五）十月，廣東南海縣人梁老三等人在廣西恭城縣結拜忠義會，擺設案桌，用紙書寫"忠義堂"三字，粘貼桌邊，同時供設關帝神位。道光十年（一八三〇）五月，江西清江縣人張義老等結拜三點會時，是選在清江縣境內山僻地方舉行，因無關帝廟，而寫立關帝神位，傳香結拜。以忠義著稱的關帝，是洪門兄弟膜拜的神明，關帝在會黨的舞台上確實扮演了十分重要的角色。由於各會黨的崇拜關帝，使關帝信仰在下層社會裡，更加普及化。

秘密會黨的起源，與閩粵地區異姓結拜風氣的盛行，有非常密切的關係；秘密會黨的發展，則與閩粵等省的人口流動，有十分密切的關係。在清代人口的流動中，福建、廣東是我國南方最突出的兩個省分，其流動方向，除了向海外移殖南洋等地，在華人社會也發展各種會黨外，其國內移徙方向，一方面是向本省沿邊山區流動，一方面則向土曠人稀開發中的鄰近省分流動。福建的精華區域主要是集中於東南沿海福州、泉州、漳州等府，地狹人稠，其西北內陸山區，因交通阻塞，開發遲緩，地廣人稀，米價低廉，可以容納東南沿海精華區過剩的人口，提供貧民謀生的空間，福建地區省內人口流動的方向就是由沿海精華區流向西北內陸山區開山種地。延平、建寧、邵武等府，都在西北內陸，嘉慶年間（一七九六～一八二〇），延平府境內開始破獲添弟會、拜香會、仁義會等案件，建寧府境內開始破獲百子會、仁義會、雙刀會、添弟會等案件，邵武府破獲花子會。除了閩省人口向西北內陸流動外，廣東、江西人口亦湧入福建西北內陸墾荒種地，例如嘉慶年間在建陽縣結拜仁義會的李青林是廣東人，劉祥書是江西人。道光十五年（一八三五），在邵武縣結拜三點會的李魁、鄒觀鳳等人是廣東人。江西與閩粵等省接壤，江西沿邊地帶可以種植經濟作物，贛南地方，礦區廣大，閩省等省貧民相繼湧入江西謀生。因此，江西秘密會黨的起源與發展，和閩粵人口的流入以及江西本省從閩粵回流的頻繁有密切的關係。乾隆年間，閩粵地區已屢次破獲天地會、添弟會案件，江西從嘉慶十年（一八〇五）始查有天地會的活動。嘉慶十一年（一八〇六），破獲三點會案件。嘉慶十三年（一八〇八），因天地會奉官查禁已久，爲避人耳目，改爲洪蓮會。嘉慶十九年（一八一四），破獲添弟。大致而言，江西天地會、三點會、洪蓮會、添弟會盛行的地區，多鄰近福建、廣東，各種會黨的倡立者或起意拜會的會首，多屬於閩粵地區的外流人口。由此可以說明江西秘密會黨就是閩粵人口流動的產物，亦即閩粵會黨的延伸。廣西與廣東接壤，從廣東溯西江而上至廣西梧州後，可以順右江、左江到廣西沿邊墾荒，乾隆年間，從廣東流入廣西的人口，與日俱增。乾隆五十二年（一七八七），廣西蒼梧縣開始出現牙籤會。嘉慶十二年（一八〇七）、十三年（一八〇八），廣西平樂、上林、林賓、奉議州、藤縣等州縣先後出現天地會。廣東人口固然大量流入廣西，福建人口流入廣西者亦夥，爲立足異域，進入廣西的福建人口，亦結盟拜會，廣西秘密會黨的倡立，就是廣東、福建秘密會黨的延伸。廣東、福建流入雲南、貴州的人口，亦極衆多，從嘉慶中葉以降，雲貴地區的外來人口，絡繹不絕，成長迅速。嘉慶十七年（一八一二），雲南寶寧、師宗等縣，破獲添弟會。嘉慶二十一年（一八一六），雲南文山縣、貴州興義府等地，破獲添弟會。雲南、貴州的添弟會，就是閩粵流動人口的異姓結拜組織，亦即閩粵秘密會黨的延伸。湖南與廣東、廣西接壤，兩廣游民進入湖南後，也結盟拜會。嘉慶二十一年（一八一六），湖南永明縣破獲忠義會。嘉慶二十二年（一八一七），湖南保靖縣破獲公義會。湖南永明等縣，與兩廣接壤，土客之間，彼此不相容，結盟拜會就成爲粵籍客民自力救濟最常見的方式。台灣與閩粵內地，一衣帶水，明末清初以來，一方面由於內地的戰亂，一方面由於地地狹人稠，閩粵民人東渡台灣者，接踵而至。台灣的結盟拜會案件，與拓墾方向大致是齊頭並進的。台灣南部，因其地理位置恰與福建泉州、漳州二府相當，早期渡台民人，即在南部立足，台灣南部遂成爲早期的拓墾重心，康熙末年，朱一貴結盟起事的地點，就是在南部鳳山。其後由於南部本省人口的自然增殖，以及內地移民的不斷湧進，戶口頻增，南部開發殆盡，拓墾方向便由南部逐漸向北延伸。雍正年間的拓墾重心北移至諸羅一帶，湯完等人所結拜的父母會，就是出現於諸羅縣境內。彰化平原在鄭氏時代，已由泉州人開始移墾，清廷領有台灣後，泉州籍移民在彰化平原更是佔了絕對的優勢，漳州莊頗受凌壓，於是結盟拜會，以圖抵制泉州莊。雍正元年（一七二三），彰化縣的增設，表示彰化平原在整個台灣開拓史上確已顯出其區域性發展的重要意義。因諸羅一帶，人口日益飽和，拓墾重心逐漸北移，乾隆年間，彰化平原已成爲拓墾重心，小刀會滋事案件，共計十起，都發生在彰化境內，漳州籍移民林爽文等人所領導的天地會也出現於彰化。其後拓墾重心繼續北移，北部平原可種稻米，山區可生產茶和樟腦，移殖人口日增，嘉慶年間，淡水廳出現了小刀會。道光年間，貓裡（苗栗鎮）廣東莊出現了兄弟會，又名同年會。咸豐年間，廈門小刀會滋擾雞籠、噶瑪蘭等處。同治初年，彰化縣民戴潮春結拜添弟會。但因台灣與兩廣、雲貴、湖廣等內地各省的自然環境，不完全相同，其呈現的社會現象，亦有差異。同光年間以來，台灣對外開放通商口岸，茶和樟腦等物產的出口量逐漸增加，對外貿易緩和人口壓力，行政區劃重新調整，文教工作的加強，使褊狹的地域觀念逐漸消弭，社會治安亦漸改善，盜賊減少。又由於台灣的自然環境比較特殊，孫懸外海，宛如海外孤舟，較易產生同舟共濟的共識。更重要的是台灣與閩粵內地因一海之隔，使太平天國之役並未波及台灣，未遭受散兵游勇的劫掠破壞。因此，同光時期，台灣社會已漸趨整合，分類械鬥案件已經明顯減少，結盟拜會的風氣並不盛行。內地各省的自然環境，與臺灣不同，幅員遼闊，空間廣大，其中廣西、雲南、貴州等省，既與川楚毗連，又與越南、緬甸接壤，邊境延袤，人口流動性較大，起源於閩粵地區的閩粵系統或天地會系統的各種會黨，隨著人口的持續流動，而繼續發展。太平天國起事以後流動性更大，隨著湘軍的四處征戰，散兵游勇的到處劫掠，哥老會的發展，已經突破地域性的限制。江湖會、哥老會、洪江會等會黨，可以說是屬於哥老會系統的秘密會黨，盛行於長江流域各省。由於哥老會的到處放飄，使哥老會系統的各種會黨，在同光時期日趨活躍，分佈益廣，包括：湖南、湖北、江西、安徽、江蘇、浙江、四川、陝西、甘肅、河南、河北、貴州、雲南、廣東、廣西、福建、新疆等省，其中湖廣地區，哥老會案件，所佔比例最高，華北地區，哥老會案件，所佔比例僅次於兩江地區（註一三）。至於江西、貴州、雲南、湖南等地，是天地會系統與哥老會系統各種秘密會黨顯著重疊的地區，台灣、福建、廣東、廣西等地，是天地會系統各種秘密會黨盛行的地區，哥老會案件較罕見。華北地區，哥老會較活躍，天地會系統的會黨案件較罕見。由於天地會系統與哥老會系統各種秘密會黨的彼此合流，相互激盪，更加擴大內地各省的社會動亂，造成更嚴重的社會侵蝕作用。

秘密會黨並非靜態的現象，它始終處在不斷地變化狀態之中，在不同時期，不同地區，有其差異性。各會黨的共同宗旨，主要是強調內部成員的互助問題，加入會黨後，彼此照顧，患難相助。出外人勢孤力單，恐被人欺侮，他們常藉閒談貧苦而倡立會黨。加入會黨後，大樹可以遮蔭，享有片面的現實利益。台灣林爽文聞知天地會人多勢眾，即要求入會，泉漳分類械鬥規模擴大以後，漳州籍移民為求自保，便紛紛加入天地會。林爽文所領導的天地會，其主要成員的原籍多隸福建漳州府各縣，茲據國立故宮博物院、中國第一歷史檔案館典藏宮中檔硃批奏摺、軍機處檔奏摺錄副及台灣檔等資料，將乾隆末年台灣天地會的籍貫分佈列表於下：

## 表一八：清代乾隆年間臺灣天地會籍貫分佈表

| 姓名 | 原籍 | 在臺居地 | 入會年分 | 職稱 |
|---|---|---|---|---|
| 嚴烟 | 福建漳州府平和縣 | 彰化 | 乾隆47年 | |
| 林爽文 | 福建漳州府平和縣 | 大里杙 | 乾隆49年 | 盟主大元帥 |
| 林繞 | 福建漳州府平和縣 | 大里杙 | 乾隆51年 | 耆老 |
| 林領 | 福建漳州府同安縣 | 大肚溪 | 乾隆51年 | 大都督 |
| 林水返 | 福建漳州府平和縣 | 田中央 | 乾隆51年 | 副元帥 |
| 林漢 | 福建漳州府同安縣 | 鳳山 | 乾隆52年 | 輔國左將軍 |
| 林舊 | 福建漳州府平和縣 | 大墩 | 乾隆51年 | 總先鋒 |
| 林全 | 福建漳州府平和縣 | 彰化 | | 總曹帥府 |
| 林九 | 福建漳州府平和縣 | 彰化 | 乾隆51年 | 鎭北將軍 |
| 林扇 | 福建漳州府平和縣 | 大墩 | 乾隆51年 | 鎭北將軍 |
| 林楓 | 福建漳州府平和縣 | 尖厝園 | 乾隆52年 | 九門提督 |
| 林駕 | 福建廈門 | 茄老莊 | 乾隆51年 | 右衛大將軍 |
| 林達 | 福建漳州府南靖縣 | 諸羅 | 乾隆52年 | 宣略將軍 |
| 林小文 | 臺灣淡水廳 | 新莊 | 乾隆51年 | 元帥 |
| 林茂 | 福建漳州府平和縣 | | 乾隆51年 | 建武監軍 |
| 林侯 | 福建漳州府南靖縣 | 大里杙 | 乾隆52年 | 管糧官 |
| 林良 | 福建漳州府平和縣 | | 乾隆51年 | 後衛將軍 |
| 何有志 | 福建漳州府平和縣 | 大肚溪 | 乾隆51年 | 右都督 |
| 何泰 | 福建漳州府平和縣 | 大排竹 | | 中路總提督 |
| 何洪 | 福建漳州府平和縣 | 彰化 | 乾隆51年 | 武勝將軍 |
| 何光義 | 福建漳州府平和縣 | 楠仔仙 | 乾隆52年 | 順天副元帥 |
| 王茶 | 福建泉州府同安縣 | 葫蘆墩 | 乾隆51年 | 遊巡將軍 |
| 王仆方 | 福建漳州府龍溪縣 | 鳳山 | 乾隆52年 | 副先鋒 |
| 李春風 | 福建漳州府詔安縣 | 彰化 | 乾隆52年 | 順勇將軍 |
| 李載 | 福建漳州府詔安縣 | 猫盂蓁莊 | 乾隆51年 | 掃北將軍 |
| 吳領 | 福建漳州府漳浦縣 | 彰化 | 乾隆52年 | 股頭 |

| | | | | |
|---|---|---|---|---|
| 柯 春 | 福建漳州府龍溪縣 | 大排竹 | 乾隆51年 | 鎮國大將軍 |
| 莊大田 | 福建漳州府平和縣 | 篤家港 | 乾隆51年 | 輔國大將軍 |
| 莊大韮 | 福建漳州府龍溪縣 | 鳳山 | 乾隆51年 | 開南大將軍 |
| 莊大九 | 福建漳州府平和縣 | 鳳山 | 乾隆52年 | 護國元帥 |
| 陳 傳 | 福建漳州府海澄縣 | 南投 | 乾隆52年 | 安南大將軍 |
| 陳 梅 | 福建泉州府南安縣 | 笨港 | 乾隆52年 | 軍師 |
| 陳 牙 | 福建漳州府海澄縣 | 鳳山 | 乾隆52年 | 開南左先鋒 |
| 陳 榜 | 福建漳州府漳浦縣 | 彰化 | 乾隆51年 | |
| 陳秀英 | 福建泉州府晉江縣 | 諸羅 | 乾隆51年 | 中南總統大元帥 |
| 陳天送 | 福建泉州府晉江縣 | 彰化 | 乾隆51年 | 巡查察院 |
| 陳 舉 | 福建漳州府龍溪縣 | 鳳山 | | 洪號大將軍 |
| 陳寧光 | 福建漳州府龍溪縣 | 布袋尾莊 | 乾隆52年 | 護駕大將軍 |
| 陳 元 | 福建漳州府平和縣 | | 乾隆52年 | 遊擊將軍 |
| 陳 闖 | 福建漳州府詔安縣 | 諸羅 | 乾隆52年 | 北路先鋒 |
| 陳 商 | 福建漳州府漳浦縣 | 諸羅 | 乾隆52年 | 水陸將軍 |
| 陳 泮 | 福建漳州府漳浦縣 | 虎仔坑 | 乾隆51年 | 征南大都督 |
| 許光來 | 福建泉州府同安縣 | 鳳山 | 乾隆52年 | 副主帥 |
| 許 尚 | 福建泉州府同安縣 | 大武壠 | 乾隆52年 | 靖海侯 |
| 涂 龍 | 福建漳州府詔安縣 | 諸羅 | | 左監軍 |
| 涂 虎 | 福建漳州府詔安縣 | 大楝榔 | 乾隆52年 | 遊擊將軍 |
| 張益光 | 福建泉州府同安縣 | 鳳山 | 乾隆51年 | 招討使 |
| 張 回 | 福建泉州府同安縣 | 彰化 | 乾隆52年 | |
| 郭 鑒 | 福建泉州府同安縣 | 北投 | 乾隆51年 | 護國將軍 |
| 郭漢生 | 福建漳州府龍溪縣 | 彰化 | 乾隆51年 | 輔信將軍 |
| 郭 丕 | 福建漳州府漳浦縣 | 大肚社 | 乾隆51年 | |
| 黃 潘 | 臺灣 | | | 金吾將軍 |
| 黃 成 | 福建泉州府同安縣 | 下淡水 | 乾隆52年 | 副主帥 |
| 黃 富 | 福建泉州府同安縣 | 北投 | 乾隆52年 | 護國將軍 |
| 簡添德 | 福建漳州府南靖縣 | 阿里港 | 乾隆52年 | 總參軍 |
| 高文麟 | 福建漳州府龍溪縣 | 彰化 | 乾隆52年 | 管海口總爺 |

| | | | | |
|---|---|---|---|---|
| 楊振國 | 福建漳州府漳浦縣 | 彰　化 | 乾隆51年 | 副元帥 |
| 楊　軒 | 福建漳州府龍溪縣 | | 乾隆51年 | 辦理軍務 |
| 楊　章 | 臺　灣 | 諸　羅 | 乾隆51年 | 管隊 |
| 朱　開 | 福建漳州府平和縣 | 彰　化 | 乾隆51年 | |
| 賴　達 | 福建漳州府平和縣 | 獺楚埔莊 | 乾隆51年 | 保駕大將軍 |
| 賴　樹 | 福建漳州府平和縣 | 新　莊 | 乾隆51年 | 北路大將軍 |
| 蔡　福 | 福建漳州府平和縣 | 諸　羅 | 乾隆51年 | 軍務總督 |
| 蔡　綱 | 福建漳州府南靖縣 | 淡水廳 | 乾隆51年 | 把總 |
| 謝　檜 | 福建漳州府龍溪縣 | 石落潭 | 乾隆52年 | 都督將軍 |
| 鄭　記 | 福建泉州府晉江縣 | 阿里港 | 乾隆51年 | 總先鋒 |
| 葉　娥 | 福建泉州府同安縣 | 水底寮 | 乾隆52年 | 洪號右將軍 |
| 蘇　敬 | 福建汀州府永定縣 | 牛罵頭 | 乾隆52年 | 左都督 |
| 蘇　良 | 福建泉州府同安縣 | 竹頭崎 | 乾隆52年 | 征西將軍 |
| 蘇　普 | 福建漳州府同安縣 | 諸　羅 | 乾隆51年 | 存城千總 |
| 蔡　挺 | 福建漳州府南靖縣 | 臺　灣 | 乾隆52年 | 信義將軍 |
| 劉　升 | 福建漳州府龍溪縣 | 茄老角莊 | 乾隆51年 | 盟主，副先鋒 |
| 劉志賢 | 福建泉州府惠安縣 | 彰　化 | 乾隆51年 | |
| 劉　三 | 福建泉州府南安縣 | | 乾隆52年 | 忠武將軍 |
| 劉　笑 | 福建漳州府南靖縣 | 猫霧悚 | 乾隆51年 | 英武將軍 |
| 張　文 | 福建漳州府長泰縣 | 刺桐腳莊 | 乾隆51年 | |
| 鍾　祥 | 福建汀州府武平縣 | 碑仔頭 | 乾隆51年 | |
| 陳　樵 | 福建漳州府漳浦縣 | 大肚山 | 乾隆51年 | |
| 劉　實 | 廣東饒平縣 | 彰　化 | 乾隆51年 | |
| 林天球 | 廣東饒平縣 | 彰　化 | | |
| 林　萬 | 福建漳州府龍溪縣 | 彰　化 | 乾隆51年 | |
| 張　標 | 福建漳州府 | 南　投 | 乾隆55年 | 會首 |

資料來源：國立故宮博物院、中國第一歷史檔案館典藏宮中檔、軍機處檔、臺灣檔。

就上表所列天地會主要成員共八二人，原籍隸福建內地者計七十七人，約佔百分之九十四，籍隸廣東省者二人，其餘在台灣者三人。在籍隸福建省內地的七十七人內，其原籍隸漳州府者計五十八人，約佔百分之七十六，原籍隸泉州府者共十七人，約佔百分之二十二。林爽文等人所領導的天地會就是以福建漳州籍移民為基礎的異姓結拜組織。當林爽文起事以後，有少數泉州人也加入天地會。當原籍泉州的林領、陳梅等被解送京師後，軍機大臣進行熬訊。軍機大臣詰問陳梅等云：「你們既是泉州人，向來泉州與漳州既不和睦，現在做賊的，又漳州的人多，你們就該幫同義民殺賊，為何反入了林爽文賊夥呢？」據陳梅供稱：「我雖係泉州人，原住在笨港，算命起課度日。上年六月，林爽文來攻笨港，燒毀村莊，將我家屬收禁，我所以從了他們入夥。後來林爽文又封我做軍師是實。」（註一四）在前表中籍隸泉州的十七人，多數是被裹脅入夥的。天地會既以漳州籍移民為基本成員，於是天地會便對漳州莊形成了社會控制，漳州籍移民依附天地會，接受天地會的盟誓規章約束，直接排斥朝廷的法律。但是天地會產生的社會侵蝕作用，也是不容忽視的。林爽文起事以後，裹脅焚搶，聲勢浩大，泉州莊、廣東莊多遭破壞。林爽文恐村中百姓充當義民，於是在天地會控制地區，逼令村民在辮頂外留髮一圈，以便識認，而形成了一種社會控制。泉州莊、廣東莊為了保境安民，發揮地緣村落守望相助的精神，於是多充義民，以抗拒天地會的入境騷擾。

當某一原生團體進行活動時，其影響所及，往往能刺激另一應生團體的出現（註一五）。天地會是原生團體，林爽文起事以後的義民組織就是受天地會刺激而產生的應生團體，地方文武大員相信多增一千義民，即減少一千會黨，所以廣招義民，被天地會裹脅的泉州籍移民也紛紛投出，充當義民。當天地會頭目被官兵拏獲後，多供出義民不肯入會，拒絕接受林爽文的領導。由此可知台灣早期移墾社會裡的漳州籍移民，其結盟拜會蔚爲風氣，他們即以會黨爲依附團體，而泉州莊及廣東客家莊則以義民組織爲依附團體。以泉州莊及廣東莊爲基礎的廣大義民組織，產生了與天地會勢不兩立的敵對力量，義民遂與官兵形成了聯合陣線，對天地會產生了反制力量。大學士福康安具摺時指出南路山豬毛廣東莊是東港上游，粵民一百餘莊，分爲港東、港西兩里，因康熙末年平定朱一貴，號爲懷忠里，在適中之地建蓋忠義亭一座，林爽文、莊大田起事後，曾遣涂達元、張載柏執旗前往招引粵民入夥，兩里粵民誓不相從，竟將會黨涂達元、張載柏兩人即時擒斬。粵民齊集忠義亭，供奉萬歲牌，決心共同堵禦會黨，挑選丁壯八千餘名，分爲中左右前後及前敵六堆，按照田畝公捐糧餉，由舉人曾中立總理其事，每堆每莊各設總理事、副理事，分管義民，由劉繩祖等充任副理事。乾隆皇帝爲了要獎勵義民，特頒御書褒忠匾額。各處義民，除少數由地方官衙門招募充當外，多由紳衿舖戶等招集，義民每日口糧亦多由義民首捐貲備辦。捐納四品職銜楊振文、文舉人曾大源，世居彰化，林爽文起事後，拒絕入夥，棄家返回泉州。大學士福康安在大擔門候風時，將楊振文、曾大源帶赴鹿仔港，招募義民，隨官兵進勦。清廷善於利用這一股強大的力量，嘉獎義民，屢飭地方官查明優賞，「如係務農經商生理者，即酌免交納賦稅。若係首先倡義紳衿，未有頂帶者，即開列名單，奏明酌予職銜，以示優異。」清高宗以廣東、泉州移民急公嚮義，故賞給匾額，令大學士福康安遵照鉤摹，遍行頒賜，以旌義勇。同時爲了將漳州籍移民從天地會中分化出來，清高宗復諭令台灣府所屬各廳縣應徵地丁錢糧悉行蠲免，以示「一體加恩，普施惠澤」之意。

清軍進勦林爽文、莊大田期間，台灣義民確實扮演了非常重要的角色。乾隆五十一年（一七八六）十二月十二日，署鹿仔港守備事千總陳邦光邀約泉州籍義民首林湊、林華等率領義民往救彰化縣城。林爽文聞知清軍將至，即出西門外駐劄，奪取彰化營汛鎗砲，陳邦光命義民分為左右兩翼向前攻殺，會黨敗退，前後不能相顧，其執旗指揮的天地會副元帥楊振國、協鎮高文麟、先鋒陳高、辦理水師軍務楊軒等四名俱被義民擒獲，彰化縣城遂為義民等人收復。陳邦光以署守備防守鹿仔港等汛地，僅有汛兵五十餘名，其能收復彰化縣城，屢敗會黨，實得力於義民首林湊等招募義民，始克蕆功。是月十三日，署都司易連帶領兵丁及義民進攻新莊，守備童得魁等帶領義民五百名由艋舺渡河直攻下莊，李因等督率義民五百名進攻中港厝，監生黃朝陽督率義民六百名進攻鶯歌與三峽之間的海山頭。廣東莊義民邱龍四等設伏於台北樹林南方的彭厝莊。滬尾莊蔡才等率領義民三百名，和尙洲鄭窓等率領義民六百名，大坪頂黃英等率領義民四百名，合攻滬尾、八里坌等處。和尙洲鄭享等率領義民五百名由北投唭哩岸，孫動等率領義民六百名由上埤頭會攻八芝蘭。同月十八日，淡水同知幕友年已七十高齡的壽同春，用計退敵，親赴各莊招集義民，收復竹塹。諸羅縣義民首黃奠邦、鄭天球、王得祿，元長莊義民首張源懃等也都率領義民隨同官兵打仗，搜拏會黨，購線招降，離間會黨，並差遣義民假扮會黨，四出偵探會黨內部軍情。淡水廳義民首王松、高振、葉培英，東勢角義民首曾應開，熟諳內山路徑，深悉內山情形，奉諭前往屋鰲、獅子等社，率領各社先住民在要隘地方堵截會黨。乾隆五十二年（一七八七）二月十二日，清軍探知林爽文率衆聚集於諸羅縣城外二十里的大坪頂地方，命義民首黃奠邦帶領義民於是日夜間五更啓程，次日黎明抵達大坪頂，擊退會黨。諸羅縣城被天地會黨夥圍困數月之久，糧食匱乏，岌岌不保，會黨久攻不克，確實應歸功於義民的堅守。義民作戰時，每隊各製一旗，以示進退。義民雖然未經訓練，但用以防守地方，則頗爲奮勇可恃，十分得力。林爽文起事之初，南北兩路會黨如響斯應，聲勢既盛，在台戍兵固然缺乏作戰能力，其防守城池，亦未得力，所以不得不多招義民，藉助於地方上的自衛力量，以保衛桑梓。清高宗頒諭時亦稱：「林爽文糾衆叛亂以來，提督柴大紀統兵勦捕，收復諸羅後，賊匪屢經攻擾，城內義民幫同官兵，奮力守禦，保護無虞，該處民人，急公嚮義，衆志成城，應錫嘉名，以旌斯邑。」（註一六）同年十一月初三日，詔改諸羅縣爲嘉義縣，取嘉獎義民之義（註一七）。乾隆五十三年（一七八八）正月初五日，林爽文在淡水廳境內老衢崎地方被義民高振等人所擒獲，台灣南北兩路旋即平定。林爽文在供詞中已指出天地會平海大將軍王芬等人「被鹿仔港義民殺了」。大都督林領供稱：「十二月初一日，我們的家眷又被義民殺了，都逃到貓霧涑，常與義民打仗。」右都督何有志供稱：「官兵沿途追殺，直趕到淡水山內老衢崎地方，四面圍住，被官兵、義民及淡防廳差役將我拏來。」林爽文之役，自乾隆五十一年（一七八六）十一月至乾隆五十三年（一七八八）二月止，前後歷時一年又四個月。在歷次戰役中，官兵傷亡固然頗重，會黨更是慘遭屠戮，林爽文及各要犯俱按律淩遲處死，梟首示衆，其原籍祖墳，俱被刨挖。林爽文起事失敗以後，清廷針對台灣復興天地會而修訂條例，將首犯等擬斬立決，一方面反映地方大吏審擬會黨案件因地而異的情形，一方面反映清廷治台政策的嚴厲，欲藉重法抑制動亂的發生，以達到有效的社會控制，由於清廷的嚴厲取締及鎭壓，台灣秘密會黨的發展，確實遭到重大的打擊，使台灣社會不致失控。

當原生團體的活動趨於激烈時，其應生團體亦趨於活躍，並得到官方的獎勵。林爽文起事以後，由於會黨勢力的過度膨脹，而遭到義民的強烈反彈，經官兵與義民的合力進勦，終於使林爽文等人走上最後的悲劇下場。義民對台灣社會控制產生了正面的社會功能，義民首黃奠邦是武舉出身，曾中立、曾大源也是舉人，都是屬於文化群的社會菁英，在他們領導下的義民對安定台灣早期移墾社會，實有不世之功，貢獻卓著，大學士福康安奏請優獎義民首，曾中立賞戴花翎，教授羅前蔭協同管理義民，頗著勞績，按照曾中立之例賞給同知職銜，義民副理事劉繩祖、黃袞、涂超秀、周敦紀四名，極爲出力，俱賞戴藍翎，義民首黃奠邦，打仗出力，曾賞給巴圖魯（baturu）即勇士名號，福康安奏請以守備補用，清高宗加恩改授同知，張源懃、王得祿等換戴花翎，葉培英等曾隨官兵在內山進勦會黨，賞給藍翎，以千總補用。

當原生團體消滅時，其應生團體亦隨之衰歇，同時遭受官方的壓抑。乾隆五十二年（一七八七）十二月以後，諸羅等處先後收復，不需多人防守，福康安即下令將中路各處官給口糧的義民大量裁減。當南北兩路平定後，各處義民陸續歸莊，所有自備刀矛，俱令義民逐件繳銷，發交地方官改鑄農器，散給貧民耕種，嚴禁私造器械。除菜刀、農具外，倘若私藏弓箭、腰刀、撻刀、半截刀、鏢鎗、長矛之類，即行從重治罪。泉、漳分類械鬥時，多用旗幟號召，即使不肯助鬥的村莊，亦須豎立保莊旗一面，方免蹂躪。紳衿等招募義民，亦豎旗號召，清軍平定台灣南北路後，福康安奏請禁止義民私造旗幟，若有私造旗幟者，即照私造軍器例一體治罪。動亂結束後，原生團體既已消失，應生團體已無存在的必要，基於社會的整體利益，解散義民，就成爲清廷的重要善後措施。從清廷解散義民的過程加以觀察，可以看出清廷對台灣社會的控制，主要是在防範地方勢力的過度膨脹。

福康安等妥籌善後事宜，奏請整頓臺灣吏治，添調佐雜各員，南路鳳山縣城移建埤頭街後，即將下淡水巡檢一員移駐鳳山舊城，阿里港縣丞一員移駐下淡水。北路斗六門地當衝要，原設巡檢一員，官職卑微，另添設縣丞一員，歸嘉義縣管轄。臺灣是海疆重地，必需久任，福康安奏請將各廳縣照道府成例，一律改爲五年報滿，俾能多歷歲時，以盡心民事。台地向來只派御史前往巡視，職分較小，有名無實，奏請從乾隆五十三年（一七八八）二月起將巡臺御史之例停止，改由福建督撫、福州將軍及水陸兩提督每年輪派一人前往稽察。臺灣道向係調缺，地方大吏因臺灣道出缺，每視爲利藪，夤緣徇情，爲釐剔弊端，清高宗格外賞給臺灣道按察使銜，俾有奏事之責，遇有地方應辦事件，即可專摺奏事。除加強行政設施外，也加強防衛力量，增加各縣城內兵力，緊要地方及通衢大路，每處添兵一百數十名不等。此外，府廳各縣多改建城垣，以利防守。爲清查臺灣積弊，福康安又妥籌善後章程，舉凡營兵操演、水師巡洋、總兵巡查、點驗戍兵、安設砲位、清查戶口、禁造器械、嚴懲賭博、考核各官、開放港口、嚴禁私渡、安設郵政等項，俱詳列辦法，對整頓臺灣地方及社會控制，具有積極的意義。嗣後臺灣社會逐漸向較健全的方向發展，乾隆末年的全面性整頓，對治理臺灣，奠定了更良好的基礎。

就清代前期而言，各會黨在倡立之初，既未含有濃厚的反滿種族意識，亦未具有強烈的反清政治意味。嘉慶年間以降，天地會或添弟會等會黨爲號召群衆，遂開始以反清復明相號召。咸同年間，太平天國之役以後，受到種族意識的激盪，反清復明的政治意識，逐漸匯聚成爲民族革命的洪流，各會黨響應革命運動，聚衆起事，於是公然標舉反清復明的宗旨。有清一代，秘密會黨名目繁多，其生態環境及結盟拜會的目的，彼此不同，各會黨的性質，遂不盡相同，有的是民間互助組織，有的是自衛組織，有的是械鬥組織，有的是竊盜組織，有加以分類的必要。例如雍正年間臺灣諸羅縣查禁的父母會，道光年間貴州大定府查禁的老人會，在組織形態上都是異姓結拜團體，在性質上而言，則屬於地方性的民間互助團體，具有正面的社會功能。但因其組織及活動，與大清律例相牴觸，而遭到官方的取締。乾隆年間臺灣彰化縣的各起小刀會，是屬於抵制營兵的地方性自衛組織。諸羅縣境內的添弟會與雷公會，是同籍同姓的械鬥組織。嘉慶年間江西長寧縣的忠義會與五顯會，貴州古州廳的邊錢會，都是械鬥組織。道光年間臺灣淡水廳的兄弟會即同年會，是屬於閩粵分類械鬥期間由廣東客家莊倡立的分類械鬥組織。天地會的宗旨，並非始終如一，其性質亦非沒有變化。乾隆年間，結拜天地會的目的，主要是強調內部成員的互助問題，所謂"婚姻喪葬事情，可以資助錢財，與人打架，可以相幫出力"等語，都是自力救濟的表現，加入天地會後，可以享有片面的現實利益，反清復明並非天地會初創階段的宗旨。乾隆末年，林爽文起事以後，順天行道的政治意味，逐漸濃厚。劫奪他人的財物，是一種不道德的掠奪行爲。清代中期以降，許多地區的天地會都曾有過搶劫財物的不道德行爲，其消極作用，極爲顯著，"社會盜匪主義論"雖然不客觀，也不能將天地會和盜匪放在一條板凳上，完全等同起來（註一八）。廣西等地，不僅結盟拜會的風氣很盛行，其盜匪尤爲猖獗，官方文書常把當地描繪成群盜如毛的景象。在盜匪充斥的社會裡，劫奪行爲，司空見慣，互相模倣，遂積漸成爲一種社會風氣。天地會與盜匪的勾結合流，就常由結盟拜會而劫奪村民。例如嘉慶十三年（一八〇八），廣東南海縣人周宗勝等在廣西上林縣結拜天地會，以行劫打降爲宗旨，會中三十人行劫宜山縣思練堡莫驕家財物。廣東人古致昇在廣西藤縣結拜天地會，會中成員黃德桂等十三人搶劫縣民何鳳儀財物銀兩分用。廣西桂平縣人蘇光等三十六人在平南縣結拜天地會，行劫客船，廣西地區結拜天地會，主要目的，就是爲了行劫打降，多成了竊盜集團。不僅天地會糾衆劫掠，其他會黨亦多與土盜游匪互相結合。例如廣西良民會就是一種歛錢詐欺壓善良的竊盜集團，嘉慶十九年（一八一四）四月，廣西南寧府土忠州生員吳中聘倡立良民會，編造良民與匪類二冊，赴各村歛錢，凡肯出錢者，列入良民簿內，不肯出錢者，即列入匪類簿內，良民會到處歛錢漁利。嘉慶末年，江西擔子會，晝則爲乞丐，夜則行竊勒詐。道光十年（一八三〇），給事中莫光三具奏時已指出廣東地方，會黨蔓延，最爲民害，一切搶劫之事無所不爲。廣州府境內香山等處的三點會，每逢稻穀將熟，即勒令付給錢文，約爲租金的十分之一、二，稱爲打單。不遂所欲，即將田禾盡行芟刈踐踏，以洩其忿（註一九）。道光十一年（一八三一）五月，工科掌印給事中邵正笏具奏時指出浙江紹興府嵊縣地方的鉤刀會，百十爲群，橫行鄉曲。會中聯盟聚夥，設有人名總冊，凡入會者各給憑帖一張，鉤刀一把。分立大黨、小黨名目，起有老三十六太保，小三十六太保等綽號。每年十月十六日，各帶二尺長鉤刀，聚集村莊，賽神演戲，酣歌狂飲，肆無忌憚。每年七月二十七日，以迎元帥會爲名，經由處所，恣意勒派，橫索錢財，打搶劫奪，習以爲常（註二〇）。鉤刀會是因會員各給二尺長鉤刀一把而得名，會中推嵊縣境內東山村富戶金有鑑爲會首，各鎭“游手好閒之徒”捐貲入會者，不下一二千人，鉤刀會聲勢浩大，不言可喻，其橫行鄉里，橫索勒派，爲害閭閻的案件，層出不窮。道光十九年（一八三九），湖南寧鄉縣人陶南山等四十四人在醴陵縣結拜認異會，用紙寫立關帝神位，議明鄰近二十里以內不准行竊，禁止放火、強搶、酗酒、姦淫等項，違者輕則罰錢責處，重則六根除一。會中成立紅黑五門，白日行竊爲紅門，夜間行竊爲黑門。五門包括河下兩門；即鋪花門，挨晚行竊；撬艙門，深夜行竊。岸上三門：即日間撒草門，挨晚吹登門，夜間挖孔門，義竊雞、鴨、鳥等。在認異會控制的二十里內，盜賊絕跡，但在二十里以外的地區卻成爲認異會焚搶姦淫的目標，雞犬不寧，就整體社會秩序而言，認異會的消極作用遠大於積極作用。道光三十年（一八五〇），台灣彰化縣民林連招等倡立小刀會被捕，其黨夥藉機尋仇報復，焚搶攻莊，擄殺百姓，斬首分形，燒屍滅跡，荼毒地方，對社會造成極大的侵蝕作用。同治、光緒時期，哥老會等會黨盛行，聲勢浩大，其燒殺擄掠的情形，更加嚴重。例如光緒十三年（一八八七）閏四月，湖北安鄉縣哥老會打著劫富濟貧的旗號，到處燒屋搶劫。光緒十四年（一八八八），湖北嘉魚縣人何老小，初入清明會，後入哥老會，倡立華蓋山采石水九華堂。何老小到安徽繁昌縣後即有姦佔民女之案。光緒十七年（一八九一），甘肅鎮原縣人惠佔熬糾邀五百餘人結拜哥老會後即持洋槍刀械強劫村民曹邦彥等家銀錢。湖廣總督張之洞具摺指出，兩湖哥老會，開立山堂，散放飄布，黨夥多者竟至數萬，少者亦過千人，幾於無縣無之（註二一）。薛福成具奏時亦稱，湖南營勇立功最多，旋募旋撤，不下數十萬人，而哥老會結盟拜會的風氣，遂於湖南獨熾。立會之初，旨在互相救援，互濟貧乏而已，其後入會者既衆，不免恃勢滋事，打燬教堂，爲從前所未有，哥老會逞一時之意，國家卻受無窮之累（註二二）。哥老會固然到處劫掠，其餘會黨亦荼毒地方，肆無忌憚。河南彰德府人彭雲山曾充營兵被革，投入哥老會，後改名洪江會。光緒三十年（一九〇四），彭雲山探知江西新昌縣發生教案，遂起意藉鬧教爲名，聚衆起事。是年七月初八日四更時刻，率衆至新喻縣獅子寺搶奪駐軍洋槍刀矛後即至高安縣金家塘地方，放火燒燬教堂一所。後來又到塘頭燒燬教民徐姓房屋，搶得銀錢衣物分用（註二三）。河北在園會，竟以能打洋人爲宗旨，動輒攻城掠地，殺害洋人。光緒三十一年（一九〇五）七月，山西巡撫張曾敭致軍機處電文中指出山西平、蒲、解、絳一帶，江湖會白晝開堂放票，奸淫搶殺，地方官莫敢告發（註二四）。光緒三十二年（一九〇六），河南淮寧縣有仁義會劫殺教民案件。光緒三十三年（一九〇七）五月，浙江嵊縣有九龍會敲詐劫掠、攻城搶擄案件。宣統三年（一九一一）閏六月，湖南巡撫楊文鼎具摺痛陳洪江等會爲害地方的嚴重情形。原奏指出，「近年洪匪黨衆勢盛，蔓延邊界，日益披猖，白晝橫行，毫無忌憚，搶劫擄贖，習爲故常。」（註二五）洪江會等擄人勒贖，動至銀數千元，駭人聽聞，對社會造成重大的破壞作用，成爲嚴重的禍患。清代後期，各地會黨受到種族意識的激盪，逐漸匯聚成爲種族革命的潮流。其中閩粵天地會系統各種會黨與革命黨的互相結合，使會黨的活動開始具有新的意義。同盟會成立後，革命黨曾對會黨展開宣傳教育，所得到的主要成果，便是將會黨從排外活動統一到排滿目標下，並置於革命黨的領導之下，洪門兄弟在革命黨領導下提供了衝鋒陷陣的實際武力，其積極作用，確實受到革命黨的肯定。但就清朝而言，對會黨一味採取鎮壓，取締無效，又不能將會黨轉化爲積極力量，終於使會盜合流，動亂擴大，嚴重地破壞社會秩序，付出重大的社會成本，秘密會黨走向群衆運動，走上叛亂，這不僅是金蘭結義的悲劇，也是社會的悲劇，更是清朝的悲劇。

【註釋】

註　一：《軍機處檔・月摺包》，第二七六六箱，三八包，一〇〇九四八號，同治九年四月十九日，湖南巡撫劉崐奏摺錄副。

註　二：《辛亥革命前十年間民變檔案史料》，上冊，頁五〇。

註　三：《月摺檔》，光緒二年九月二十九日，江西巡撫劉秉璋奏片。

註　四：《辛亥革命前十年間民變檔案史料》，下冊，頁三〇七。

註　五：《宮中檔乾隆朝奏摺》，第六十三輯，頁八九，乾隆五十二年正月二十一日，兩廣總督孫士毅奏摺。

註　六：《宮中檔乾隆朝奏摺》，第六十七輯，頁四七二，乾隆五十三年三月初六日，大學士福康安等奏摺。

註　七：《天地會》，㈠，頁三，廣西巡撫成林呈軍機處咨文。

註　八：平山周著《中國秘密社會史》，頁五四。

註　九：《宮中檔乾隆朝奏摺》，第六十三輯，頁四五六，乾隆五十二年二月二十七日，兩廣總督孫士毅奏摺。

註一〇：《明清史料》，戊編，第四本，頁三九五，乾隆五十六年三月十二日，台灣鎮總兵奎等奏摺移會抄件。

註一一：《舊滿洲檔》（台北，國立故宮博物院，民國五十八年八月），第九冊，頁四一九五。

註一二：《明清史料》，甲編，第九本，頁八五七。

註一三：《哥老會的起源及其發展》，頁一五二。

註一四：《天地會》㈠，頁三九九。

註一五：陸寶千著《論晚清兩廣的天地會政權》（台北，中央研究院近代史研究所，民國六十四年五月），頁二三三。

註一六：《清高宗純皇帝實錄》，卷一二九二，頁九，乾隆五十二年十一月丙寅，上諭。

註一七：《上諭檔》（台北，國立故宮博物院），方本，乾隆五十二年十一月初二日，更定諸羅縣擬寫縣名清單。

註一八：諾維科夫撰〈試論“天地會”秘密團體的組織性質〉，《復旦學報·社會科學版》，一九八六年，第六期（上海，復旦大學，一九八六年十一月），頁八四。

註一九：《硃批奏摺》（北京，中國第一歷史檔案館），第六六一卷，六號，道光十一年五月十九日，兩廣總督李鴻賓等奏摺。

註二〇：《軍機處錄副奏摺》（北京，中國第一歷史檔案館），第八八七九卷，三十六號，道光十一年五月二十二日，工科掌印給事中邵正笏奏摺。

註二一：《月摺檔》，光緒十七年九月初七日，湖廣總督張之洞奏摺。

註二二：《月摺檔》，光緒十七年九月二十七日，薛福成奏片。

註二三：《辛亥革命前十年間民變檔案史料》，上冊，頁二九四。

註二四：同前書，上冊，頁一三六。

註二五：同前書，上冊，頁四二九。

# 徵引書目

## 一、檔案資料

1.《宮中檔》，台北，國立故宮博物院。

2.《宮中檔雍正朝奏摺》，台北，國立故宮博物院，民國六十七年三月。

3.《宮中檔乾隆朝奏摺》，台北，國立故宮博物院，民國七十一年五月。

4.《上諭檔》，台北，國立故宮博物院。

5.《月摺檔》，台北，國立故宮博物院。

6.《收電檔》，台北，國立故宮博物院。

7.《起居注冊》，台北，國立故宮博物院。

8.《舊滿洲檔》，台北，國立故宮博物院，民國五十八年八月。

9.《軍機處檔·月摺包》，台北，國立故宮博物院。

10.《硃批奏摺》，北京，中國第一歷史檔案館。

11.《軍機處錄副奏摺》，北京，中國第一歷史檔案館。

12.《文獻叢編》，台北，台聯國風出版社，民國五十三年三月。

13.《明清史料》，台北，中央研究院歷史語言研究所，民國六十一年三月。

14.《天地會》，北京，中國人民大學出版社，一九八〇年十一月。

15.《辛亥革命前十年間民變檔案史料》，北京，中華書局，一九八五年二月。

16.《上海小刀會起義史料匯編》，上海，上海人民出版社，一九六四年九月。

17.聶崇岐編《金錢會資料》，上海，上海人民出版社，一九五八年五月。

18.〈咸豐十一年浙江平陽金錢會案〉，《歷史檔案》，一九九三年，第三期，北京，歷史檔案雜誌社，一九九三年八月。

19.《皇朝食貨志》，台北，國立故宮博物院。

20.《皇清奏議》，台北，文海出版社，民國五十六年十月。

21.《皇朝經世文編》，台北，國風出版社，民國五十二年七月。

22.《外交報彙編》，台北，廣文書局，民國五十三年十二月。

## 二、官書典籍

1.《清高宗純皇帝實錄》，台北，華聯出版社，民國五十三年十月。

2.《清仁宗睿皇帝實錄》，台北，華聯出版社，民國五十三年十月。

3.《清宣宗成皇帝實錄》，台北，華聯出版社，民國五十三年十月。

4.《清文宗顯皇帝實錄》，台北，華聯出版社，民國五十三年十月。

5.《清德宗景皇帝實錄》，台北，華聯出版社，民國五十三年十月。

6.《明史》，台北，鼎文書局，民國六十四年六月。

7.《清史稿》，香港，益漢書樓，民國六十六年四月，香港影印版。

8.《清史》，台北，國防研究院，民國五十年十月。

9.《清史稿校註》，台北，國史館，民國七十八年二月。

10.《欽定大清會典事例》，台北，中文書局，民國五十二年一月。
11.《欽定剿平粵匪方略》，台北，國立故宮博物院，同治間朱絲欄寫本。
12.《清朝文獻通考》，台北，新興書局，民國五十二年十月。
13.《左文襄公全集》，台北，文海出版社，民國六十八年七月。
14.《胡文忠公遺集》，台北，文海出版社，民國六十七年一月。
15.《張文襄公全集》，台北，文海出版社，民國五十九年一月。
16.《曾文正公全集》，台北，文海出版社，民國六十三年。
17.湯志鈞編《陶成章集》，北京，中華書局，一九八六年一月。
18.王琛等修《邵武府志》，台北，國立故宮博物院，光緒丁酉年刊本。
19.史夢蘭纂修《樂亭縣志》，台北，國立故宮博物院，光緒丁丑刊本。
20.杜昌丁修《永春州志》，台北，國立故宮博物院，乾隆二十二年刊本。
21.俞樾纂《上海縣志》，台北，國立故宮博物院，同治十年刊本。
22.章壽彭等纂修《歸善縣志》，台北，國立故宮博物院，乾隆四十八年刊本。
23.黃任等纂修《泉州府志》，台北，國立故宮博物院，乾隆癸未刊本。
24.符璋纂《平陽縣志》，見《金錢會資料》。
25.熊其英纂《青浦縣志》，台北，國立故宮博物院，光緒五年刊本。

## 三、專書著作

1.王慶雲著《熙朝紀政》，光緒戊戌年重校縮印本。

2.尹誠善、馮雅春著《孫中山與中國國民黨》，長春，吉林文史出版社，一九九一年五月。

3.平山周著《中國秘密社會史》，台北，古亭書屋，民國六十四年八月。

4.朱勇著《清代宗族法研究》，長沙，湖南教育出版社，一九八七年十二月。

5.江日昇編著《台灣外記》，台北，台灣銀行經濟研究室，民國四十九年五月。

6.李國祁著《中國現代化的區域研究：閩浙台地區，一八六〇～一九一六》，台北，中央研究院近代史研究所，民國七十一年五月。

7.周宗賢著《台灣民間結社的本質與機能》，台北，河洛圖書出版社，民國六十七年二月。

8.柯尼格(Samuel Koenig)著，朱岑樓譯《社會——社會之科學導論——》(Sociology, An Introduction to the Science of Society)，台北，協志工業叢書出版公司，民國七十五年三月。

9.施列格原著，薛澄清譯述《天地會研究》，台北，古亭書屋，民國六十四年八月。

10.徐安琨著《哥老會的起源及其發展》，台北，台灣省立博物館，民國七十八年四月。

11.宮原民平著《支那の秘密結社》，日本，東洋研究會，大正十三年四月。

12.宮崎滔天著，啓彥譯《三十三年之夢》，台北，帕米爾書店，民國七十三年一月。

13.《國父全書》，台北，國防研究院，民國五十五年一月。
14.秦寶琦著《清前期天地會研究》，北京，中國人民大學出版社，一九八八年七月。
15.陸寶千著《論晚清兩廣的天地會政權》，台北，中央研究院近代史研究所，民國六十四年五月。
16.郭廷以著《台灣史事概說》，台北，正中書局，民國六十四年二月。
17.郭廷以編著《近代中國史事日誌》，台北，中央研究院近代史研究所，民國五十二年三月。
18.陳少白講述，許師慎筆錄《興中會革命史要》，台北，中央文物供應社，民國四十五年六月。
19.陳支平著《清代賦役制度演變新探》，福建，廈門大學出版社，一九八八年六月。
20.陳國屏著《清門考源》，台北，古亭書屋，民國六十四年八月。
21.連立昌著《福建秘密社會》，福州，福建人民出版社，一九八九年十二月。
22.連橫著《台灣通史》，台北，台灣銀行經濟研究室，民國五十一年二月。
23.馮自由著《中華民國開國前革命史》，台北，世界書局，民國四十三年四月。
24.馮自由著《革命逸史》，台北，台灣商務印書館，民國五十八年三月。
25.張朋園著《中國現代化的區域研究：湖南省，一八六〇～一九一六》，台北，中央研究院近代史研究所，民國七十二年二月。

26.莊政著《國父革命與洪門會黨》，台北，正中書局，民國七十三年十月。

27.莊吉發校注《謝遂“職貢圖”滿文圖說校注》，台北，國立故宮博物院，民國七十八年六月。

28.黃鈞宰著《金壺七墨》，台北，廣文書局，民國五十八年九月。

29.趙文林、謝淑君著《中國人口史》，北京，人民出版社，一九八八年六月。

30.劉師亮著《漢留全史》，台北，古亭書屋，民國六十四年八月。

31.劉鴻喜著《中國地理》，台北，五南圖書出版公司，民國七十三年十一月。

32.衛聚賢著《中國幫會青紅漢留》，重慶，說文出版社，民國三十八年。

33.簡又文著《太平天國全史》，香港，簡氏猛進書屋，民國五十一年九月。

34.蕭一山編《近代秘密社會史料》，台北，文海出版社，民國六十四年九月。

35.蕭一山編《清代通史》，台北，台灣商務印書館，民國五十一年九月。

36.蔡少卿著《中國近代會黨史研究》，北京，中華書局，一九八七年十月。

37.蔡少卿著《中國秘密社會》，杭州，浙江人民出版社，一九八九年八月。

38.羅爾綱著《天地會文獻錄》，上海，正中書局，民國三十六年十月。

39.魏建猷主編《中國會黨史論著匯要》，天津，南開大學，一九八五年十二月。

40.《水滸傳》，台北，陽明書局，民國七十三年三月。

41.《水滸傳》，台北，桂冠圖書公司，民國七十四年十一月。

42.《辭海》，台北，中華書局，民國七十一年。

## 四、論文期刊

1.丁杰撰〈止鬥論〉，《清史研究通訊》，一九八五年，第三期，北京，中國人民大學書報資料中心，一九八五年。

2.王思治撰〈宗族制度淺論〉，《清史論叢》，第四輯，北京，中華書局，一九八二年十二月。

3.王爾敏撰〈秘密宗教與秘密會社之生態環境及社會功能〉，《中央研究院近代史研究所集刊》，第十期，台北，中央研究院近代史研究所，民國七十年七月。

4.毛以亨撰〈太平天國與天地會〉，《申報月刊》，第四卷，第一號，見《近代秘密社會史料》，卷二。

5.全漢昇撰〈宋明間白銀購買力的變動及其原因〉，《中國經濟史研究》，香港，新亞研究所，一九七六年。

6.朱金甫撰〈清代檔案中有關哥老會源流的史料〉，《故宮博物院院刊》，一九七九年，第二期，北京，文物出版社，一九七九年五月。

7.李之勤撰〈論鴉片戰爭以前清代商業性農業的發展〉，《明清社會經濟形態的研究》，上海，上海人民出版社，一九五六年六月。

8.林增平撰〈會黨與辛亥革命〉，《會黨史研究》，上海，學林出版社，一九八七年一月。

9.周新國撰〈天地會與清代通俗文化〉，《江海學刊》，一九八七年，第六期，江蘇省社會科學院，一九八七年十一月。
10.迪凡撰〈四川之哥老會〉，《四川文獻》，第四一期，台北，四川文獻編輯室，民國五十五年一月。
11.胡珠生撰〈天地會起源初探——兼評蔡少卿同治關於天地會的起源問題〉，《歷史學》，一九七九年，第四期。
12.違慶遠撰〈利用明清檔案進行歷史研究的體會〉，《明清史辨析》，北京，中國社會科學出版社，一九八九年七月。
13.秦寶琦撰〈天地會檔案史料概述〉，《歷史檔案》，一九八一年，第一期，北京，歷史檔案雜誌社，一九八一年二月。
14.秦寶琦撰〈台灣學者對天地會小刀會源流研究述評〉，《清史研究集》，第二輯，北京，中國人民大學清史研究所，一九八二年六月。
15.秦寶琦撰〈天地會起源“乾隆說”新證——伍拉納、徐嗣曾關於天地會起源的奏摺被發現〉，《明清史月刊》，一九八六年，第四期，北京，中國人民大學書報資料中心，一九八六年。
16.秦寶琦撰〈關於天地會的創立宗旨問題——兼與赫治清、胡珠生同志商榷〉，《明清史月刊》，一九八八年，第十一期。
17.秦寶琦撰〈鄭成功創立天地會說質疑〉，《鄭成功研究論文選續集》，福建人民出版社，一九八四年。
18.秦寶琦撰〈有關天地會起源史料〉，《歷史檔案》，一九八六年，第一期，北京，中國第一歷史檔案館，一九八六年。
19.秦寶琦撰〈乾嘉年間天地會在台灣的傳播與發展〉，《台灣研究國際研討會論文》，美國芝加哥，一九八五年七月。
20.翁同文撰，〈康熙初葉“以萬爲姓”集團餘黨建立天地會〉，《中華學術與現代文化叢書》，第三冊，《史學論集》，台